Lauren Wolk

Das Jahr, in dem ich lügen lernte

Lauren Wolk

Das JAHR, in dem ich LÜGEN LERNTE

Aus dem Englischen
von Birgitt Kollmann

Carl Hanser Verlag

Die Originalausgabe erschien 2016 unter dem Titel *Wolf Hollow*
bei Dutton Children's Books, a division of Penguin Young Readers Group,
an imprint of Penguin Random House LLC, New York.
Published by arrangement with Lauren Wolk.

1 2 3 4 5 21 20 19 18 17

ISBN 978-3-446-25494-7

Illustration und Lettering:
All Things Letters | Chris Campe, Hamburg
Satz im Verlag
Druck und Bindung: Friedrich Pustet, Regensburg
Printed in Germany

Für meine Mutter

Vorwort

In dem Jahr, als ich zwölf wurde, lernte ich zu lügen.

Damit meine ich nicht die üblichen kleinen Schwindeleien von Kindern. Ich meine wirkliche Lügen, die von wirklichen Ängsten gespeist werden. Dinge, die ich sagte oder tat und die mich aus dem Leben, das ich bis dahin gekannt hatte, hinauszerrten und hart in einem anderen landen ließen.

Es geschah im Herbst 1943, als mein bis dahin so gleichmäßiges Leben ins Trudeln geriet. Nicht nur wegen des Krieges, der die ganze Welt in eine lärmende Schlacht gerissen hatte, sondern auch wegen des bösen Mädchens, das in unsere Gegend zog und alles veränderte.

Manchmal war ich so verwirrt, dass ich mich wie der Stab eines Windrädchens fühlte, ständig umgeben von diesem Rasseln und Klappern, doch gleichzeitig wusste ich, dass ich mich nicht mit einem Buch und einem Apfel in unserer Scheune verkriechen konnte, während die Ereignisse draußen sich ohne mich überstürzten. Dass ich nicht zwölf werden konnte, ohne einen eigenen Beitrag zu meinem Leben zu leisten, und damit meinte ich meinen Platz in unserer Familie, meinen Einfluss, so gering er auch sein mochte, und die Möglichkeit, irgendwann eine eigene Rolle zu spielen.

Aber das war noch nicht alles.

In dem Jahr, als ich zwölf wurde, begriff ich, dass alles, was ich tat und sagte, Folgen hatte.

So große manchmal, dass ich mir nicht sicher war, ob ich so eine Bürde wirklich wollte.

Gleichwohl lud ich sie mir auf und trug sie, so gut ich konnte.

1

Alles begann mit meinem Sparschwein aus Porzellan, das Tante Lily mir zu meinem fünften Geburtstag geschenkt hatte.

Als es plötzlich nicht mehr da war, bemerkte meine Mutter das sofort.

»Versteckst du etwa dein Sparschwein, Annabelle?« Sie war dabei, die Dielen in meinem Zimmer zu schrubben, während ich meine Sommersachen verstaute. Es musste ihr gleich aufgefallen sein, dass das Schwein fehlte, denn außer den Möbeln und den Fenstern gab es in meinem kleinen Zimmer nicht viel – einen Kamm und eine Bürste und ein Buch neben meinem Bett. »Du musst deine Sachen nicht verstecken«, sagte Mutter. »Niemand nimmt dir etwas weg.« Sie rutschte auf allen vieren herum, ihr ganzer Körper folgte ihren Bewegungen beim Schrubben, und die Sohlen ihrer schwarzen Arbeitsschuhe zeigten ausnahmsweise nach oben.

Ich war froh, dass sie mein Gesicht nicht sehen konnte. Ich faltete gerade ein Sonntagskleid in viel zu leuchtendem Rosa, aus dem ich hoffentlich im nächsten Frühjahr herausgewachsen sein würde, und stellte mir vor, wie mein Gesicht in derselben grässlichen Farbe glühte.

Als ich an jenem Tag von der Schule nach Hause gekommen war, hatte ich das Schwein geschüttelt, um einen Penny herauszuholen, und dabei war es mir aus der Hand gefallen. Es war in tausend Stücke zerbrochen und hatte dabei all die Münzen freigegeben, die ich in Jahren zusammengespart hatte und die inzwischen sicher an die zehn Dollar ergaben. Die Scherben hatte ich hinter dem Küchengarten vergraben, das Geld in ein altes Taschentuch getan und dessen Enden zusammengeknotet. Dieses kleine Bündel hatte ich unter meinem Bett in einem Winterstiefel versteckt, zusammen mit dem Silberdollar, den Großvater mir letztes Jahr zum Geburtstag geschenkt hatte, einen aus seiner Sammlung.

Den Silberdollar hatte ich nie in mein Sparschwein gesteckt, weil ich ihn nicht als Geld ansah. Er war so etwas wie eine Medaille, die ich irgendwann tragen würde, so schön war die Frau darauf, so ernst und prächtig in ihrem Strahlenkranz.

Ich beschloss, dass ich mich vielleicht von einem Penny trennen würde, vielleicht auch von mehreren, doch niemals würde ich dem schrecklichen Mädchen meinen Silberdollar geben.

Den Schulweg legte ich immer zusammen mit meinen Brüdern zurück. Henry war damals neun und James sieben. Auf dem Hinweg ging es hinunter zur Wolfsschlucht, auf dem Rückweg wieder hinauf. Genau am Eingang zur Schlucht stand an jenem Tag ein großes, kräftiges, älteres Mädchen namens Betty. Sie werde nach der Schule dort auf mich warten, hatte sie angekündigt.

Sie war aus der Stadt hergeschickt worden, um bei ihren Großeltern zu leben, den Glengarrys, die oberhalb des Racoon Creek wohnten, nicht weit von der Straße, die zu unserer Farm führte. Seit sie vor drei Wochen zum ersten Mal bei uns in der Schule aufgetaucht war, hatte ich Angst vor ihr.

Hinter vorgehaltener Hand erzählten sich die Leute, Betty sei »schwer erziehbar«, deshalb sei sie aufs Land geschickt worden. Den Ausdruck hatte ich bis dahin noch nie gehört. Mir war nicht klar, ob sie zur Strafe zu den Großeltern aufs Land geschickt worden war oder ob man sie dadurch zu einem besseren Menschen machen wollte. Wie dem auch sein mochte, ich fand es nicht fair, sie ausgerechnet uns aufs Auge zu drücken, die wir nichts Schlimmes getan hatten.

Sie erschien einfach eines schönen Morgens in unserer Schule, ohne große Ankündigung oder nähere Erklärungen. Wir waren auch ohne sie schon fast vierzig, mehr, als in der kleinen Schule eigentlich Platz hatten, sodass manche von uns sich ein Pult teilen mussten, das eigentlich nur für einen gedacht war. Dann schrieben und rechneten zwei auf der zerkratzten abgeschrägten Schreibplatte, zwei verwahrten ihre Bücher in dem Fach darunter.

Mir machte das nichts aus, weil ich mir einen Platz mit meiner Freundin Ruth teilte, einem dunkelhaarigen Mädchen mit blasser Haut und roten Lippen, mit leiser Stimme und stets perfekt gebügelten Kleidern. Ruth und ich lasen beide gern, das verband uns und war uns wichtig. Außerdem waren wir beide dünn und badeten regelmäßig (was man nicht von allen Kindern in unserer Schule sagen konnte), und deshalb war es nicht so schlimm.

An dem Tag, als Betty zu uns kam und ganz hinten im Klassenzimmer stehen blieb, sagte Mrs. Taylor, unsere Lehrerin: »Guten Morgen!« Betty sagte nichts, stand nur da mit vor der Brust verschränkten Armen. »Kinder, das ist Betty Glengarry«, stellte Mrs. Taylor sie uns vor. Für mich klang das wie ein Name aus einem Lied.

Es wurde erwartet, dass wir Guten Morgen sagten, und das taten wir auch, doch Betty sah uns nur wortlos an.

»Es ist ein bisschen eng bei uns, Betty, aber wir werden schon noch ein Plätzchen für dich finden. Häng erst einmal deinen Mantel und den Henkelmann mit deinem Mittagessen auf.«

Schweigend warteten wir alle ab, wo Mrs. Taylor Betty wohl hinsetzen würde, doch bevor sie noch dazu kam, der Neuen einen Platz zuzuweisen, stand ein mageres Mädchen namens Laura auf, raffte ihre Bücher zusammen und zwängte sich neben ihre Freundin Emily, sodass ein Pult frei wurde. Sie hatte anscheinend geahnt, was sonst auf sie zukommen würde.

Der freie Platz war also von da an Bettys. Sie saß direkt vor Ruth und mir, so dicht, dass ich schon bald kleine rote Stellen an den Beinen hatte, wo Betty mich gern unter dem Pult mit dem Bleistift pikste. Ich war nicht glücklich mit der Situation, andererseits war ich froh, dass Betty mich als ihr Opfer ausgesucht hatte und nicht Ruth, die kleiner und zierlicher war als ich. Ein anderer Unterschied zu Ruth war, dass ich Brüder hatte, die mir schon weit Schlimmeres zugefügt hatten. Während Bettys erster Woche bei uns beschloss ich also, diese kleinen Attacken einfach durchzustehen; sicher würden sie mit der Zeit nachlassen.

In einer anderen Art von Schule hätte die Lehrerin vielleicht etwas bemerkt, aber Mrs. Taylor musste sich einfach darauf verlassen, dass alles, was hinter ihrem Rücken geschah, sie nicht zu kümmern brauchte.

Da alle Jahrgänge im selben Raum unterrichtet wurden, saßen die Kinder, die gerade an der Reihe waren, auf Stühlen dicht gedrängt vor der Tafel, während wir anderen still an unseren Plätzen arbeiteten, bis wir selbst nach vorn gerufen wurden.

Einige der älteren Jungen verschliefen einen Großteil des Schultages. Wenn sie an die Tafel kommen sollten, zeigten sie ihre Verachtung für Mrs. Taylor so offen, dass ihre Lektionen sicher kürzer ausfielen als eigentlich vorgesehen. Diese großen Jungen arbeiteten alle schon auf den Farmen ihrer Familien mit und sahen überhaupt nicht ein, wozu sie noch zur Schule gehen sollten, die ihnen doch nichts beibrachte über Aussaat, Ernte oder Tierzucht. Außerdem wussten sie sehr wohl, dass das, was sie in der Schule lernten, ihnen nicht dabei helfen würde, gegen die Deutschen zu kämpfen, wenn sie alt genug wären, um eingezogen zu werden – sollte der Krieg bis dahin noch nicht zu Ende sein. Was sie zu kräftigen Kämpfern machte oder ihnen vielleicht sogar die Teilnahme am Krieg ersparen konnte, war nicht die Schule, sondern die tägliche Arbeit auf den Höfen und die Tatsache, dass die Farmer und Kleinbauern für die Versorgung der Soldaten wichtig waren.

In den kältesten Monaten jedoch war die Arbeit zu Hause oft langweilig und mühsam. Dann mussten Zäune geflickt, Scheunendächer repariert und Wege erneuert werden. Vor die Wahl gestellt, einen Tag friedlich schlummernd im Klassenzimmer abzusitzen und sich in den Pausen mit den anderen Jungen zu raufen, statt draußen im eisigen Wind zu arbeiten, wählten die Jungen gewöhnlich die Schule. Vorausgesetzt, ihre Väter ließen sie gehen.

Doch als Betty im Oktober in die Klasse kam, waren die Tage noch warm, und diese wüsten Rabauken erschienen nicht regelmäßig zum Unterricht. Ohne Betty wäre die Schule also ein friedlicher Ort gewesen, wenigstens bis zu jenem furchtbaren November, als alles in Stücke fiel und ich eine ganze Litanei von Lügen erzählen musste.

Damals kannte ich noch kein Wort, das Betty treffend beschrieben hätte oder mit dem ich den Unterschied zwischen ihr und uns anderen in der Schule hätte benennen können. Sie war noch keine Woche bei uns, da hatte sie unseren Sprachschatz schon um ein Dutzend Wörter erweitert, die wir wirklich nicht zu kennen brauchten, hatte Emily ein Tintenfass über den Pullover gekippt und den jüngsten Kindern erklärt, woher die Babys kamen. Ich selbst hatte das erst im vergangenen Frühling von meiner Großmutter erfahren, als unsere neuen Kälbchen zur Welt kamen. Meine Großmutter, die mehrere Kinder zur Welt gebracht hatte, jedes in dem Bett, in dem sie noch immer Nacht für Nacht neben meinem Großvater schlief, hatte mir die Zusammenhänge mit Würde und Humor erklärt, und so war es für mich keine schockierende Neuigkeit. Für die Jüngsten in meiner Schule war es das hingegen schon. Betty war brutal und jagte ihnen Angst und Schrecken ein. Das Schlimmste war, dass sie ihnen verbot, mit ihren Eltern darüber zu sprechen, sonst würde sie ihnen nach der Schule durch den Wald folgen und sie verprügeln. So wie sie es später mit mir machte. Vielleicht würde sie sie sogar umbringen. Und die Kleinen glaubten ihr, so wie ich auch.

Ich selbst konnte meinen Brüdern ein Dutzend Mal am Tag mit Tod und Verstümmelung drohen – sie lachten bloß und streckten mir die Zunge heraus. Doch Betty musste sie nur ansehen, und sofort wurden sie still. Sie wären mir also vermutlich keine große Hilfe gewesen, wenn ich sie an jenem Tage bei mir gehabt hätte, als Betty in der Wolfsschlucht plötzlich hinter einem Baum hervortrat und sich mir in den Weg stellte.

Als ich noch klein war, hatte ich meinen Großvater einmal gefragt, wie die Wolfsschlucht zu ihrem Namen gekommen war.

»Früher hat man dort tiefe Gräben ausgehoben, um Wölfe darin zu fangen«, hatte er geantwortet.

Großvater war einer der acht Menschen, die in dem Farmhaus wohnten, das seit hundert Jahren im Besitz meiner Familie war. Wir waren drei Generationen, die auf engem Raum zusammenlebten, seit das ganze Land wegen der Weltwirtschaftskrise den Gürtel enger schnallen musste. In solchen Zeiten war eine Farm wie unsere der bestmögliche Ort zum Leben. Seit der Zweite Weltkrieg tobte, legten viele Menschen sogenannte »Siegesgärten« an, um sich auf diese Weise zu ernähren. Unsere Farm war ein riesiger »Siegesgarten«, den mein Großvater über Jahrzehnte hin eigenhändig angelegt und gepflegt hatte.

Er war ein ernster Mensch, der mir stets die Wahrheit sagte, die ich gar nicht immer hören wollte, nach der ich trotzdem manchmal fragte. Als ich ihn zum Beispiel nach der Wolfsschlucht fragte, antwortete er mir ehrlich, obwohl ich erst acht war. Damals saß er auf einem Stuhl neben dem Küchenofen, die Ellbogen auf die Knie gestützt, die Hände locker an den großen Handgelenken, die bleichen Füße bereit, in die Stiefel zu steigen. Zu manchen Zeiten sah er wie ein junger Mann aus, der mit offenen Augen in die Welt blickte. Doch an jenem Morgen, obwohl wir erst Juni hatten, wirkte er erschöpft. Seine Stirn war so bleich wie seine Füße, doch seine Nase und seine Wangen waren braun gebrannt, ebenso wie die Hände und Arme bis zu den hochgerollten Ärmeln. Ich wusste, wie müde er war, obwohl er den Großteil des Tages im Schatten saß und nur kleinere Arbeiten verrichtete.

»Wozu wollte man Wölfe fangen?« Einen Wolf konnte man nicht melken oder vor einen Pflug spannen. Und essen konnte man ihn, soweit ich wusste, auch nicht.

»Damit hier nicht mehr so viele herumliefen.«

Er sah mich nicht an. Er schaute auf seine Hände. Trotz ihrer Lederhaut hatte sich unten an den Daumen eine große Blase gebildet, nachdem er meinem Vater beim Pflanzen geholfen hatte.

»Haben sie Hühner gestohlen?«, fragte ich. Manchmal wurde ich morgens davon wach, dass meine Mutter laut schreiend einen Fuchs verscheuchte, der sich einen Weg in den Hühnerstall gegraben hatte. Ich war mir nicht sicher, ob meine Mutter auf einen Wolf genauso losgehen würde.

»Unter anderem«, sagte mein Großvater. Er setzte sich gerade hin und rieb sich die Augen. »Wir waren nicht mehr genug Männer, um auf Wolfsjagd zu gehen. Es wurden zu viele, und sie wurden zu dreist.«

Ich stellte mir eine Grube voller Wölfe vor. »Hat man sie dann getötet, wenn sie in der Grube waren?«

Mein Großvater seufzte. »Erschossen hat man sie und ihnen die Ohren abgeschnitten für die Belohnung. Drei Dollar gab es für ein Paar.«

»Für die Ohren? Aber wenn es Welpen waren, hat man sie dann behalten? Als Haustiere?«

Wenn mein Großvater lachte, hörte man kaum etwas, nur seine Schultern zuckten ein paarmal. »Glaubst du, ein Wolf würde sich mit Hunden vertragen?«

Auf unserer Farm gab es immer viele Hunde. Ich hätte mir mein Leben nicht vorstellen können ohne die sechs oder sieben Hunde, die ständig bei uns herumliefen. Von Zeit zu Zeit verschwand mal einer, doch nach einer Weile nahm irgendein anderer seinen Platz ein. »Aber sie hätten die Welpen abrichten können, um richtige Hunde aus ihnen zu machen.«

Mein Großvater zog sich die Hosenträger über die Schultern und begann sich die Socken anzuziehen. »Ein Wolf ist kein Hund und wird nie einer sein«, sagte er. »Da hilft auch kein Abrichten.«

Als er seine Stiefel geschnürt hatte, stand er auf und legte mir seine große Hand auf den Kopf. »Die Welpen haben sie auch getötet, Annabelle. Vermutlich ohne groß darüber nachzudenken. Vergiss nicht – als ich letztes Frühjahr die junge Mokassinschlange erschlagen habe, hat dir das auch kein bisschen leidgetan.«

Anschließend war sein Stiefelabdruck deutlich an der Schlange zu sehen gewesen, so als wäre sie aus Lehm.

»Mokassinschlangen sind giftig«, sagte ich. »Das ist ein Unterschied.«

»Nicht für die Schlange«, erwiderte Großvater. »Und auch nicht für den Gott, der sie erschaffen hat.«

2

An diese Schlange musste ich denken, als ich dort stand, wo der Weg aus der Wolfsschlucht herausführte und Betty auf mich wartete. Ich spürte, wie sich die Haare in meinem Nacken aufstellten, und ich fühlte mich entfernt verwandt mit den Wölfen, die hier gestorben waren.

Betty trug ein Baumwollkleid, eine blaue Strickjacke, die zu ihrer Augenfarbe passte, und schwarze Lederschuhe. Ihre blonden Haare waren zu einem Pferdeschwanz zusammengebunden. Eigentlich sah sie harmlos aus – wenn da nicht dieser Blick gewesen wäre.

Schon gut drei Meter vor ihr blieb ich stehen.

»Hallo, Betty«, sagte ich. Das Buch, das ich dabeihatte, hielt ich fest umklammert. Es war unser Geschichtsbuch, das schon so alt war, dass der Bundesstaat Arizona noch nicht einmal darin vorkam, aber es war ordentlich schwer, und so überlegte ich mir, dass ich es ihr an den Kopf werfen könnte, wenn sie mir zu nahe käme. Mein Henkelmann würde mir eher wenig nutzen, der war nicht schwer genug, aber damit Betty sah, dass ich nicht völlig unbewaffnet war, schlenkerte ich das Gefäß schon mal mit der linken Hand hin und her.

»Was ist das überhaupt für ein Name – Annabelle?« Betty hatte eine tiefe Stimme, fast wie ein Junge. Sie sah mich mit festem Blick an, dabei senkte sie den Kopf wie ein Hund, der überlegt, ob er gleich beißen soll oder nicht. Jetzt legte sie den Kopf schief, die Arme hingen schlaff herunter, und ein halbes Lächeln ging über ihr Gesicht.

Ich zuckte mit den Schultern. Was sollte ich auf so eine Frage schon antworten?

»Du bist reich«, sagte sie. »So wie du heißen nur reiche Mädchen.«

Ich sah mich um, ob vielleicht irgendjemand hinter mir stand. Jemand Reiches.

»Du meinst, wir sind reich?« Es war mir bis dahin noch nie in den Sinn gekommen, dass man uns für reich halten könnte, auch wenn meine Familie schon sehr lange am Ort lebte, wir der Kirche und der Schule Land abgetreten und trotzdem noch eine große Farm hatten. Meine Vorfahren lagen auf dem Friedhof begraben und hatten die prächtigsten Grabsteine, und unser Haus war groß genug für die drei Generationen, die inzwischen darin lebten, wenn auch etwas beengt. Wir hatten sogar fließendes Wasser. Und als wenige Jahre zuvor Präsident Roosevelt dafür gesorgt hatte, dass unsere Gegend an das Stromnetz angeschlossen wurde, hatte meine Familie es sich leisten können, Leitungen im Haus verlegen zu lassen. An einer Wand im Wohnzimmer hing sogar ein Fernsprecher, was auch für uns selbst noch eine Art Wunder war. Vielleicht zweimal im Jahr aßen wir bei Lancaster's in Sewickley. Das Erstaunlichste aber war, dass wir eine Toilette im Haus hatten. Meine Eltern hatten sie erst kürzlich einbauen lassen, weil sie fanden, meine alten Großeltern hätten sich diesen Komfort wirklich verdient. Reich waren wir trotzdem nicht.

»Ihr habt ein lila Fenster«, sagte Betty jetzt.

Erst wusste ich gar nicht, was sie meinte, bis mir das violette Fensterglas in unserem vorderen Hauseingang einfiel. Es gehörte zu den Dingen, die mir an unserem Haus am besten gefielen, zusammen mit den Giebeln und dem Schieferdach, das mich immer an silberne Vogelfedern erinnerte. Was mir noch gut gefiel? Die großen Kaminöfen in jedem Zimmer und die türhohen Fenster.

»Meine Oma hat mir von eurem lila Fenster erzählt«, sagte Betty. »Das hab ich ja noch nie gehört, lila Fenster, außer in einer Kirche oder bei Königen. Ein lila Fenster, so was haben doch nur reiche Leute.«

Ich wusste nicht, was ich dazu sagen sollte, also schwieg ich.

Betty hob einen Stock auf, der am Wegrand lag. Abgestorbenes Holz, aber trotzdem schwer, das sah ich daran, wie sie ihn hielt.

»Morgen bringst du mir was mit, oder ich hau dich hiermit.«

Sie sagte es so gelassen, dass ich erst dachte, es sollte ein Witz sein, doch dann tat sie einen Schritt auf mich zu. Mir wurde ganz heiß, und mein Herz klopfte heftig.

»Was soll ich denn mitbringen?« Ich stellte mir vor, wie ich unser violettes Fenster durch den Wald hinter mir herschleifte.

»Was du hast. Egal.«

Was ich hatte, war nicht viel, nur mein Sparschwein mit den Münzen darin, dazu mein Silberdollar und meine Bücher. Ein Muff aus Biberfell, den mein Großvater einmal für meine Großmutter gemacht hatte und den sie mir geschenkt hatte, als er unansehnlich geworden war. Ein Spitzenkragen, den ich sonntags für den Kirchgang an meine Kleider knöpfte. Ein paar weiße Baumwollhandschuhe, die mir inzwischen zu klein waren. Außerdem eine Froschschließe, die ich von Tante Lily ausgeliehen hatte, die sie aber bisher nicht zurückgefordert hatte.

Schnell hatte ich meine Schätze im Kopf aufgelistet. Dass ich Betty irgendetwas davon geben würde, glaubte ich selbst nicht, bis zu dem Moment, als sie sagte: »Wenn du mir nichts bringst, sind deine Brüder dran.«

Meine Brüder waren kräftige Bürschchen, aber sie waren jünger als ich, und ich hatte auf sie aufzupassen.

Ich schwieg. Betty lehnte den Stock an einen Baum, dann wandte sie sich zum Gehen. »Wehe, du sagst jemandem was, sonst kriegt der Kleine einen Stein an den Kopf.«

Der Kleine. Damit meinte sie James.

Erst als sie außer Sichtweite war, bekam ich wieder Luft. Ich stellte mir vor, wie es wäre, von ihr mit einem Stock geschlagen zu werden.

Ein Jahr zuvor hatte Henry mit einem tellergroßen Blätterpilz nach mir geworfen, und vor Schreck war ich rückwärts über einen unserer Hunde gestolpert und hatte mir einen Arm gebrochen. Ein paarmal hatte ich mich auch schon verbrannt, einmal war ich auf eine Harke getreten, sodass mir der Stiel an die Stirn geknallt war, und ein anderes Mal hatte ich mir den Knöchel verstaucht, als ich in ein Murmeltierloch getreten war. Davon abgesehen hatte ich mir in den elf Jahren meines Lebens kaum wehgetan, doch so viel wusste ich immerhin: Ein Schlag mit einem Ast würde mich nicht umbringen.

Trotzdem nahm ich den Stock, den Betty für mich ausgesucht hatte, und schleifte ihn so weit wie möglich in den Wald. Natürlich lagen genug andere Äste herum, doch als dieser eine außerhalb Bettys Reichweite war, fühlte ich mich schon etwas erleichtert.

Während ich langsam den Weg entlangtrabte, kam ich zu der Überzeugung, dass Betty nicht auf Henry oder James losgehen würde, bevor sie nicht wusste, wie ich auf ihre Drohungen reagieren würde. Also würde ich erst einmal abwarten, ob auch auf sie zutraf, was man sagte – dass bellende Hunde nicht beißen. So lange würde ich meinen Eltern nichts erzählen, denn das würde Betty womöglich noch böser machen, als sie ohnehin schon war. Trotzdem musste ich mir eingestehen, dass ich Angst hatte, eine Angst, wie ich sie nie zuvor gekannt hatte.

Bis dahin hatte ich mich in meinem Leben vor kaum etwas gefürchtet, außer vor dem Krieg. Vielleicht würde der noch immer wüten, wenn meine Brüder alt genug wären, um gegen die Nazis zu kämpfen. Obwohl Bauernsöhne ja oft vom Militärdienst befreit waren. Ganz sicher hätte doch eine der beiden Seiten gewonnen, bis die beiden an der Reihe wären. Aber auch das machte mir Angst – welche Seite gewinnen und welche verlieren würde.

Einige von uns Mädchen hatten eine Fahne genäht, die seitdem in der Kirche hing. Jedes Mal, wenn ein junger Mann aus unserem Ort in den Krieg zog, befestigten wir einen blauen Stern daran; wenn einer von ihnen starb, kam an die Stelle des blauen Sterns ein goldener. Bisher war das nur zweimal passiert, doch ich war bei beiden Trauerfeiern dabei gewesen und wusste: Von »nur« konnte keine Rede sein.

Abends nach dem Essen, wenn der Abwasch gemacht war, saß ich manchmal noch bei den Erwachsenen und hörte Radio mit ihnen. Sobald die Nachrichten begannen, schwiegen alle still. Meine Mutter lauschte stets mit gesenktem Kopf, ihre Hände, die noch das Flickzeug hielten, hatte sie ineinandergelegt. Im Radio wurden oft Konzentrationslager erwähnt, und anfangs glaubte ich, das seien Orte, an die Menschen sich zurückzogen, um in Ruhe über schwierige Themen nachzudenken.

»Ich wünschte, so wäre es, Annabelle«, sagte mein Vater. »Doch das sind sie nicht. Das sind Gefängnisse für Menschen, die dieser Hitler nicht mag.«

Warum gab es bloß so viele Menschen, die Hitler nicht mochte? Ich wusste keine Antwort.

»Wen mag er denn?«, fragte ich.

Mein Vater dachte nach. »Menschen mit blonden Haaren und blauen Augen«, sagte er schließlich.

Da war ich froh, dass ich braune Haare hatte. Und braune Augen.

Wir lauschten den Nachrichten über Bomben und U-Boote, hörten lächelnd die Meldung, dass die alliierten Truppen kurz davor waren, Italien zurückzuerobern, doch alle anderen Berichte machten uns besorgt.

Meine Mutter strich mir über den Rücken. »Hab keine Angst, Annabelle«, sagte sie.

Ich hatte trotzdem Angst.

Jedoch nicht vor meiner Mutter, auch wenn sie manchmal sehr streng sein konnte. Sie hatte vergessen, wie es war, auf einer Schaukel in den Himmel hineinzufliegen, und verstand nicht, dass jemand beim ersten Anzeichen einer Blase an der Hand die Harke weglegte oder dass man sich manche Dinge einfacher vorstellte, als sie waren. Sie war erst siebzehn gewesen, als sie mich bekommen hatte, und wurde achtundzwanzig in dem Jahr, als ich zu lügen lernte. Sie war also selbst fast noch ein Mädchen, trug aber die Verantwortung für einen Haushalt mit drei Generationen und einen guten Teil der Arbeit auf der Farm. Doch Angst hatte ich nie vor ihr, selbst dann nicht, wenn sie richtig ungeduldig mit mir war.

Selbst vor Tante Lily hatte ich nicht ernsthaft Angst, auch wenn sie einen ganz schön einschüchtern konnte. Sie war groß, dünn und hässlich. Als Mann hätte sie vielleicht gut ausgesehen. Tagsüber arbeitete sie in unserer Poststelle, abends betete sie, las in der Bibel und übte Tanzschritte auf der kleinen freien Fläche hinter dem Fußende ihres Bettes. Manchmal lud sie mich in ihr Zimmer ein, wo wir *Peter und der Wolf* von einer Schallplatte hörten. Manchmal schenkte sie mir auch eine Münze für das Sparschwein, das ich von ihr hatte, doch ihre großen Zähne und ihre eifernde Frömmigkeit schreckten mich ab.

Was mir sehr wohl manchmal Angst machte, war das schwache Herz meiner Großmutter, das sie zwang, die Treppe rückwärts hochzugehen und sich immer wieder hinzusetzen. Dass sie so grau geworden war, so schwach, so anders als die starke, kräftige Frau, die sie einmal gewesen war, ängstigte mich. Wann immer es ging, setzten wir beide uns auf das Schaukelsofa auf unserer Veranda und spielten *Ich sehe was, was du nicht siehst,* unterhielten uns über die vorbeifliegenden Schmetterlinge und hofften, ein Fasan werde aus dem Wald kommen, um die Samenkörner aufzupicken, die Großmutter für die Singvögel ausgestreut hatte. Sie liebte diese Vögel so sehr. Selbst die unscheinbaren. Die ganz besonders. An meiner Großmutter war nichts, was mir Angst machte, nichts außer dem Gedanken, dass sie bald nicht mehr da sein mochte.

Doch diese Angst teilte ich mit allen anderen Hausbewohnern.

Vor Betty jedoch hatte ich ganz allein Angst, und ich entschied, dass es an mir lag, sie zu entwaffnen. An mir ganz allein. Wenn ich konnte.

Doch fürs Erste war ich einfach nur froh, dass sie weg war, und ich folgte ihr so langsam, dass weit und breit nichts mehr von ihr zu sehen war, als ich aus dem Wald heraus aufs freie Feld trat. Nur ihre Fußspuren waren noch zu erkennen, doch die waren so tief und so fest umrissen, dass es so aussah, als hätte Betty selbst Angst gehabt, mehr Angst, als ich es mir vorstellen konnte.

3

Viele Menschen, die von der Wolfsschlucht zu den Häusern hinter unseren Feldern wollten, folgten nicht der Straße, die von der Schule aus um die Anhöhe herumführte, sondern nahmen die Abkürzung über unsere Farm.

Mir war das immer egal gewesen, schließlich kannten wir alle Leute im Umkreis von mehreren Meilen, nur manchmal erschrak ich, wenn Landstreicher durchzogen.

In jenen Jahren, nicht lange nach der Wirtschaftskrise, gab es Menschen, die irgendwann angefangen hatten, über Land zu ziehen, und schließlich nicht mehr damit aufhören konnten, weil sie von ihren Wurzeln, ihren Familien abgeschnitten waren. Diese Menschen blieben nie lange an einem Ort. Und dann gab es noch solche, die völlig verstört aus dem ersten großen Krieg zurückgekehrt waren. Sie waren verstummt und schienen nicht mehr zu wissen, wer sie waren oder wo sie hingehörten.

Einer von ihnen, ein Mann namens Toby, war geblieben.

Toby war anders als die anderen.

Er bat nicht um Essen oder um Geld. Um gar nichts bat er. Doch statt wie die anderen weiter umherzuziehen, auf dem Weg nach Irgendwo, streifte er endlos durch unsere hügelige Gegend, und ich gebe zu, am Anfang hat er mir etwas Angst gemacht.

Aber das war, bevor ich ihn kennenlernte.

Als ich an jenem Tag nach Hause lief, hielt ich Ausschau nach ihm. Mit den Augen suchte ich das Feld ab, das sich wie ein grob gestrickter Schal um den lang gestreckten niedrigen Hügel wand. Auf meinem Weg zur Schule oder zurück sah ich Toby oft in der Ferne. Still wie ein Baum stand er gern am Waldrand. Oder auch ganz oben auf dem Hügel, wo seine Gestalt sich klar gegen den Himmel abhob.

Wir wussten nicht, wo Toby herstammte, und auch sonst nur wenig, außer dass er als Infanterist in Frankreich gegen die Deutschen gekämpft hatte. Das lag über zwanzig Jahre zurück. Wir hatten zufällig davon gehört, in der Kirche oder auf dem Markt, und gingen davon aus, dass es stimmte. Seine linke Hand war voller Narben, was uns eine Bestätigung schien für das, was man sich über ihn erzählte. Doch niemand konnte mit Sicherheit sagen, wo er herkam. Man nahm an, dass er vielleicht deswegen in unserer Gegend geblieben war, weil die Hügellandschaft ihn an sein Zuhause erinnerte. Doch vielleicht hatte er sich auch immer nur gewünscht, an so einem Ort wie unserem zu leben.

Viele Menschen waren besorgt, wenn sie Toby sahen, wie er durch die Wälder und Täler streifte, in seinem langen schwarzen Mantel aus Wachstuch und den schwarzen Stiefeln, mit den langen schwarzen Haaren, dem langen schwarzen Bart und den drei Gewehren, die er stets über der Schulter hängen hatte. Sie wussten nicht recht, was sie von ihm halten sollten, diesem meist schweigenden Mann, der unablässig über Land zu laufen schien, von früh bis spät, mit gesenktem Kopf, immer im selben Schritt, nicht schneller und nicht langsamer als am Tag zuvor.

Manchmal stellte ich ihn mir in einem Schützengraben vor, während oben tausend deutsche Soldaten mit Pickelhaube und aufgepflanztem Bajonett herumrannten, Mordlust in den Augen. Auch wenn ich erst elf war, so verstand ich doch schon genug von diesen Dingen, um zu begreifen, dass sehr große Angst, die einen körperlich und seelisch ergreift, vermutlich ausreichte, um einen Menschen für alle Zeit sonderbar zu machen. Genau das war Toby. Sonderbar.

»Schwer zu sagen«, meinte meine Großmutter, »aber manchmal braucht es mehr als Furcht oder die Schrecken eines Krieges, damit ein Mann so wird.« Das war nicht lange nachdem Toby in unsere Gegend gekommen war. »Er war vermutlich fast noch ein Junge in jenem schrecklichen Krieg. Aber er muss Dinge gesehen und getan haben, die selbst einen ausgewachsenen Mann aus der Bahn geworfen hätten.«

Toby wohnte in einer alten Räucherhütte in Cobb Hollow, unterhalb der Glengarry-Farm, gleich neben unseren Mais- und Kartoffelfeldern. Die Räucherhütte gehörte niemandem mehr. Ihr früherer Besitzer, Silas Cobb, war gestorben, und sein altes Haus war in Flammen aufgegangen, als es vom Blitz getroffen wurde. Die Räucherhütte lag ein Stück abseits der verkohlten Fundamente des Hauses, weitgehend verborgen hinter den Bäumen und Sträuchern, die seit dem Brand dort gewachsen waren. Die kleine Hütte aus Stein und Holz und mit einem Blechdach war ganz gemütlich. Das erste Mal war ich dort vorbeigekommen, als irgendwann eine unserer Kühe verschwunden war und wir alle ausschwärmten, um sie zu finden und heimzubringen.

Normalerweise hütete ich mich davor, die alten Hütten zu betreten, die abseits unserer Farm lagen. Teils hatte man sie um alte Ölpumpen herumgebaut, teils Fleisch darin gepökelt oder Hühner gehalten. Doch alle lockten sie Schlangen an. Die alte Räucherhütte jedoch hatte ich mir irgendwann von innen angeschaut, noch bevor Toby dort eingezogen war. Mal abgesehen vom Geruch nach Fleisch und Rauch, der immer noch in den Wänden hing, war es meiner Meinung nach kein schlechter Ort für einen Mann wie Toby. Neben dem früheren Wohnhaus der Cobbs gab es noch den alten Brunnen, und auch wenn der inzwischen kaum mehr als ein Loch im Boden war – so wie auch das niedergebrannte Haus selbst –, so war doch sichergestellt, dass immer Trinkwasser da war, auch wenn der nahe Bach zufror.

Ich konnte mir gut vorstellen, wie Toby in der Hütte saß und sich an dem Feuer wärmte, das an derselben Stelle brannte, wo vor langer Zeit ständig Feuer in Gang gehalten wurden. Vielleicht nutzte er die alten Fleischerhaken an den Deckenbalken, um seinen Mantel dort aufzuhängen, wenn er ihn nicht brauchte, und seine Gewehre, wenn er sie nicht über der Schulter trug. An einem weiteren Haken stellte ich mir seinen schwarzen Hut vor, und an wieder einem anderen seine Kamera.

Wir waren alle überrascht gewesen, als Toby gefragt hatte, ob er unsere Kamera borgen dürfe. Inzwischen war sie mehr oder weniger in seinen Besitz übergegangen. Es war erstaunlich, dass er überhaupt den Mund aufgemacht hatte, dass er einem von uns nahe genug gekommen war, um seine Bitte vorzubringen, dass es etwas gab, wofür er sich plötzlich begeisterte, dazu noch so etwas wie Fotografie. Doch so war es, und angefangen hatte alles mit einem Zufall.

Als ich sieben war, Henry fünf und James drei, hatte unsere Mutter uns zu Horne's mitgenommen, dem großen Kaufhaus in Pittsburgh, um uns fotografieren zu lassen. Meine Mutter besaß ein Foto, auf dem sie selbst mit ihrer ganzen Familie zu sehen war. Es war kurz vor dem Tod ihrer eigenen Mutter aufgenommen worden.

Das Bild, das inzwischen die bräunliche Farbe von Sommerstaub angenommen hatte, lag in der Familienbibel. Mein Vater besaß viele Porträts seiner Vorfahren, lauter grimmigen Schotten mit buschigen Brauen, verkniffenen Mündern und Glupschaugen. Doch im ganzen Haus gab es kein einziges, ganz normales Foto von uns, Arm in Arm. So etwas wünschte sich meine Mutter, deshalb nahm sie ihre Kinder mit zu Horne's, wo der Fotograf uns zusammen ablichtete. Anschließend erzählte er uns, dass alle, die in jenem Monat ein Porträt in Auftrag gaben, automatisch an einem Wettbewerb teilnahmen, bei dem es eine Kodak-Kamera zu gewinnen gab sowie das lebenslängliche Anrecht auf kostenlosen Nachschub an Filmen einschließlich Entwicklung.

»Und Sie glauben, ich hätte die Zeit, irgendwelche Aufnahmen zu machen?«, fragte meine Mutter den Fotografen lächelnd beim Bezahlen.

Drei Wochen später bekam sie ein Paket, das nicht nur unser Foto enthielt, auf dem wir alle viel braver aussahen, als wir in Wirklichkeit waren, sondern auch die Nachricht, dass wir die glücklichen Gewinner der Kamera seien. Auch die Kamera selbst lag dabei, zusammen mit einem Dutzend Filmröllchen für den Anfang und besonderen Umschlägen, in denen wir die belichteten Filme zur Entwicklung ans Labor schicken sollten.

Wir staunten über unseren Gewinn, als hätten wir ein winziges Raumschiff oder eine Zeitmaschine geschenkt bekommen.

Die Nachricht verbreitete sich rasch, und es dauerte nicht lange, bis unsere Nachbarn an Sonntagnachmittagen bei uns erschienen – immer noch in den guten Kleidern vom Kirchgang – und darum baten, fotografiert zu werden. Meine Mutter war viel zu beschäftigt dafür, doch Tante Lily erklärte sich bereit dazu. Allerdings kommandierte sie alle herum und war derart kritisch, dass die Nachbarn später auf den Fotos so leidend aussahen, als hätten sie die Grippe. Wenn die Abzüge kamen, verlangten die Nachbarn eine zweite Runde mit einem anderen Fotografen, was eine Verschwendung von Zeit und Filmmaterial war. Ich selbst versuchte mich auch hinter der Kamera, doch ich neigte dazu, den Porträtierten den Kopf abzuschneiden.

So kam es, dass nach einer Weile niemand mehr mit der Bitte um ein Foto zu uns kam und die Kamera langsam einstaubte, bis ich sie eines Nachmittags hervorholte. Die Pfirsichbäume waren mitten in ihrer kurzen Blüte, und die Sonne tauchte den Obstgarten in rosiges Licht. Diesen Anblick wollte ich gern festhalten.

Ich stellte mich also oben in den Garten, machte ein Foto nach dem anderen und ließ die Kamera nur gelegentlich sinken, um zu seufzen oder die frische, rosige Luft einzuatmen.

Irgendwann bemerkte ich, dass Toby am Rande des Gartens stand, in der Nähe der hintersten Bäume, und mich beobachtete.

Bis dahin hatte ich noch nie mit ihm gesprochen. Immer war er mindestens eine ganze Feldbreite von mir entfernt gewesen, und noch nie hatte ich erlebt, dass er einen Menschen so beobachtete wie jetzt mich. Dass er so lange stillstand.

Langsam richtete ich die Kamera auf ihn, in der Erwartung, er werde erschrocken davonlaufen wie vor einem Gewehr, doch das tat er nicht. Obwohl er im Sucher und auf diese Entfernung nicht mehr zu sein schien als ein dunkler Fleck mit Hut, drückte ich auf den Auslöser.

Als er langsam auf mich zukam, wartete ich erst einmal ab. Es war helllichter Tag, außerdem befand ich mich auf unserem eigenen Grund und Boden. Es gab also keinen Grund, nervös zu werden, redete ich mir selbst ein. Doch ich war damals erst neun, zu jung, um Heldenmut zu beweisen. Toby war ein hochgewachsener Mann, der nie lächelte und selten sprach. Dazu die furchtbaren Narben an seiner Hand und die Gewehre über seiner Schulter.

Aus einiger Entfernung hörte ich ein Hämmern – vermutlich mein Vater, der etwas in der Scheune reparierte. Dieses Geräusch gab mir Sicherheit, und so rührte ich mich auch dann nicht von der Stelle, als Toby immer näher kam. Als er noch rund ein Dutzend Schritte entfernt war, bemerkte ich schon den Geruch von Räucherfleisch, der von ihm ausging, dazu den alles überlagernden Gestank seiner Kerosinlampe. Wann immer unsere Hunde in Tobys Nähe kamen, schüttelten sie den Kopf und niesten. Alles in allem war mir die Mischung aber nicht unangenehm.

Toby sah erst den Fotoapparat an, dann mich. »Gehört der dir?«, fragte er.

»Meiner Mutter«, sagte ich und fügte nach kurzem Nachdenken hinzu: »Und mir.« Schließlich war ich ja auf dem Bild zu sehen, mit dem wir die Kamera gewonnen hatten. Ich und James und Henry.

Toby schob seinen Gewehrgurt ein Stück höher. Ich hatte schon einmal ein Gewehr in Händen gehalten und konnte mir vorstellen, dass drei davon ganz schön schwer sein mussten. Der hochgeschlagene Kragen des langen und steifen schwarzen Mantels ließ Toby größer scheinen, als er war. Ähnlich wie bei manchen Tieren, die ihr Fell sträuben können, um Feinden gegenüber gefährlicher zu wirken.

»Fotografierst du die Blüten?«

Ich nickte. »Von Ihnen habe ich auch ein Bild gemacht. Ein einziges. Möchten Sie es haben, wenn die Abzüge kommen?«

Toby schüttelte den Kopf »Ich weiß, wie ich aussehe.«

Ich fragte mich, wie viele Jahre es wohl her sein mochte, seit er sich zum letzten Mal im Spiegel gesehen hatte.

Er starrte auf die Kamera, die ich um den Hals hängen hatte.

Ich nahm sie ab und hielt sie ihm hin. »Möchten Sie mal probieren?«

Toby warf mir einen raschen Blick zu, dann sah er wieder weg. Sah mich wieder an, dann weg. Sah die Blüten an, dann die frisch gepflügten Felder. Dahinter stand eine Reihe von Blautannen, die alles überragten. Toby kam näher, nahm die Kamera und trat wieder einen Schritt zurück. »Ich bringe sie morgen zurück, wenn es recht ist.«

Ich erschrak ein bisschen. Sonst sprach er kein Wort mit mir, und plötzlich nahm er sich so eine Freiheit heraus – ein bisschen überraschend kam das schon. Aber Nein sagen hatte ich nicht gelernt, schon gar nicht Erwachsenen gegenüber, und außerdem hatte meine Mutter sicher nichts dagegen. Sie backte oft ein Brot für Toby mit oder schenkte ihm ein Glas Marmelade. Sie hatte keine Angst vor ihm, und bestimmt hatte sie nichts dagegen, wenn er die Kamera einen Tag lang auslieh.

Damit kam eine Veränderung in unser Leben. Hätten wir den Apparat nicht gewonnen, wäre die Pfirsichblüte in diesem Jahr nicht so besonders schön ausgefallen, hätte Tobys Wanderung ihn an diesem Tag woandershin geführt, wäre ich bei seinem Anblick davongelaufen oder hätte ihm den Wunsch abgeschlagen – dann hätte Toby niemals zu fotografieren gelernt und hätte die Kamera am Ende auch nicht geschenkt bekommen. Auch hätte ich ihn nie so gut kennengelernt, und er mich ebenfalls nicht.

Hätten unsere Wege sich an jenem Tag nicht gekreuzt, wäre uns einiger Ärger erspart geblieben. Doch es kommt darauf an, wie eine Sache endet, und weniger auf das, was bis dahin alles geschieht.

4

Meine Mutter sah mich stirnrunzelnd an, als ich an unserer Hintertür stand und mich fertig machte, um zur Schule aufzubrechen. »Gibt's ein Problem, Annabelle?«, fragte sie, und um ein Haar hätte ich ihr das mit Betty erzählt. Es wäre so eine Erleichterung gewesen, die ganze Sache in ihre Hände zu legen.

Doch obwohl nur noch die Äpfel und die Kartoffeln einzubringen waren, dazu die Rote Bete und ein paar Winterkürbisse, und obwohl meine Mutter tüchtig und kräftig war wie kaum eine andere Frau, wollte ich ihr diese spezielle Auseinandersetzung ersparen. Ich hatte mir alles gut überlegt: Wenn ich ihr erzählte, was Betty gesagt hatte, dann müsste Mutter zu den Glengarrys gehen, mit denen sie befreundet war, und ihnen sagen, dass ihre Enkelin ein Rüpel sei, was sie bestimmt bereits wussten, aber ungern von einer Nachbarin würden hören wollen.

Und auch wenn meine Mutter es bisher geschafft hatte, so gut wie jedes Problem in unserem Leben zu lösen, so könnte sie mir doch nicht versprechen, dass Betty, wenn ich sie verpetzt hätte, nicht wieder und vielleicht noch brutaler auf mich oder, was noch schlimmer wäre, auf meine Brüder losginge.

Inzwischen wusste ich, was *schwer erziehbar* bedeutete. Betty auszuschimpfen würde gar nichts ändern, und bisher hatte sie nichts getan, wofür sie eine schlimmere Strafe verdient hätte.

Also sagte ich nur: »Nein, Mutter«, und ging zur Tür hinaus. Der Penny in meiner Tasche schien mir schwer wie ein Mühlstein.

Henry und James warteten im Hof auf mich, was im Grunde sinnlos war, da sie jedes Mal sofort losflitzten, sobald sie mich kommen sahen. Bevor wir noch außer Sichtweite des Hauses waren, rannten sie schon die Straße hoch, bewarfen sich gegenseitig mit Erdklumpen und zogen einen Schweif von Staub hinter sich her, sodass sie aussahen wie kleine Geister, die eben aus ihren Flaschen entkommen waren. Also ging ich allein die Straße entlang und quer über das brachliegende Feld oben am Hang. Die Pflanzenreste waren hier schon untergepflügt, und ich hielt Ausschau nach Pfeilspitzen auf den Furchenkämmen.

Wenn ich hier oben stand, sah ich manchmal ganz überraschend ein Reh. Eben noch konnte das Feld unterhalb völlig verlassen scheinen, doch dann stand da plötzlich, fast unsichtbar auf dem gepflügten Acker, ein Reh.

So ging es mir an dem Morgen mit Toby. Eben noch war mir die Hügelkuppe zu meiner Rechten leer erschienen, doch im nächsten Augenblick sah ich Toby von ferne, wie er still dastand und zu mir herübersah.

Ich erschrak kurz, als ich ihn entdeckte.

Dann winkte ich ihm zu.

Ich war nicht enttäuscht, als er nicht zurückgrüßte. Das hatte nichts zu bedeuten, außer dass Toby nicht wie andere Leute war. Er war kein umgänglicher Mensch, aber er war gut zu mir gewesen, ohne zwingenden Grund.

Einmal war ich zum Beispiel am Rande eines frisch bepflanzten

Feldes entlangbalanciert, als ich plötzlich in eine Murmeltierhöhle trat und mir den Fuß verstauchte, so schlimm, dass ich nicht mehr auftreten konnte. Weit und breit war kein Mensch zu sehen. Trotzdem rief ich ein paarmal laut, während ich zu humpeln versuchte. Da kam Toby.

Damals war ich kleiner und wog auch noch weniger, trotzdem kann es nicht so einfach gewesen sein, mich wie ein Baby erst den Hügel hinauf und dann die ganze Straße entlang bis zu unserem Haus auf den Armen zu tragen.

So dicht an ihn gedrückt, nahm ich vor allem seinen eigenen Geruch war und weniger den der Räucherhütte, in der er lebte. Dieser Geruch erinnerte mich stark an den des Waldes bei Tauwetter oder den unserer Hunde, wenn sie aus dem Regen kamen. Stark, aber nicht unangenehm.

Unterwegs sagte ich mit langen Pausen dazwischen: *Danke schön. Es tut mir leid. Es ist nett von Ihnen, dass Sie mir helfen.* Und schließlich, als wir schon an der Tür zum Vorraum unseres Hauses standen: *Möchten Sie vielleicht hereinkommen und ein Glas Wasser trinken?*

Er reagierte auf keinen meiner Sätze, doch sein Schweigen fühlte sich nicht feindselig an.

Er kam auch nicht ins Haus; stattdessen setzte er mich auf der Schwelle ab und ging davon. Als meine Mutter auf mein Klopfen hin die Tür öffnete, war er schon nicht mehr zu sehen.

Ein anderes Mal hatte mein Vater sich am Rücken verletzt und musste mehrere Tage liegen, mitten in der Kürbisernte. Als meine Mutter, mein Großvater und wir Kinder morgens am Feld erschienen, um uns ohne meinen Vater an die Arbeit zu machen, erwartete uns dort der Anhänger, den wir abends leer zurückgelassen hatten, vollbeladen mit Kürbissen und bereit für die Fahrt zum Markt.

Niemand nahm die gute Tat für sich in Anspruch, und ich wusste, es war Toby gewesen.

Ich stellte mir vor, wie er im Dunkeln, nur bei Mondlicht, dort geschuftet hatte, um die Kürbisse auf den Wagen zu laden, von denen manche so groß waren, dass sie für einen Mann allein eigentlich viel zu schwer waren. Er musste die ganze Nacht gearbeitet haben.

Noch am selben Tag backte meine Mutter ihm eine Kürbis-Pie und schickte mich damit an die Straße, in der Hoffnung, dass ich Toby in der Nähe sehen würde. Als ich losging, war der Kuchen in meinen Händen noch warm, und ich wartete so lange, dass er schon abgekühlt war, als ich ihn schließlich in die Holzkiste stellte, in die wir manchmal Essen oder abgelegte Kleidung für Toby legten, wenn er gerade nicht zu sehen war.

Zwei Tage später fand ich die saubere Kuchenform wieder in der Kiste, zusammen mit einem Strauß aus Nachtschatten und wilden Astern, der mit Queckenhalmen zusammengebunden war.

Ohne mich umzuschauen, lief ich den Hügel hinab und schlug dann den Waldweg ein.

Der Lärm, den meine Brüder immer machten, hätte jeden Bären in Hörweite längst vertrieben, alle Schlangen hatten sich bestimmt einen warmen sonnigen Platz gesucht, und mit Betty rechnete ich erst nach der Schule. Doch plötzlich stand sie da, mitten auf meinem Weg.

Der Stock in ihrer Hand war kleiner als der vorige, und das machte mir Sorgen. Den ersten hatte sie ausgesucht, um mir Angst einzujagen; der, den sie heute hatte, war besser geeignet, um damit auszuholen. Außerdem war er aus grünem Holz, was bedeutete, dass er hart war. Ich gebe zu, dass ich Angst bekam.

»Hallo, Betty«, sagte ich und wollte schon an ihr vorbeigehen.

Sie stellte sich mir in den Weg und streckte eine Hand aus. »Wir gehen zusammen zur Schule«, sagte sie. »Aber erst gibst du mir was.«

Ich war versucht, mich einfach an ihr vorbeizudrängen, doch mir war klar, dass ich das wohl kaum schaffen konnte.

»Wir sind nicht reich«, sagte ich, um das wenigstens klarzustellen. »Ich kann dir nichts geben.« Ich hoffte, dass ich so meine Position Betty gegenüber verbessern würde, doch im nächsten Moment war mir klar, dass das nicht funktioniert hatte.

Bevor mir auch nur einfiel, zur Seite zu springen, hatte Betty schon ihren Stock geschwungen, in einem engen Bogen. Sie hatte auf meine Hüfte gezielt, vielleicht, weil ein blauer Fleck dort nicht so auffallen würde. Es tat weh, doch ich gab mir größte Mühe, mir den Schmerz nicht anmerken zu lassen.

»Jetzt gib mir was«, wiederholte Betty.

Ich hasste den Gedanken, ihr auch nur das kleinste bisschen zu überlassen, schon der Penny in meiner Tasche war zu viel. Doch ich hielt ihn ihr auf der flachen Hand hin, so wie man einen Hund füttert. »Mehr kriegst du nicht von mir«, sagte ich. »Frag mich also nicht noch einmal. Sonst habe ich nichts.«

Betty sah den Penny an, nahm ihn mit spitzen Fingern und schaute dann mich an. »Ein Penny?«

»Dafür kriegst du zwei Bonbons im Laden«, sagte ich.

»Was soll ich mit zwei Bonbons?«, erwiderte sie und warf den Penny ins Gebüsch. »Morgen will ich was Besseres!«

»Ich hab sonst nichts, Betty. Und außerdem finde ich es ganz gemein, dass du so zu mir bist. Wir könnten doch Freundinnen sein«, sagte ich und hörte selbst, wie wenig überzeugt ich klang. »Wenn du aufhörst, so gemein zu sein.«

Bettys Antwort bestand in einem weiteren Hieb mit dem Stock.

Sie zielte auf dieselbe Stelle wie zuvor, die mir ohnehin schon wehtat, nur schlug sie dieses Mal stärker zu, und bevor ich wusste, wie mir geschah, ging ich zu Boden. Ich blickte auf, und Betty starrte mich an, mit schlaffem Gesicht und leicht offen stehendem Mund.

Sie erinnerte mich an die streunenden Hunde, die von Zeit zu Zeit auf unsere Farm kamen, von unseren Hofhunden aber abgelehnt wurden.

Ich sah, wie ihre Finger sich wieder fester um den Stock schlossen, und ich wusste, sie würde erneut zuschlagen. Tränen traten mir in die Augen.

Im selben Moment lockerte sich ihr Griff um den Ast, und ihr Blick wurde klarer. »Eine blöde Heulsuse bist du, sonst gar nichts!«, sagte sie. »Denk dran, was ich gesagt hab: Wehe, du erzählst wem davon, sonst ist euer Kleiner dran. Und jetzt hau ab!«

Ich rappelte mich auf und lief eilig den Hang hinunter zur Schule.

An der nächsten Wegbiegung blickte ich zurück. Dort, wo Betty meinen Penny weggeworfen hatte, hockte sie jetzt und durchwühlte das Gebüsch mit den Fingern.

Abends ging ich zu Tante Lily. Sie saß in ihrem Zimmer und bürstete sich wie so oft die Haare. Dann schminkte sie sich die Lippen, wischte die Farbe aber gleich wieder ab.

»Was willst du, Annabelle?« Sie sah mich im Spiegel an.

»Also«, begann ich, die Hände auf dem Rücken verschränkt. »Ich wollte nur fragen, ob du mir wohl deine Froschschließe noch mal leihen würdest.« Dabei wusste ich, dass diese sich weiterhin in meinem Zimmer befand. »Die mit den Glitzersteinen.« Einer dieser Steine fehlte, was wohl der Grund dafür war, dass Tante Lily mir diesen besonderen Pulloververschluss überhaupt geliehen hatte. Er war schon alt und auch ein bisschen verbogen. Nichts mehr wert.

»Meine Froschschließe?« Mit einer Fingerspitze durchsuchte sie ihre Schale mit Nähzubehör. »Die hast du doch noch, Annabelle. Ich habe sie nicht mehr gesehen, seit ich sie dir geliehen hatte. Oder?«

Dieses kleine *Oder* am Ende machte mir Hoffnung.

»Meinst du?« Das war nur eine Frage, und eine Frage konnte ja wohl keine Lüge sein.

»Allerdings. Ich habe sie bestimmt nicht gesehen, und ich kann mich auch nicht entsinnen, dass du sie mir zurückgegeben hättest.« Sie drehte sich auf ihrem Hocker um und sah mich quer durchs Zimmer an. »Und wenn ich sie nicht mehr habe, kann ich sie dir auch schlecht wieder leihen, oder? Geh und schau in deinem Zimmer, ob sie nicht dort irgendwo ist.« Damit drehte sie sich wieder zum Spiegel, eine Pinzette in der Hand.

Ich wollte schon zur Tür hinaus, das sagte sie noch: »Deine Pullover haben doch sowieso alle Knöpfe, Annabelle. Wozu brauchst du dann eine Froschschließe?«

Ich zuckte mit den Schultern. Ihre eigenen Pullover hatten doch auch Knöpfe. »Sie ist einfach hübsch«, sagte ich nur.

»Hübsch! Es gibt nichts, was in Gottes Augen weniger zählt als das.«

Das Abendessen an jenem Tag war besonders lecker: Koteletts, in ausgelassenem Speck gebraten, dazu gebackene Kartoffeln und Kohlsalat, den meine Mutter mit Sahne und süßen Zwiebeln anmachte.

Nach dem Essen, als wir den Tisch abgeräumt hatten, packte meine Mutter zwei Brötchen, ein Kotelett und einen Apfel in ein Stück Wachstuch und band die Enden zusammen. »Nimm das und geh hoch zur Straße. Wenn du Toby nicht siehst, leg es ihm in die

Kiste. Aber achte darauf, dass du den Deckel fest verschließt, damit die Hunde nicht darangehen.«

Manchmal sagte meine Mutter zu Toby, er sei viel zu dünn oder er brauche etwas Farbe im Gesicht. Dann schickte sie mich zu ihm mit einer Extraportion Essen. Meine Brüder wagte sie nicht zu schicken, denn die würden nur die Gelegenheit nutzen, um draußen herumzutoben, so lange, bis keine Zeit mehr blieb für die Hausaufgaben und kaum noch Zeit fürs Bad.

»Ein ausgewachsener Mann wird von Eichhörnchen allein nicht satt«, sagte sie, als sie mir das Bündel reichte.

»Im Garten gibt es doch genug Fallobst«, sagte ich. »Und nicht weit von seiner Hütte wachsen Kartoffeln und Rote Bete. Ich verstehe gar nicht, wieso er da so dünn ist.«

Meine Mutter sah mich nur an. »Glaubst du wirklich, er würde sich da bedienen, ohne dass wir es ihm anbieten?« Sie schüttelte den Kopf. »Ganz sicher nicht.«

Ich dachte über ihre Antwort nach. »Warum tun wir's dann nicht?«

»Das muss dich nicht kümmern«, sagte sie und wandte sich wieder dem Spülbecken zu. »Mach dich einfach auf den Weg und komm schnell zurück, bevor es völlig dunkel wird und du nicht mehr siehst, wo du hintrittst.«

»Und wieso fragt er nicht einfach?«, wollte ich wissen, obwohl der mir zugewandte Rücken meiner Mutter eine deutliche Sprache sprach. Normalerweise bedeutete diese Geste, dass sie alles gesagt hatte, was es zu einem Thema zu sagen gab.

»Auch das muss dich nicht kümmern«, antwortete sie, ohne sich umzudrehen. »Und nun geh, bevor du gar nichts mehr siehst draußen.«

5

Toby tauchte sozusagen Stück um Stück auf, während ich die steile Straße hochlief: zuerst sein Kopf mit dem Hut, dann nach und nach alles andere, bis ich die Anhöhe erreicht hatte und endlich auch seine Stiefel sah. Wären da nicht die Gewehre auf seinem Rücken gewesen und die seitlich herabhängenden Arme, man hätte ihn für eine Vogelscheuche halten können.

Ich weiß nicht, ob er mich kommen sah. Er ließ es sich jedenfalls nicht anmerken. Toby ging nie direkt auf jemanden zu.

»Hallo, Toby«, sagte ich. »Mutter schickt mich mit einem kleinen Abendessen.« Ohne dass ich es mir vorher überlegt hatte, schob ich noch hinterher: »Es war zu viel für uns.«

Tobys Gesicht, das von der breiten Krempe seines Huts beschattet wurde, war unbewegt und sanft wie das eines alten Hundes.

Erst jetzt fiel mir auf, dass er die Kamera um den Hals hängen hatte. »Haben Sie einen vollen Film, den wir einsenden sollen?«

Wir schickten die belichteten Filme für ihn ein – das heißt, wir gaben sie Tante Lily, die als Postmeisterin ohnehin an jedem Werktag ins Postamt ging. Wenn die Abzüge kamen, trug ich sie normalerweise mit mir herum, bis mir Toby irgendwann über den Weg lief.

Geöffnet hatten wir noch nie einen dieser Umschläge, obwohl es mich manchmal in den Fingern juckte. Wenn Toby uns seine Bilder sehen lassen wollte, dann tat er es von sich aus.

Einmal hatte er mir einen kleinen Stapel Fotos gezeigt, auf denen unter anderem ein Rotschwanzbussard mit einem Kaninchen im Schnabel zu sehen war, eine im Abendlicht schimmernde Gewitterwolke und ein Reh, das inmitten von Berberitzen ein Schläfchen hielt. Nie zuvor war mir jemand begegnet, der sich leise genug bewegen konnte, um sich einem schlafenden Reh zu nähern. Genauso wenig hatte ich je von einem hungrigen Mann gehört, der ein Reh sieht und nur mit der Kamera draufhält statt mit dem Gewehr.

Toby zog eine kleine Spule aus der Tasche und gab sie mir. Im Gegenzug gab ich ihm das Bündel mit dem Essen.

»Haben Sie noch genug leere Filme?«

Er nickte. Jedem Päckchen mit Abzügen legte die Firma zwei Filme bei. Kodak hielt wirklich Wort.

Toby wandte sich nicht gleich ab, wie er es gewöhnlich machte, sondern rückte seine Gewehre zurecht. Ich wartete.

Er griff in seine Tasche. »Der gehört dir«, sagte er und gab mir einen Penny. Die Münze fühlte sich ganz warm an.

Ich erinnerte mich daran, wie Betty den Efeu neben unserem Schulweg durchwühlt hatte. Offenbar hatte Toby uns vom Wald aus beobachtet.

Ich steckte den Penny ein.

Toby wartete noch immer, fast so, als hoffte er auf etwas. Wenn er wusste, dass der Penny mir gehörte, dann hatte er auch gesehen, wie Betty mich geschlagen hatte. Vielleicht hatte er ihre Drohungen gehört, doch eingeschritten war er nicht. Falls er darauf wartete, dass ich ihm von der Sache erzählte und ihn um Hilfe bat – das konnte ich nicht. Ich wusste selbst nicht, was ich davon halten sollte.

Toby nickte leicht und ging davon, begleitet vom sanften Klacken seiner Gewehre und seiner Stiefel. Wie er es schaffte, selbst diese zarten Geräusche wenn nötig ganz abzustellen, war mir ein Rätsel. Mir selbst war es noch nie gelungen, auch nur eine Kuh zu überraschen, geschweige denn ein Reh.

Eine Weile blieb ich noch stehen und sah Toby nach, wie er über den umgepflügten Acker zwischen dem Wald und unserem Erdbeerfeld davonging, quer zu den Furchen, wodurch seine Gestalt immer auf- und abtauchte, wie ein Boot, das ein kleines Meer kreuzte.

Auf dem Rückweg hielt ich auf der Straße inne, als in der zunehmenden Dunkelheit unser Haus auftauchte, hinter dessen Fenstern schon die Lichter brannten. Ich fragte mich, ob Toby wohl je an dieser Stelle stand und dasselbe sah wie ich jetzt.

Möglich war es schon, dachte ich, während ich nach dem Penny in meiner Tasche tastete.

Mein Vater saß auf der Stufe vor dem hinteren Hauseingang. Wann immer ich mit Essen zu Toby geschickt wurde, schien er dort zu sitzen, wenn ich zurückkam. »Und, wie fandest du Toby heute Abend?«, fragte er, während er mir ins Haus folgte.

»So wie immer«, antwortete ich. »Still.«

»Das gefällt mir an ihm«, sagte mein Vater. »Aber wenn irgendetwas an ihm dich beunruhigt, Annabelle, dann komm und sag's mir.«

Ich war überrascht. »Was zum Beispiel?«

Mein Vater zuckte mit den Schultern. »Egal was.«

»Du meinst, wenn er mir krank vorkommt oder verletzt ist?«

Als Antwort legte er mir nur lächelnd eine Hand auf den Kopf. »Geh jetzt und mach deine Hausaufgaben.«

Doch zuerst suchte ich nach Tante Lily, um ihr Tobys Filmröllchen zu geben, damit sie es einschickte. Keine von uns ahnte, dass jene kleine Spule neuen Ärger enthielt, der nur darauf wartete, entdeckt zu werden.

Als ich mich später auszog, um ins Bett zu gehen, untersuchte ich meine schmerzende Hüfte und den gurkenförmigen Bluterguss, der sich dort gebildet hatte. Noch hatte er sich nicht dunkel verfärbt, sondern war rot. Jede Berührung tat weh.

Das war der Moment, in dem ich entschied, dass Betty Tante Lilys Froschschließe nicht bekommen würde. Selbst ein Mensch wie sie würde es nicht fertigbringen, meinen Brüdern oder mir Schlimmeres zuzufügen als einen gurkenförmigen Bluterguss. Das konnte ich mir einfach nicht vorstellen. Außerdem gab es mir Sicherheit zu wissen, dass Toby oft ganz in der Nähe war. Niemals würde er zulassen, dass mir oder meinen Brüdern etwas zustieß, davon war ich überzeugt. Nicht, wenn er gerade in der Nähe wäre. Wenn er sähe, was geschieht.

Und sollte ich doch noch einen zweiten Schlag abbekommen, würde ich es meiner Mutter sagen. Sie würde wissen, was zu tun wäre.

Als meine Brüder am nächsten Morgen gleich wieder losrannten, lief ich mit und achtete darauf, dass sie dicht bei mir blieben – und ich bei ihnen. Wir liefen die Straße hinauf, auf der anderen Seite der Hügelkuppe wieder hinunter und schließlich über die Felder in Richtung Wolfsschlucht. Mehr als einmal blieben die beiden stehen und sahen mich an, und irgendwann sagte Henry: »Für ein Mädchen bist du ganz schön schnell«, wohingegen James mich anblaffte, ich solle mal langsam machen und ihnen nicht so auf die

Pelle rücken. »Wir können schon alleine zur Schule gehen!«, brüllte er mir noch zu, bevor er einen Zacken zulegte.

Was natürlich stimmte, aber im Moment unwichtig war.

Am Eingang zur Wolfsschlucht hatte ich die zwei wieder eingeholt und packte James am Arm. »Das restliche Stück Weg lauft ihr mit mir zusammen.«

James schüttelte mich ärgerlich ab, doch Henry fragte: »Was ist los?«

»Nichts«, sagte ich, »ich habe nur gestern hier am Weg eine große Schlange gesehen.« Das leuchtete Henry ein. Er wusste, welchen Respekt ich vor Schlangen hatte.

James riss die Augen weit auf. »Eine Königsnatter?«

Ich nickte. »Die größte, die ich je gesehen habe.«

»So was Blödes, Annabelle! Hättest du uns das gestern gesagt, wär ich sofort wieder hergekommen.«

»Genau deswegen habe ich euch ja nichts davon gesagt. Aber wenn wir jetzt ganz still sind, zeigt sie sich vielleicht wieder.«

So kam es, dass wir drei dicht beieinander waren, als Betty hinter einem Baum hervortrat.

Die Jungen blieben so plötzlich stehen, dass ich mit ihnen zusammenstieß. »Hallo, Betty«, sagte Henry. James stand nur still da.

Ich ging an meinen Brüdern vorbei und weiter den Pfad entlang. »Beeilt euch!«, rief ich. »Sonst kommen wir zu spät zur Schule.« Ich schaute mich nicht um.

Die Jungen folgten mir dicht auf den Fersen. Nach der ersten Wegbiegung drängte ich sie weiter, und alle drei rannten wir den Hügel hinunter bis zur Schule.

»Ich kann Betty nicht leiden«, sagte James, als wir unsere Mäntel aufknöpften und die Mützen an die Haken hängten. »Die ist gruselig.«

»Die ist bloß blöd«, sagte Henry, doch er hielt die Stimme gesenkt und schaute über die Schulter zurück, während er das sagte.

Im gleichen Moment betrat Betty das Klassenzimmer, beachtete uns aber nicht. Stattdessen blickte sie starr auf ihr Pult. Dort saß bereits Andy Woodberry. Sein Nachname gefiel mir, er bedeutete Waldbeere, doch den Jungen selbst mochte ich nicht. Keiner konnte ihn leiden. Nicht einmal die anderen großen Jungen, auch wenn sie alles taten, was er wollte.

Seit Betty zu uns gekommen war, hatte Andy noch nicht am Unterricht teilgenommen. Sein Vater, seine Onkel und er bewirtschafteten nebeneinanderliegende Farmen nicht weit von unserer. Sie hielten vor allem Milchvieh, bauten aber auch Mais und Kartoffeln an, machten Heu und hatten einen Küchengarten. Außerdem hatten sie Schafe, wegen der Wolle und um im Frühjahr Lämmer für einen Sonntagsbraten schlachten zu können. Dazu ein paar Hühner und Ziegen, also im Großen und Ganzen das, was man auf einer Milchfarm erwartete.

Ab Ende Oktober erschien Andy gelegentlich in der Schule, vermutlich vor allem, weil er einen Tapetenwechsel brauchte. Er interessierte sich weder für den Unterrichtsstoff noch für Mrs. Taylors Anweisungen.

»Du sitzt auf meinem Platz!«, sagte Betty. Selbst im Sitzen war Andy noch fast so groß wie sie, wenn sie stand, doch das schien sie nicht das kleinste bisschen zu irritieren.

Wir anderen waren ganz still geworden und beobachteten die beiden. Mrs. Taylor schrieb gerade etwas an die Tafel und hatte daher noch nichts mitbekommen.

Andy betrachtete Betty von oben bis unten. »Wer bist du denn?«

»Betty Glengarry. Und du?«

»Andy Woodberry.«

Beide Arme in die Seiten gestützt, musterte sie ihn. »Woodberry? Wohnst du im Wald?«

»Nein.«

»Bist du eine Beere?«

»Nein.« Andy setzte sich auf. »Und du? Wohnst du in einem Glen?*«

»Allerdings«, antwortete Betty.

Andy dachte kurz nach, bevor er fortfuhr. »Und bist du eine …« Doch er schien selbst zu begreifen, dass er seinen Satz auf keine sinnvolle Weise zu Ende bringen konnte.

Betty grinste bereits. »Eine Garry? Nee, bin ich nicht. Höchstens, wenn eine Garry so was ist wie eine, die auf den Platz will, wo du sitzt.«

Inzwischen guckte Andy völlig verblüfft aus der Wäsche, und ich vermutete, dass noch nie ein Mädchen oder eine Frau in diesem Ton mit ihm gesprochen hatte. Nicht einmal seine Mutter.

Ich war mir ganz sicher, dass Betty am Ende der Pause mindestens Kletten in den Haaren hätte, doch da täuschte ich mich.

Ohne ein weiteres Wort stand Andy auf und wartete, bis Betty auf seinem Platz saß. Dann baute er sich bedrohlich neben Benjamin auf, dem zierlichen Jungen am Pult daneben, bis der seufzend seine Sachen zusammensuchte und sich zu jemand anderem quetschte.

Andy setzte sich und streckte die Beine aus. Seine Hosenumschläge und die Schnürsenkel waren voller Kletten.

Als Mrs. Taylor sich zu uns umdrehte und Andy auf Benjamins Platz sah, zuckte sie nur leicht mit den Schultern und schien etwas

* Glen = Tal, Schlucht

zusammenzuschrumpfen. »Guten Morgen, Andy Woodberry«, sagte sie dann. »Hast du deine Bücher dabei?«

»Brauch keine Bücher«, sagte er und tippte sich an den Kopf. »Hab alles hier drin.«

Ich saß hinter Betty, doch als sie sich zu Andy umdrehte, sah ich, dass sie lächelte. »Der kann bei mir mit reingucken, Mrs. Taylor«, sagte sie. »Mir macht das nichts.«

»Das ist aber nett von dir«, sagte Mrs. Taylor.

»Stimmt«, sagte Andy.

So wie Betty Andy ansah, vermutete ich, sie würde mir in Zukunft weniger Beachtung schenken.

Der restliche Vormittag verlief ohne größere Zwischenfälle, auch wenn Andy irgendwann einschlief und den Unterricht mit seinem Schnarchen störte. Betty legt ihm eine Hand auf den nackten Arm, um ihn zu wecken, und als er aufwachte, schüttelte er sich, gähnte laut und verschränkte nach Gutsherrenart die Arme vor der Brust.

Er sah nicht schlecht aus und war sauberer als mancher andere in unserer Schule, doch Betty war die Erste, die Gefallen an ihm fand. Wie schnell die beiden sich gefunden hatten, erstaunte mich. Aber etwas Ähnliches hatte ich auch anderswo schon erlebt, nämlich wenn ein neuer Hund auf unsere Farm kam. Manchmal gingen er und einer der Hofhunde sofort aufeinander los, ohne dass irgendwer begriff, wieso, doch manchmal geschah auch genau das Gegenteil.

6

Während der nächsten Tage schien Betty mich zu ignorieren. Der Weg zur Schule und zurück verlief ohne Probleme, jede Pause spielte ich mit meinen Freundinnen, und auch wenn wir vorn an der Tafel von Mrs. Taylor unterrichtet wurden, blieb alles ruhig. Hinter dem Rücken unserer Lehrerin lümmelten sich Betty und Andy grinsend und flüsternd an ihren Plätzen. In den Pausen verschwanden sie zusammen, sie kehrten verspätet zurück, nach der Schule gingen sie gemeinsam weg, und am nächsten Morgen kamen sie zusammen.

Natürlich fiel das allen auf. Ich nahm an, es handele sich um eine Liebelei, was schon etwas überraschend war, schließlich war Betty erst vierzehn. Doch meine eigene Mutter hatte mit sechzehn geheiratet, und so machte ich mir nicht groß Gedanken über etwas, was den Vorteil hatte, dass ich nicht mehr Bettys Zielscheibe war.

Doch Andy war immer schon recht sporadisch zur Schule gekommen, um es vorsichtig auszudrücken, und bald war klar, dass selbst Betty mit einem sonnigen Herbsttag nicht mithalten konnte.

Der Weg zur Schule war an jenem Tag die reine Freude. Die lockere Erde unter meinen Füßen duftete warm, die Vögel waren gesprächig, und die Sonne war leicht verschleiert, so als hätte man ein Seidentuch darübergebreitet. Bevor es den Hügel hinunter zur Wolfsschlucht ging, zog ich meine Jacke aus, nahm den Hut ab und hängte beides an einen Pfirsichbaum, der verbissen an seinem letzten Laub festhielt, das herbstlich golden leuchtete.

Wo meine Brüder waren, wusste ich nicht; es war mir auch egal. Ich fühlte mich, als fehlte nur noch ganz wenig und ich könnte den Hang hinunterfliegen, die warme Sonne auf dem Rücken, den Wald mit seinen wunderbar flammenden Farben unter mir. Es kann sogar sein, dass ich leise gesungen oder vor mich hin gepfiffen habe, als ich an jenem Morgen den Wald betrat. Ich erinnere mich nicht mehr.

Alles ist wie ausgelöscht. Ich weiß nur noch, dass Betty auf einmal wieder da war.

Vielleicht hatte sie auf Andy gewartet und sich geärgert, dass er nicht kam, und nun hatte sie zu viel Zeit. Oder vielleicht war es zu lange her, dass sie Macht über einen Menschen empfunden hatte, wie gering diese auch sein mochte. Jedenfalls war sie bereit zu einer Kraftprobe mit mir, während ich es überhaupt nicht war.

Und die Waffe, die sie dieses Mal gewählt hatte, war brutaler als beim ersten Mal.

Mir bot sich ein befremdlicher Anblick. Betty saß auf einem umgestürzten Baumstamm und hielt etwas auf dem Schoß. Vor ihr am Boden hockten meine Brüder, die sich seltsam langsam und vorsichtig bewegten.

»Henry«, sagte ich.

»Psst!«, machte er, ohne sich umzudrehen. »Sie hat eine Wachtel.«

So war es. Eine Henne mit zartem braunem Gefieder. Noch jung, wie mir schien, und mit klarem Blick.

Betty hielt das Tier locker unter dem linken Arm. Mit der rechten Hand formte sie einen Ring um den Hals des Vogels, fest genug, dass er stillhielt. Die Henne blinzelte und stieß leise Laute aus, während meine Brüder mit ihren kleinen Fingerspitzen über den zarten Kopf des Vogels strichen.

»Sie ist so schön«, flüsterte James. »Ich wünschte, ich könnte sie behalten.«

»Kannst du ja vielleicht«, sagte Betty. »Kannst ja vielleicht 'ne Wachtelzucht anfangen.«

»Nee«, sagte Henry, »das ist kein Haushuhn, das ist ein wilder Vogel.« Doch der Ton, in dem er das sagte, war ganz sanft, fast sehnsüchtig, und er wandte den Blick keine Sekunde von dem niedlichen braunen Schatz auf Bettys Schoß.

Ich stand hinter ihnen und fragte mich, ob Betty sich so verändert haben sollte. Doch ich war mir ziemlich sicher, dass es nicht so war. »Los jetzt, Jungs«, sagte ich, »sonst kommen wir zu spät zur Schule.«

Doch die beiden ignorierten mich so komplett, dass ich mich direkt unsichtbar fühlte.

»Geht schon mal vor«, sagte Betty. »Ich bring eure Schwester mit. Wir kommen gleich nach.«

Sie hörte sich ganz so an wie ich, wenn ich in meinem Große-Schwester-Tonfall sprach. Doch ihr gehorchten die Jungen, wie sie es bei mir nie taten.

Die beiden zogen sich ganz vorsichtig zurück, um die Wachtel nicht zu erschrecken, dann rasten sie den Hügel hinunter. Sie rannten um die Wette, und dabei zischten sie sich gegenseitig irgendwelche unsinnigen Namen zu.

Ich wollte ihnen gerade folgen, als ein Geräusch mich zurückhielt.

Meine Mutter hatte schon vielen Hühnern den Hals umgedreht, doch sie machte es immer so schnell, dass keine Zeit blieb für einen Todeskampf oder auch nur einen Laut.

Das hier war anders.

Ein heiseres Geräusch zwang mich, mich umzudrehen.

Betty hielt die Wachtel am Hals, der plumpe kleine Körper zappelte hin und her, als das Tier der Schlinge zu entkommen suchte, die Krallen streckten sich und rollten sich wieder auf, die kurzen Flügel schlugen aufgeregt.

»Betty!«, schrie ich. »Lass sie los! Du bringst sie um!«

Ich streckte die Hand nach dem Vogel aus, doch Betty schloss die Finger nur noch fester um seinen Hals und hielt den Arm so hoch, dass ich nicht darankam. Sie stellte sich auf den Baumstamm und sah mich starr und mit unbewegter Miene an.

»Lass los!«, schrie ich wieder.

Doch als ich nach der Wachtel greifen wollte, drückte Betty mit aller Kraft zu und brach dem Vogel das Genick. Ich hörte das Knacken der zarten Knöchelchen.

Sie warf mir das arme erschlaffte Ding zu, ich tat erschrocken ein paar Schritte zurück, stolperte über eine Wurzel auf dem Pfad und landete hart auf dem Rücken.

Wo Toby auf einmal herkam – ich habe keine Ahnung. Gerade noch lag ich auf dem Waldweg und versuchte mühsam, wieder zu mir zu kommen, und im nächsten Moment stand Toby zwischen uns, mit dem Rücken zu mir, und knurrte laut wie einer unserer Hofhunde.

Was er genau machte, weiß ich nicht. Betty konnte ich gar nicht sehen. Von dem, was Toby zu ihr sagte, verstand ich kein Wort. Es war im Grunde nur ein Geräusch. Ein schreckliches Geräusch. Gleich darauf drehte er sich um, half mir wortlos auf die Beine und hob dann den toten Vogel auf, der in der verstümmelten Hand des Mannes klein und makellos aussah. Schließlich holte er tief Luft, richtete sich auf, schlug den Waldweg ein und verließ die Wolfsschlucht.

Seit meine Brüder weggelaufen waren bis zu diesem Moment war vermutlich weniger als eine Minute vergangen.

Betty lag mit großen Augen im Gebüsch. Fast schien es, als lächelte sie.

»Wieso machst du so was?«, fragte ich. Nie zuvor hatte mich etwas so fassungslos gemacht. »Was ist bloß los mit dir?«

»Der hat meinen Vogel gestohlen«, sagte sie wie zu sich selbst, bevor sie mich ansah. »Und gesagt, wenn ich dich noch einmal anrühre, wird es mir leidtun.«

Es war mir selbst ein Rätsel, wie es unter diesen Umständen möglich war, Zufriedenheit zu empfinden, doch so war es. Ein kleines bisschen zufrieden war ich schon.

Vielleicht hatte Betty in Toby ihren Meister gefunden.

»Was für ein Blödmann!«, schimpfte sie, während sie auf die Beine kam und sich abbürstete. Laub hing in ihren Haaren.

Sie hatte gar nicht gemerkt, dass sie inmitten von Giftsumach gelegen hatte, und ich hatte nicht die Absicht, es ihr zu sagen. Ich wünschte ihr die Pest an den Hals, und sollte ich dafur in die Hölle kommen, dann war es eben so.

»Du bist einfach nur böse«, sagte ich zu ihr. »Böse bis auf die Knochen.«

Darüber konnte sie nur lachen. »Meine Oma hat mir gezeigt, wie man einem Huhn den Hals umdreht, und am selben Abend haben wir es ganz aufgegessen, mit Kartoffelbrei und Sauce. Das ist doch nichts Schlimmes. Wenn doch, dann ist meine Oma auch böse, und deine Mutter genauso.«

Ich schüttelte den Kopf »Das ist nicht dasselbe«, sagte ich, »und das weißt du auch.« Allerdings hatte ich meine Zweifel, ob sie es wirklich wusste.

Ich ließ sie da zurück, mitten im Giftsumach, und betete, dass sie am nächsten Morgen mit juckendem Ausschlag und Quaddeln am ganzen Körper aufwachen würde. Ich betete, dass ihr Gesicht übersät sein möge mit Pusteln und Schuppen. Und ich betete dafür, dass Narben zurückblieben. Narben auf den Händen, die den unschuldigen Vogel getötet hatten. Und für keines meiner Gebete schämte ich mich.

In der Nachmittagspause fing Betty an, sich am Hals zu kratzen. Als die Schule aus war, zeigte sich ein Ausschlag auf einer Gesichtshälfte. Und als ich an jenem Tag nach Hause kam, sah ich meine Mutter unterhalb unseres Hauses neben einem Beet mit Springkraut knien, das nahe einer Quelle wuchs.

»Was machst du?«, rief ich ihr von der Straße aus zu.

Sie winkte mich zu sich, und so ging ich am Küchengarten entlang zu dem kleinen Bach, der sich aus der Quelle speiste. Hätten wir in jenem Herbst bereits starken Nachtfrost gehabt, so wäre alles Springkraut erfroren und um die Quelle herum nichts als Lehm gewesen, doch so war der größte Teil der Pflanzen noch grün und voller Saft, wenn auch etwas staksig. Die durchscheinenden Samenkapseln an den orangefarbenen Blüten waren längst aufgeplatzt und hatten ihren Inhalt verstreut, doch von den Blättern waren noch genug übrig.

Meine Mutter hatte bereits etliche der fleischigen Stiele aus dem Boden gezogen und in einen Korb gelegt, jetzt füllte sie mir die Arme mit weiteren Stängeln. »Wir brauchen eine ganze Menge hiervon«, sagte sie. »Betty Glengarry hat es geschafft, in Giftsumach zu fallen, und ist über und über voll mit Bläschen.« Meine Mutter schüttelte den Kopf. »Ich dachte immer, jeder ist so schlau, sich vor Giftsumach in Acht zu nehmen. Aber anscheinend hatte Betty bisher noch keine Bekanntschaft damit gemacht. Ein zweites Mal passiert ihr das nicht.«

Eine Babyameise wanderte von einem der Blätter auf meiner Hand, und ich blies sie weg. »Warum machst du dir so viel Arbeit?«, fragte ich. »Haben die selbst kein Springkraut bei ihrer eigenen Quelle?«

Meine Mutter richtete sich kurz auf. »Mr. Glengarry ist in Ohio, um seiner Schwester beim Umzug zu helfen, und Mrs. Glengarry hat wieder Probleme mit dem Ischias. Da muss sie wirklich nicht noch auf der Suche nach Springkraut durch den Wald humpeln, wenn wir genug davon haben.« Damit zog sie eine weitere Handvoll Kraut aus der Erde und drückte es mir in die Arme. »Sie hat angerufen, um zu fragen, ob wir so spät im Jahr noch welches haben. Ich werde einen Sud daraus kochen, und du wirst mir helfen.«

Einerseits hätte ich ihr gern von der Wachtel erzählt, andererseits konnte ich nicht darüber sprechen. Beim Gedanken an das Geräusch der zerbrechenden Knöchelchen wurde mir wieder ganz elend. Außerdem brauchte ich Zeit, um mir in Ruhe zu überlegen, was ich nun tun sollte. Ich dachte an die Wachtel, an meine Brüder und an die wütenden Laute, die Toby ausgestoßen hatte.

»So«, sagte meine Mutter, »das dürfte mehr als genug sein für ein Mädchen.« Sie griff nach dem Korb und ging voraus zum Haus.

Dann machten wir uns daran, den Sud zuzubereiten. Einen Sud gegen den Schmerz, um den ich gebeten hatte.

Wir setzten Wasser in unserem größten Kochtopf auf und taten das Springkraut hinein, einen Stängel nach dem anderen. In kürzester Zeit schmolzen Stiele und Blätter und färbten das Wasser grün.

Der Geruch, der sich in der Küche ausbreitete, erinnerte stark an Spinat.

»Wer ist in Giftsumach geraten?«, rief meine Großmutter aus dem Nebenzimmer, wo sie ein Schläfchen gehalten hatte.

»Betty Glengarry«, rief meine Mutter zurück. »Es hat sie ganz schlimm erwischt.«

»Stadtkind«, sagte meine Großmutter, aber es klang nicht unfreundlich. »Nächstes Mal weiß sie es besser.«

Es war vielleicht gemein, doch ich hoffte sehr wohl, es werde ein nächstes Mal geben, und zwar nach einem langen, harten Frost.

Nachdem wir die Pflanzen aufgekocht hatten, füllten wir den Sud in Einmachgläser und ließen ihn etwas abkühlen, bevor wir die Gläser verschlossen und in den Korb stellten.

»Das müsste reichen«, sagte meine Mutter. »Zieh deinen Mantel an. Wir bringen ihnen den Sud, und auf dem Rückweg können wir noch Rote Bete ernten.«

»Muss ich mitgehen?«, fragte ich. »Ich könnte mich doch schon mal ums Abendessen kümmern, während du weg bist.«

»Wir bleiben nicht lange«, sagte meine Mutter und schleppte den schweren Korb in den Vorraum. »Und jetzt lauf und hol deinen Großpapa. Mit den schweren Gläsern können wir nicht den ganzen Weg laufen.«

Ich schwor mir, ich würde im Wagen bleiben, während meine Mutter ins Haus ging. Doch als wir bei den Glengarrys vorfuhren, drückte meine Mutter mir ein Glas in jede Hand und forderte mich auf auszusteigen. »Du hast mitgeholfen, die Medizin zu machen. Das sollte Betty wissen. Vielleicht könnt ihr zwei ja Freundinnen werden.«

Was hätte ich dazu sagen sollen? Also schwieg ich.

Als Mrs. Glengarry an die Tür kam, schien sie ungewöhnlich

aufgeregt. »Du liebe Güte, Sarah, komm herein. Annabelle, du auch. Engel seid ihr, anders kann man es wirklich nicht sagen. Wartet, bis ihr Betty seht. Herr im Himmel, sie ist schrecklich krank.«

Das war sie wirklich. »Du liebe Güte« kam nicht annähernd an das heran, was mir auf der Zunge lag, als ich Betty sah. Quaddeln hatte ich erfleht, Quaddeln hatte sie bekommen. Wo immer Bettys Haut mit dem Giftsumach in Berührung gekommen war, war sie feuerrot und geschwollen. Einige der Blasen waren so groß, dass ich durch die dünne Haut hindurch die Flüssigkeit sehen konnte, die sich darin angesammelt hatte. Ich musste an einen Ochsenfrosch denken, der seine Kehle zu einem Luftsack aufbläht.

Es fiel mir schwer, Betty anzuschauen. Aber schwerer noch fiel es mir, wegzugucken. Nie zuvor hatte ich eine so schlimme Hautreizung gesehen.

»Herr im Himmel!«, sagte meine Mutter. »Dich hat es aber wirklich bös erwischt.« Sie zog ihren Mantel aus und legte ihn ans Fußende von Bettys Bett. »Margaret, bringst du mir bitte ein paar saubere Tücher?«

Während Bettys Großmutter kurz das Zimmer verließ, nahm meine Mutter sanft Bettys Arme und Beine und streckte sie aus, dann strich sie ihr die Haare aus dem Gesicht. »Du Ärmste«, sagte sie, »das muss ja schrecklich jucken.«

Betty beobachtete meine Mutter genau. Zwischen zusammengebissenen Zähnen hindurch sagte sie: »Mir doch egal.« Sie holte keuchend Luft, dann fügte sie noch hinzu: »Ist bloß ein blöder Ausschlag.«

Meine Mutter schüttelte den Kopf. »Was für ein tapferes Mädchen du bist, Betty.«

»Hier sind die Lappen«, sagte Mrs. Glengarry und legte den Stapel aufs Bett. »Was brauchst du sonst noch?«

»Eine Schüssel. Und du, Annabelle, gibst mir bitte zwei von den Gläsern.«

Die Erfindung von Springkraut gehörte zu Gottes besten Einfällen. Seine Wirkung kam vielleicht nicht ganz heran an andere Wunder wie die Teilung des Roten Meeres oder die Verwandlung von Wasser in Wein, doch wenn es irgendetwas gab, das Betty wieder gesund machen konnte, dann war es unser Springkraut.

Meine Mutter goss den noch warmen Sud in die Schüssel, tränkte die Tücher darin und wrang sie leicht aus. Dann bedeckte sie Bettys Haut damit, bis nur noch die Augen frei waren, die meinen Blicken unablässig folgten.

Ich sah mich im Zimmer um. Es war ganz ähnlich wie meines: ein Bett, ein kleiner Nachttisch mit einer Lampe darauf, in einer Ecke ein Stuhl, ein Schrank, dessen Tür gerade so weit aufstand, dass ich sehen konnte, wie wenig darin war. Schlichte weiße Wände. Ein nackter Holzfußboden. Ein Jesusbild an einer Wand, an einer anderen die Fotografie eines Paares in Sonntagskleidern, er mit Krawatte, sie mit rotem Hut.

Da Betty hilflos in ihrem Bett lag und ich zwei Erwachsene nah bei mir hatte, ließ ich meiner Neugier freien Lauf. »Sind das deine Eltern, Betty?«, fragte ich.

Die Antwort kam von Mrs. Glengarry. »Ja, das ist mein Sohn, Bettys Vater, aber er ist …« Sie brach ab und sah sich nach meiner Mutter um.

»Weg«, sagte Betty. Im selben Tonfall hätte sie auch *Dreck* sagen können.

Ich wusste nicht, was *weg* in diesem Fall bedeuten sollte.

»So«, sagte meine Mutter. Sie zog die Decke bis unter Bettys Kinn hoch und räumte die Utensilien vom Bett.

Betty drehte den Kopf leicht zur Seite, doch als sie meinen Blick bemerkte, wandte sie sich schnell wieder ab. Nicht schnell genug jedoch, und so sah ich ihre stark geröteten Augen. Aus den Tüchern auf ihrem Gesicht lief ihr Springkrautsud in die Haare. Und vielleicht nicht nur das. Mit einem Mal war ich doch froh, dass der November so mild war und wir noch genug Springkraut hatten pflücken können. Obwohl Betty so gemein war.

»Wiederhol das jede Stunde«, sagte meine Mutter, als sie Mrs. Glengarry die Schüssel reichte. »Du darfst die Lappen nicht zu stark auswringen; sie müssen gut getränkt sein. Und achte darauf, dass Betty nicht friert.« An der Tür blieb meine Mutter noch einmal stehen und sagte leise: »Margaret, wenn das mit diesem keuchenden Atem schlimmer wird, gib ihr von dem Sud zu trinken und lass Dr. Benson kommen.«

»Das mache ich, vielen Dank. Vielen herzlichen Dank. Dir auch, Annabelle. Betty erzählt mir immer, wie nett du bist. Vielleicht magst du mal zum Spielen kommen, wenn sie wieder gesund ist.«

Als wir beim Feld mit der Roten Bete ankamen, war es schon dunkel, doch wir ernteten im Licht der Scheinwerfer, und in null Komma nichts hatten wir genug zusammen fürs Abendessen.

Ich wäre gern noch länger auf dem Feld geblieben und hätte mich jedes Mal aufs Neue über die dicke Überraschung gefreut, die am Ende der langen grünen Büschel baumelte.

Sie sahen nicht gerade vielversprechend aus, diese Roten Beten. Steinhart waren sie, an der rauen Schale klebte Erde, haarige Würzelchen hingen am unteren Ende. Doch im Inneren steckten rubinrote süße Köstlichkeiten, die nur darauf warteten, im Kochtopf warm und weich zu werden.

Ich wünschte mir so sehr, dass mein Leben wieder in Ordnung käme und alles ganz normal wäre, so wie früher.

7

Das Springkraut wirkte, allerdings nicht so schnell wie in weniger schlimmen Fällen, und so blieb Betty am nächsten Tag noch zu Hause, und ich genoss die Zeit ohne sie. Auch Andy trieb sich bei dem schönen Wetter anderswo herum. Mrs. Taylor öffnete die Fenster unseres Schulhauses, um die laue Luft und das Vogelgezwitscher hereinzulassen. Ich lernte, was Lautmalerei ist und wie das Fremdwort dafür lautet: Onomatopoesie. Den ganzen Nachmittag lang sprach ich es leise vor mich hin.

Am nächsten Morgen kamen beide wieder zur Schule, Betty und Andy. Bettys Hände und Gesicht sahen noch wund aus und etwas schuppig, doch insgesamt sehr viel besser. Ich konnte kaum glauben, dass sie sich erst vor zwei Tagen eine so schlimme Vergiftung zugezogen hatte. Trotzdem trug sie eine lange Hose und lange Ärmel und bewegte sich vorsichtiger als sonst, als sie vom Waldweg her den Schulhof betrat.

Ich beobachtete sie von der Treppe vor dem Schulhaus aus, wo ich mit Ruth und einigen anderen Mädchen in der Sonne saß und darauf wartete, dass Mrs. Taylor uns hereinrief.

»Hallo, Betty«, grüßte eine von uns.

Betty blieb stehen, ihren Henkelmann in der Hand, dann kam sie näher. Sie sah mich direkt an, hob die rechte Hand und ballte sie langsam zur Faust. »Hallo, Annabelle«, sagte sie grinsend.

Ich hatte keinen Dank von ihr erwartet für meine Hilfe bei ihrer Genesung. Doch mit so etwas hatte ich nun auch nicht gerechnet. Wie dumm ich doch war!

»Wieso bist du so gemein?«, fragte ich. Es interessierte mich wirklich. Ich wollte es verstehen.

»Ich bin einfach nur älter als du«, sagte sie. »Das ist alles. Du lernst schon noch, selbst auf dich aufzupassen. Wenn du nicht zu blöd dafür bist, was gut sein kann.«

Aber das stimmte nicht. Ich war weder zu jung noch zu dumm, um zu wissen, was Gemeinheit ist.

»Alle hereinkommen«, rief Mrs. Taylor.

Wir gingen ins Haus, alle außer Betty. Als sie schließlich doch noch erschien, fast eine Stunde später, war Andy bei ihr. Er war braun gebrannt von der Sonne der letzten Tage, seine Kleidung war sauber. Und trotz ihrer langen Hose sah Betty neben ihm beinahe mädchenhaft aus.

»Ich freue mich wirklich, dass du doch noch Zeit gefunden hast, zu uns zu stoßen«, sagte Mrs. Taylor zu Andy, und an Betty gewandt sagte sie: »Hoffentlich geht es dir wieder besser.«

Die beiden setzten sich, der Unterricht an der Tafel ging weiter, und der Rest des Vormittags verlief weitgehend ruhig.

Andy verschlief einen Großteil der Zeit, und Betty sah ihm dabei zu. Das Buch auf ihrem Pult blieb geschlossen, und Mrs. Taylors Anweisungen beachtete sie nicht. Als Andy aufwachte, zupfte Betty ihn lächelnd am Ärmel. Er drehte ihr den Kopf zu, grinste gähnend und richtete sich etwas auf.

Ich überlegte, ob ich Mrs. Taylor fragen sollte, ob ich mich umsetzen könnte, irgendwohin, wo ich dieses alberne Benehmen nicht länger aus nächster Nähe mitbekommen würde. Aber ich wollte Ruth auch nicht im Stich lassen, und außerdem schien ich für Betty unsichtbar, solange Andy in ihrer Nähe war. Daran wollte ich lieber nicht rühren.

Ich hatte genug von ihren Drohungen, den blauen Flecken und armen toten Wachteln.

Ich wollte nichts zu tun haben mit einem Menschen, der lächelnd seine Finger um den Hals eines Vogels schließen und zudrücken konnte.

Ich wollte, dass Betty dahin verschwand, wo sie hergekommen war.

Ich wollte die Uhr zurückstellen, zurück zu der Stunde, bevor Betty zu uns kam. Ich wollte alles rückgängig machen, alles aus meinem Gedächtnis streichen. Wollte wieder die sein, die ich vor Betty gewesen war: ein Mädchen, das nie gebetet hatte, ein anderes möge am ganzen Körper Blasen bekommen. Ein Mädchen, das niemals auch nur auf so eine Idee gekommen wäre. Doch wenn es für mich im Moment nichts anderes gab als diese kleine Atempause, in der Bettys Aufmerksamkeit nicht mir galt, dann sollte es mir recht sein. Andy lenkte Betty von mir ab, und damit musste ich mich zufriedengeben.

Pause, das bedeutete zweimal am Tag für uns, aus dem Schulhaus hinauszuströmen auf das freie Gelände, das es umgab, um dort Seilchen zu springen, *Himmel und Hölle* zu spielen oder einfach herumzutoben. Es war uns nicht erlaubt, zur Straße zu gehen, die an der Schule vorbeiführte. Die Autos, die von Zeit zu Zeit vorüberfuhren, beachteten wir auch im Allgemeinen nicht, doch wann immer ein

Pferdegespann vorbeitrabte, das einen Heu- oder Pritschenwagen zog, dann unterbrach ich jedes Spiel, um eine Weile nebenherzulaufen und mit dem Farmer oder den Pferden zu schwätzen. Wenn sie an heißen Nachmittagen in Höhe der Schule eine Pause einlegten, brachte ich den Tieren auch schon mal einen Eimer mit frischem Brunnenwasser.

An jenem Tag kamen Mr. Faas und seine Grauschimmel langsam die Straße herunter. Der Anhänger war hoch beladen mit großen und kleinen Körben voll dicker Äpfel, denn Mr. Faas war auf dem Weg zum Markt.

Mr. Faas war immer so nett und freundlich zu uns Kindern. Mit Vornamen hieß er Anselm, deshalb bat er uns, ihn Mr. Anselm zu nennen, und das taten wir auch. Doch als Henry ihn einmal nur Anselm nannte, zog unsere Mutter ihm die Ohren lang.

»Hallo, Mr. Anselm!«, rief ich ihm von der Schulhaustreppe aus zu, wo Ruth und ich das Hexenspiel spielten, ein Fadenspiel, das wir sehr mochten.

Daraufhin ließ Mr. Faas seine Pferde langsamer gehen, winkte uns zu und wünschte uns einen guten Morgen. Sein hartes Englisch klang noch immer stark nach seiner deutschen Muttersprache, obwohl er schon so lange in unserem Land lebte.

»Wie geht es euch, kleine Annabelle und noch kleinere Ruth, an so einem schönen Tag?« Sein Overall war frisch gewaschen und gebügelt wie Sonntagskleider, sein Hut abgebürstet, und die Stiefel waren ebenso gründlich poliert wie seine Äpfel, die in der Sonne glänzten, als sollten sie zum Juwelier gebracht und dort eingefasst werden.

»Gut geht's uns«, antwortete ich, als wir näher kamen. Seine Pferde stampften ungeduldig auf, sie wollten weiter, doch ich lehnte die Stirn kurz an die Flanke des vorderen Tieres und tätschelte sie mit der flachen Hand. »Ich wünschte, ich könnte mit Ihnen und diesen beiden lieben Kerlchen zum Markt. Die zwei sind einfach zu nett!«

Ruth mit ihren zu einem strammen Zopf geflochtenen Haaren und dem gerade fallenden, glatt gebügelten Rock hielt sich lieber etwas abseits von den Hufen und den großen gelben Zähnen der Pferde. Ruths Vater war Buchhalter, und das einzige Tier, das zum Haushalt der Familie gehörte, war eine getigerte Katze.

Später fragte sich jeder, womit ausgerechnet Ruth verdient haben sollte, was nun geschah.

Der Stein, der Ruth mitten ins Auge traf, war klein genug, um nicht an der Stirn abzuprallen, aber groß genug, um Ruth umzuwerfen und ihrem Auge eine schlimme Verletzung zuzufügen. Das war selbst mir klar, als ich sah, wie ihr das Blut übers Gesicht lief.

Ruth war völlig benommen, so wie ein Vogel, der im Flug gegen eine Fensterscheibe prallt, in der sich der Himmel spiegelt.

Ich wusste, dass etwas Schlimmes passiert war, als Mr. Anselm von seinem Wagen sprang und sich neben Ruth kniete.

Ich wusste es, als ich die aufgeregten Rufe der anderen vom Schulhof her hörte.

Ich wusste es, als Mrs. Taylor angerannt kam und nach einem kurzen Blick auf Ruths Gesicht loslief, um ihr Auto zu holen.

Ich wusste es, als Ruth aus ihrer Benommenheit erwachte und schrie. Als Mr. Anselm Ruth hochhob und auf die Rückbank von Mrs. Taylors Ford legte und wir alle Platz machten und zusahen, wie der Wagen der Lehrerin vom Schulhof in die Straße einbog und schnell davonfuhr, eine Staubwolke hinter sich aufwirbelnd.

»Ich fahre so schnell ich kann zu ihren Eltern und gebe ihnen Bescheid«, sagte Mr. Anselm zu mir. Sein sonst so makellos sauberer Overall war mit Blut beschmiert.

Er stieg wieder auf und knallte laut mit der Peitsche. Die Pferde, die inzwischen ohnehin schon unruhig waren, galoppierten sofort los. Äpfel kullerten vom Wagen und säumten noch bis zur nächsten Biegung die Straße.

Eine Fliege landete in Ruths Blut, das auf den Boden gespritzt war. Ich sah ihr zu, wie sie trank.

Die anderen Schüler standen noch immer stumm am Straßenrand aufgereiht.

Henry und James stellten sich neben mich. Henry, der sonst nie tat, was ich ihm sagte, fragte: »Was machen wir jetzt?«

Ohne Mrs. Taylor waren wir mit einem Mal alle nur noch Kinder. Sogar die großen Jungen, die sich hinter uns anderen zusammendrängten, kamen mir auf einmal wieder klein vor.

Andy war nicht zu sehen, Betty auch nicht. In dem Moment war ich einfach nur froh, dass sie nicht da waren. Mehr ging mir zu den beiden in dem Moment nicht durch den Kopf.

»Henry«, sagte ich, »lauf nach Hause und hol jemand!«

Unser Haus war nicht das nächstgelegene, doch es war der Ort, an dem meine Mutter war.

Henry rannte los, und James lief sofort hinterher. Ich versuchte gar nicht erst, ihn zurückzubeordern; es wäre ohnehin sinnlos gewesen.

Ich holte einen Eimer Wasser vom Brunnen, kippte ihn über das Blut auf der Straße und wartete dann im Schulgebäude.

Nach und nach kamen auch einige der anderen Kinder wieder herein. Die meisten packten ihre Sachen zusammen und gingen nach Hause. Die Kleinsten saßen mit verschränkten Händen auf ihren Plätzen, bis jemand sie abholte.

Ich setzte mich an mein Pult, das ohne Ruth auf einmal so viel größer schien, legte den Kopf auf die Schreibplatte und weinte.

Als meine Eltern in unserem alten Lieferwagen angerumpelt kamen und neben dem Graben beim Schulhaus hielten, saß ich wieder vor dem Schulhaus und wartete.

Beide umarmten mich kurz, dann ging meine Mutter zu den anderen Kindern hinein.

Mein Vater beugte sich zu mir herunter, um mir in die Augen sehen zu können. »Was ist passiert, Annabelle?«

Ich hatte zu weinen aufgehört, ehe meine Tränen völlig versiegt waren, und nun drohten sie gleich wieder zu fließen.

»Ich weiß nicht«, sagte ich. »Ich stand da vorne« – ich drehte mich zur Seite und zeigte auf die Stelle – »und redete mit Mr. Anselm. Ruth stand ein Stück hinter mir, weil sie Angst vor Pferden hat. Und plötzlich ist sie hier« – ich tippte auf mein linkes Lid – »von einem Stein getroffen worden. Sie ist umgefallen, und Mrs. Taylor hat sie in ihrem Auto weggebracht.«

Mein Vater richtete sich auf, um an mir und unserem Wagen vorbei zur Straße und dem sich dahinter erhebenden Hügel sehen zu können. »Zeig's mir genauer«, sagte er.

Ich ging um unseren Wagen herum zur Straße. Ein nasser Fleck zeigte noch immer an, wo ich Ruths Blut weggespült hatte. »Hier«, sagte ich. »Hier hat Ruth gestanden.«

»Mit dem Gesicht zum Hügel? Und Mr. Anselm wollte durch die Senke weiterfahren?«

»Genau, er war auf dem Weg zum Markt. Da drüben liegen noch die Äpfel, die vom Wagen gefallen sind. So schnell ist er los, um Ruths Mutter Bescheid zu geben. Also, Ruth stand hier, und ich hier.« Ich machte einen Schritt zur Seite. »Die Pferde waren direkt vor mir, und der Wagen mit Mr. Anselm hier.« Mit den Fingern zeichnete ich ein Rechteck in die Luft.

»Das heißt, der Stein kam von da oben?«

Ich schaute zu dem Hügel hoch. Bäume und Büsche wurzelten, wo immer sie auf dem steilen, schieferbedeckten Hang Halt fanden, der Graben neben der Straße war übersät mit herabgefallenen Felsstückchen. »Muss wohl, denn sie hat in die Richtung geguckt.«

Mein Vater stemmte die Hände in die Seiten und betrachtete den Hang. »Das heißt, der Wagen, die Pferde und du, ihr befandet euch alle zwischen Ruth und dem Hügel«, sagte er.

Ich nickte. »Genau.«

»Das heißt aber, der Stein kann sich nicht einfach vom Hang gelöst haben, um dann unten im Graben abzuprallen und wieder hochzufliegen«, sagte er nachdenklich. »Sonst hätte er die Pferde oder den Wagen getroffen und nicht Ruth. Er muss also von weiter oben gekommen sein, um über alles andere hinwegzufliegen und Ruth zu treffen.«

Das war keine Frage, also musste ich nicht antworten.

Soweit ich wusste, war niemand in der Pause auf den Hügel gestiegen. Die Jungen kletterten manchmal hoch und spielten ein Spiel, das sie *Bergkönig* nannten. Dabei hielten sie sich an Ästen fest und suchten mit den Füßen festen Halt auf Baumstämmen und Schieferplatten. Im Zickzack verlaufende Spuren zeigten an, wo Kaninchen, Rehe und Jungen die besten Möglichkeiten ausgemacht hatten, hoch- und wieder herunterzukommen.

»Und du hast niemanden da oben gesehen, als es passiert ist?«

Ich schüttelte den Kopf. »Erst habe ich nur die Pferde angeschaut und Mr. Anselm. Und als es dann passiert war, nur noch Ruth.« Sofort zitterten meine Lippen wieder.

»Ist gut, Annabelle«, sagte mein Vater. »Ist schon gut. Wir müssen nicht jetzt darüber reden.« Doch als er sich abwandte und von Neuem den Hügel musterte, wusste ich: Das war noch nicht alles gewesen.

8

Ruth verlor ihr Auge. So einfach war das.

Das erfuhr ich noch am Abend desselben Tages von meiner Mutter. Die meisten Mütter hätten mit so einer Nachricht bis zum nächsten Morgen gewartet, doch nicht meine Mutter. Sie wusste, ich würde so oder so Albträume haben. Von nun an würde alles schwerer werden, und die Augen zu verschließen würde nichts daran ändern.

»Es hätte genauso gut mich treffen können«, sagte ich zu ihr, als sie sich im Dunkeln auf meine Bettkante setzte, um mir zu sagen, dass der Arzt Ruths Auge nicht hatte retten können. Niemand hätte es gekonnt. Der Stein hatte die wichtigsten Teile des Auges zerstört, wie mir meine Mutter erklärte.

Sie strich mir übers Haar. »Stimmt, es hätte auch dich treffen können, Annabelle. Aber ich vermute, der Stein zielte auf Mr. Anselm, seine Pferde oder vielleicht seine Äpfel. Nicht auf dich. Und auch nicht auf Ruth.«

»Warum glaubst du das?«

Meine Mutter seufzte. »Nun, Mr. Anselm ist Deutscher, Annabelle, und viele Leute hier sind böse auf die Deutschen. Das war schon nach dem letzten großen Krieg so, aber seit wir wieder im Krieg mit ihnen sind, ist es noch schlimmer. Es wäre nicht das erste Mal, dass jemand ihm Böses will, doch bisher richteten sich solche Angriffe immer gegen seine Felder und Bäume oder gegen seinen Wagen. Man hat ihm auch schon Scheiben eingeschlagen oder tote Ratten in den Briefkasten gelegt.«

»Aber Mr. Anselm wohnt doch schon fast sein ganzes Leben lang hier«, sagte ich.

»Ich weiß. Und du weißt es auch. Aber für manche Leute macht das keinen Unterschied. Sie brauchen einen Sündenbock, und er ist der einzige Deutsche in ihrer Nähe.«

»Was für Leute?«

Mutter kaute an ihrer Unterlippe und sah mich nicht an. »Menschen, die im Krieg Söhne, Väter oder Brüder verloren haben. In diesem oder im vorigen. Menschen, die selbst im Krieg gekämpft haben und verwundet oder wütend zurückgekommen sind. Im Grunde alle Leute, denn jeder von uns kennt Soldaten, die gerade jetzt drüben in Europa in Gefahr sind, wegen der Deutschen.«

Ich dachte an die goldenen Sterne auf der Fahne in unserer Kirche – einen für jeden Ehemann oder Bruder oder Sohn, der nicht zu uns zurückkehren würde. Und ich dachte an Toby, an sein Schweigen und seine Gewehre. »Aber wer konnte denn wissen, dass Mr. Anselm ausgerechnet heute an der Schule vorbeifahren würde? Derjenige musste sich ja schon vorher da oben hinstellen.«

Meine Mutter zuckte mit den Schultern. »Ich weiß es nicht, Annabelle. Ich weiß nur, dass niemand Ruth wehtun wollte. Was ihr passiert ist, war einfach nur ein ganz unglücklicher Zufall.«

Was alles nur noch schlimmer machte. Konnte sich auch nur ein einziger Mensch aufrecht und mit offenen Augen irgendwo hinstellen, wenn im Grunde alles von Zufällen abhing?

Der nächste Tag begann schlimm und wurde immer noch schlimmer.

Beim Frühstück war es ungewohnt still in unserer Küche. Sogar meine Brüder waren gedämpfter Stimmung. Ich konnte an nichts anderes denken als an Ruth und daran, wie es wohl sein würde, ohne sie in der Schule zu sitzen. Gegen meinen Willen begann ich zu weinen, wenn auch nur ganz leise.

»Und weswegen muss man jetzt Tränen vergießen?«, fragte Tante Lily.

Ohne sie anzusehen, sagte meine Großmutter: »Selbst Jesus hat geweint, Lily.«

»Und zwar mit gutem Grund«, entgegnete meine Tante. »Was man von dieser Sache wohl nicht behaupten kann.«

»Davon, dass Ruth ein Auge verloren hat? Ist das die ›Sache‹, von der du sprichst?«, fragte meine Mutter mit einer Stimme, als hätte sie Essig auf der Zunge.

Worauf Tante Lily etwas übellaunig antwortete: »Also, wenn das die Wurzel der Geschichte ist, dann habe ich die Blüte wohl falsch eingeschätzt.«

Tante Lily redete oft so geschwollen daher, doch dass sie einen Fehler zugab, kam selten vor.

Ich selbst schwieg dazu.

James und Henry aßen ihr Frühstück wie junge Hunde, schnell und geräuschvoll.

Doch mein Vater trank seinen Kaffee langsam, mit versteinerter Miene. Mit den Gedanken schien er weit fort.

»Haltet euch in der Pause fern von der Straße und vom Hügel«, sagte er zu den Jungen und mir, bevor wir aus dem Haus gingen. »Bleibt auf der Waldseite der Schule. Ich will versuchen herauszufinden, was genau Ruth passiert ist. Solange geht ihr mir nicht in die Nähe des Hügels. Habt ihr mich verstanden?«

Wir nickten.

»Hört auf eure Schwester«, sagte er noch zu Henry und James. Genauso gut hätte er ihnen auftragen können, zum Mond zu fliegen.

Doch auch meine Brüder überraschten mich an jenem Morgen: Erst als wir die Stelle oberhalb der Wolfsschlucht erreicht hatten, von wo aus es bergab ging, rannten sie los, um am Waldrand ein Auerhuhn zu erschrecken und dann ohne mich zwischen den Bäumen zu verschwinden.

Als ich an die Wegbiegung kam, saß Betty dort auf einem Baumstumpf. Das bedeutete wohl das Ende der kurzen Atempause, die mir vergönnt gewesen war, und ich war von Neuem Bettys Zielscheibe. Ich tat mir leid.

Doch dann spürte ich, wie sich anstelle dieses Selbstmitleids etwas anderes in mir regte.

Ich will es gar nicht Mut nennen. Mut ist das, was man braucht, um etwas Schweres zu tun, obwohl man Angst hat.

Ich will es auch nicht Wut nennen, obwohl ich große Wut auf Betty verspürte wegen ihrer Drohungen, wegen der Schläge und weil sie die Wachtel umgebracht hatte.

Vermutlich hätte ich ängstlich und wütend zugleich sein müssen, doch Ruth hatte am Tag zuvor ein Auge verloren, und so war es eher Gleichgültigkeit, die ich beim Blick in Bettys ausdrucksloses Gesicht empfand. Klein und unbedeutend, so erschien sie mir an jenem Morgen, selbst dann noch, als sie aufstand und sich mir in den Weg stellte.

»Was?«, fragte ich ungeduldig.

Sie sah mich neugierig an. »Du glaubst wohl, ich lass dich jetzt in Ruhe, bloß weil dieser Verrückte das sagt? Oder weil deine kleine Freundin sich wehgetan hat?«

»Sie hat sich nicht einfach wehgetan«, sagte ich. »Sie hat ein Auge verloren, Betty. Wusstest du das?«

Betty sah weg. »Meine Oma hat's mir gesagt. Aber ich wette, Ruth war gar nicht gemeint, sondern dieser dreckige Deutsche.«

»Mr. Anselm ist nicht dreckig«, widersprach ich. »Du kennst ihn doch nicht mal.«

Betty zog die Augenbrauen hoch. »Ihr Hinterwäldler, ihr habt doch von nix 'ne Ahnung. Ich schon. Der Kerl tut vielleicht nett und alles, aber die Deutschen, die sind brutal, die wollen die ganze Welt beherrschen. Und wenn man sie lässt, tun sie's.«

Mir fiel auf, dass Betty einen frischen roten Kratzer auf einer Wange hatte, so als wäre sie durch Brombeersträucher gekrochen, und an ihren Socken hingen lauter Kletten. Es kam mir komisch vor, dass sie sich so früh am Tag schon im Gebüsch herumtrieb. Wo sie doch gerade erst diesen schweren Ausschlag gehabt hatte.

»Der einzige brutale Mensch, den ich kenne, bist du, Betty«, sagte ich. »Aber von jetzt an lässt du mich in Ruhe. Und zwar nicht, weil Toby das gesagt hat. Und auch nicht, weil Ruth ihr Auge verloren hat. Sondern einfach so. Ich gebe dir auch nichts mehr. Ich habe keine Angst vor dir. Ich renne nicht vor dir weg. Punkt. Fertig. Aus. Also lass mich einfach in Ruhe und kümmere dich um deinen eigenen Kram.« Ich wartete, und dabei sah ich ihr starr ins Gesicht. Ich war fest entschlossen, das jetzt durchzustehen. Ich wollte diese Geschichte mit Betty zu Ende bringen. Wenn sie mir wehtun wollte, dann bitte jetzt gleich. Dann konnte ich endlich etwas gegen sie unternehmen, und zwar noch am selben Tag.

Doch Betty tat nichts. Sie blieb noch kurz stehen und dachte nach. Dann trat sie zur Seite.

Ich war nicht erleichtert. Nicht glücklich, dass sie mich in Ruhe ließ. Ich empfand eigentlich gar nichts, ich war einfach schrecklich traurig und so müde wie nie zuvor. Ich wollte mich nur noch auf unserem Heuboden verstecken und den Felsentauben zusehen, die auf den Dachbalken ihr Schläfchen hielten. Wollte die Augen zumachen und an gar nichts denken. Nicht an Ruth. Nicht an Mr. Anselm. Nicht an die Deutschen. Und auch nicht an Betty Glengarry.

Aber auf unseren Heuboden konnte ich nicht, und so war die Schule die zweitbeste Lösung. Ich konzentrierte mich ganz auf den Unterricht. Andy erschien an dem Tag nicht, sodass Benjamin auf seinen gewohnten Platz konnte, und niemand setzte sich neben mich, dahin, wo Ruth normalerweise saß. Der Morgen verlief ruhig.

In der Pause saß ich mit ein paar anderen Mädchen auf den Stufen vor dem Eingang. Wir flochten Blumenkränze und überlegten, was Ruth jetzt wohl machte. Die ganze Zeit über behielt ich meine Brüder im Auge, doch nie gingen sie in die Nähe der Straße. Sie rannten auf dem Schulhof herum, buddelten in der feuchten Erde beim Brunnen und versuchten, mit Steinen zwischen Astgabeln hindurchzuzielen.

Betty stand mit verschränkten Armen am Rand und schaute zu. Sie spielte niemals irgendwo mit. Normalerweise verschwand sie mit Andy, doch da er nicht da war, wartete sie ganz allein auf das Ende der Pause. An diesem Tag schien sie angespannter als sonst.

Mich sah sie die ganze Zeit nicht an, kein einziges Mal, und so schenkte auch ich ihr wenig Beachtung.

Doch dann, kurz bevor Mrs. Taylor uns wieder hereinrief, kam Andy auf den Hof geschlendert. Betty ging ihm entgegen. Auf halber Strecke trafen sie sich, blieben stehen, redeten und schauten dabei kurz in meine Richtung, bevor sie uns anderen ins Schulhaus folgten. Ich fragte mich, worüber sie wohl gesprochen hatten und was das mit mir zu tun haben mochte.

Während des restlichen Schultages tauschten Andy und Betty Blicke und Briefchen, überhörten geflissentlich Mrs. Taylors Aufforderung, an der Tafel Aufgaben vorzurechnen, und waren nach Schulschluss als Erste zur Tür hinaus.

Bis ich selbst die Schule verließ, war von den beiden weit und breit nichts mehr zu sehen. Es kümmerte mich also nicht, dass meine Brüder gleich losrannten, um wie üblich auf dem Heimweg ein Wettrennen zu veranstalten. Als ich an die erste Wegbiegung kam, waren die beiden schon nicht mehr in Sichtweite.

Hören konnte ich sie allerdings noch, ihre trampelnden Schritte, als sie losrasten, ein atemloses »He!« und das Kollern loser Steine auf dem Weg. Als der Abstand zwischen uns größer wurde, blieb es eine Weile still. Dann ein Schrei. Und Henrys Stimme, die meinen Namen brüllte.

Ich rannte den steilen Waldweg hinauf, als wäre er völlig eben.

Henry beugte sich über James, der laut weinend mitten auf dem Pfad lag. Seine Stirn war voller Blut.

Ich fiel neben den beiden auf die Knie.

»Keine Ahnung, was passiert ist«, sagte Henry. »James war vor mir, und ganz plötzlich ist er auf den Rücken gefallen und hat angefangen zu weinen.«

»Stimmt nicht, ich bin nicht einfach so hingefallen«, heulte James auf. Er rollte sich auf den Bauch und kam auf alle viere. Dann zeigte er auf den Pfad vor uns. Zwischen zwei Bäumen war ein Draht gespannt.

Als Henry hinging, um ihn näher zu untersuchen, sah ich, was passiert wäre, wenn Henry vorweggerannt wäre.

Der Draht befand sich genau in Höhe seines Halses.

Henry strich mit einem Finger über den Draht und zuckte zurück. »Genau hier, wo er mitten über den Weg geht, ist er messerscharf«, sagte er. »Irgendjemand ist mit einer Feile darübergegangen.« Er trat ins Gebüsch und löste das eine Drahtende von dem Baum, an dem es befestigt war. Dann rollte er den Draht vorsichtig auf und ließ ihn an dem Baum auf der anderen Seite des Weges hängen.

Mit dem Ärmel tupfte ich das Blut von James' Stirn. Der Schnitt war zwar so tief, dass die Wunde stark blutete, doch allzu schlimm sah er nicht aus. »Komm«, sagte ich zu James und half ihm auf die Beine. »Zu Hause versorgen wir die Wunde, dann bist du bald wieder wie neu.«

Ich nahm ihn an die Hand, und er ließ es, immer noch schluchzend, zu. Henry ging vorneweg, mit hocherhobenem Kopf, still und finster wie ein Bulle. Von Zeit zu Zeit drehte er sich zu James und mir um. Als wir auf der Hügelkuppe das brachliegende Feld überqueren mussten, wandte er sich wieder um und blieb dann abrupt stehen.

Ich schaute zurück und sah Betty am Eingang zur Schlucht stehen. Sie beobachtete uns.

»Jetzt nicht«, sagte ich zu Henry, der auch sofort zu verstehen schien, was ich meinte. Reglos stand er da und starrte sie an, während James und ich schnell weiterliefen. »Jetzt nicht«, wiederholte ich. Da drehte er sich um und folgte uns nach Hause.

Als ich meinen Vater an die Stelle führte, wo es passiert war, war der Draht weg.

»Ich weiß aber, dass er hier war«, sagte ich. »Genau bei dieser Baumwurzel. Ich habe mir die Stelle extra gemerkt.«

Mein Vater betastete die helle Wunde am Baum, wo der Draht in die Rinde hineingeschnitten hatte. »Du erinnerst dich richtig, Annabelle. Hier hatte er den Draht festgemacht.«

Es geschah nicht oft, dass mein Vater zornig wurde. Meist war meine Mutter diejenige, die sich zuerst aufregte, und dann musste Vater sich gar nicht mehr einmischen. Doch dieses Mal war es anders.

»Dieser Mensch hat eine Schlange in sich, und die ist jetzt erwacht«, sagte er leise.

Es passte so gar nicht zu ihm, was er da sagte. Er hörte sich ein bisschen wie der Pfarrer an oder wie Tante Lily, wenn sie in Fahrt kam. Dabei hatte mein Vater es sonst gar nicht so mit der Kirche.

»Aber es ist kein Er. Oder wenn doch, dann hatte er eine Sie dabei«, warf ich ein. »Vermutlich. Wenigstens glaube ich das. Das mit der Sie, meine ich.«

Mein Vater sah mich fragend an. »Annabelle, es könnte die Sache einfacher machen, wenn du einfach mit der Sprache herausrücken würdest.«

»Das will ich ja auch. Ich bin mir nur nicht absolut sicher, weil ich nicht gesehen habe, wie sie es gemacht hat. Aber eigentlich bin ich mir schon sicher, glaube ich. Wer soll es sonst gewesen sein? Höchstens noch Andy.«

Es war kalt im Wald, die Sonne ging jetzt schnell unter, und so war ich froh, als wir uns auf den Heimweg machten. Doch dann verließ mein Vater plötzlich den Weg und betrat die Wiese oberhalb. Er nahm meine Hand und ging langsamer, sodass ich mit ihm Schritt halten konnte. Oben am Hang hielt er an, um ein Dutzend Äpfel zu pflücken für das Apfelmus, das meine Mutter am Abend kochen wollte. Unter dem Dach, das die Bäume über uns bildeten, gingen wir dann zusammen den Weg entlang zu unserem Haus.

Erst als wir uns wieder aufgewärmt hatten, kurz nach James geschaut (den mein Vater einen »tapferen kleinen Mann« nannte) und meine Mutter begrüßt hatten (die uns beide lange ansah), bat mein Vater mich, ihm alles zu sagen, was ich wusste und dachte. Dazu bat er mich ins Wohnzimmer, wo es ruhiger war als in der Küche.

Ich erzählte ihm alles von Anfang an. Von Betty und ihren Drohungen. Von dem Bluterguss an meiner Hüfte. Davon, dass Andy und Betty so schnell Freunde geworden waren und sich schon seit Tagen so heimlichtuerisch verhielten. Das mit der Wachtel, und was Toby getan hatte. Dass Andy heute Morgen zu spät zur Schule gekommen war und in der Pause mit Betty geflüstert hatte.

Mehr fiel mir erst einmal nicht ein, und zu meinem Kummer fand ich, dass nichts sich auch nur halb so schlimm anhörte, wie es sich in dem Moment angefühlt hatte, als es passiert war, obwohl mich die Erinnerung an das brechende Genick der Wachtel bis ans Ende meiner Tage verfolgen würde. »Sie ist schrecklich gemein«, sagte ich. »Trotzdem weiß ich immer noch nicht, wieso ich solche Angst vor ihr hatte.«

»Annabelle, warum hast uns nicht gleich davon erzählt, als das losging?«

»Es passierte ja nicht alles auf einmal, sondern nach und nach, und ich wusste die ganze Zeit einfach nicht, was ich tun sollte.« Ich kam mir so furchtbar dumm vor. »Außerdem hat sie gesagt, sie geht auf die Jungs los, wenn ich irgendwem etwas erzähle. Aber jetzt hat sie James trotzdem wehgetan, weil ich nicht getan habe, was sie wollte.«

Mein Vater stand auf und strich sich mit der flachen Hand übers Kinn. »Ist gut«, sagte er. »Von jetzt an nehme ich die Sache in die Hand, Annabelle. Zusammen mit deiner Mutter. Aber in Zukunft sagst du es uns immer gleich, wenn es ein Problem gibt. Versprochen?«

Ich versprach es. Das fiel mir auch nicht schwer. Ich hatte nicht vor, meine Eltern noch einmal anzulügen. Ich ahnte ja nicht, wie kompliziert die Dinge noch werden würden.

9

Der nächste Tag war ein Samstag. Das bedeutete: keine Schule, aber Mithilfe im Haus. Doch normalerweise blieb mir immer noch etwas Zeit, in der ich tun konnte, wozu ich Lust hatte.

Nicht so an diesem Samstag.

»Wir werden heute Nachmittag den Glengarrys einen Besuch abstatten«, verkündete mein Vater, als ich zum Frühstück kam. »Deine Mutter, du und ich.« Sein Tonfall machte deutlich, dass er keine Widerrede duldete.

Trotzdem versuchte ich es. »Muss ich mitgehen?«

Mein Vater nickte. »Wichtige Dinge sollten Menschen immer aus erster Hand erfahren. Aber wir sind an deiner Seite, und hinterher wird es dir besser gehen. Wenn alles offen auf dem Tisch liegt, kann sie dir nicht mehr drohen.«

Das klang überzeugend, trotzdem wollte ich nicht mit.

James saß mir gegenüber, stocherte in seinem Rührei und knibbelte die ganze Zeit an dem weißen Verband an seiner Stirn. »Das blöde Ding juckt so«, sagte er. »Ich kann gar nicht richtig denken, solange das dran ist.«

Meine Mutter hatte sofort die passende Lösung für sein Problem parat: Sie nahm ein Kopftuch und wickelte es ihm nach Piratenart um den Kopf. »Wie Long John Silver siehst du jetzt aus«, sagte sie.

Mit Piraten kannten wir uns aus, dank Robert Louis Stevenson und auch dank meiner Großmutter, die uns meistens nach dem Abendessen noch aus der *Schatzinsel* vorlas.

Sofort sprang James wie ein Irrer durchs Haus und rief ständig: »Ahoi, Kameraden!« Dabei fuchtelte er wie wild mit einem Holzlöffel herum, bis meine Mutter ihn hinaus in die Sonne schickte. Und Henry gleich mit.

»Aber bleibt in der Nähe!«, rief sie ihnen noch nach.

»Wir gehen jetzt die Tannen beschneiden, Großvater und ich«, sagte mein Vater und zog seine Jacke an. »Da können wir die zwei mitnehmen.« Die Weihnachtszeit nahte, und es wurde Zeit, die kleinen Tannen in Form zu bringen, die wir angepflanzt hatten, um sie als Weihnachtsbäume zu verkaufen. Das Beschneiden der Bäume übernahm mein Vater, während mein Großvater mit ein oder zwei Hunden im Truck saß und die Oberaufsicht über die Arbeiten innehatte. Im Vorjahr hatte mein Vater Henry und James an einer krumm gewachsenen Tanne üben lassen, und am Ende hatten die beiden sie zu einem perfekten Zahnstocher zurechtgestutzt. Dieses Jahr hatten die Jungen die Aufgabe, die abgeschnittenen Tannenzweige aufzuheben und die besten von ihnen für Adventskränze zu bündeln.

Als Henry und James draußen waren, kehrte im Haus wieder Ruhe ein.

Wir räumten den Frühstückstisch ab, dann machten wir uns an die üblichen Samstagsarbeiten. Meine Mutter bügelte, und bald füllte sich die Luft mit dem Geruch von heißer, sauberer Baumwolle und dem Geräusch des Eisens, wenn es auf dem Bügelbrett aufkam. Meine Großmutter saß am Kopfende des großen Eichentisches, stopfte Socken und nähte Flicken auf durchgescheuerte Ärmel. Ich schälte und schnitt Äpfel für den Kuchen und gab mir größte Mühe, die Schale zu einer einzigen langen Spirale zu formen. Wenn ich die Schale später zu den Pferden brachte, kam es mir zwar nie so vor, als wüssten sie meine Mühe zu schätzen, doch wenn es sich irgendwie machen ließ, hatte ich es gern, wenn Dinge auch schön aussahen.

Tante Lily, rastlos wie immer, wenn sie weder zur Arbeit noch zur Kirche konnte, tat ihr Bestes, um uns den Samstag zu vermiesen, sodass wir bald ebenso schlecht gelaunt waren wie sie. »Du wärst viel schneller, wenn du das nicht so umständlich machtest«, rügte sie mich und zog am Ende der Schale, bis sie durchriss.

Fast hätte ich ihr angeboten, sich an der Arbeit zu beteiligen, doch Tante Lily hatte wenig Sinn für Hausarbeit. »Hast du Tobys Film schon eingeschickt?«, fragte ich stattdessen.

Sie reckte das Kinn streng vor. »Selbstverständlich, Annabelle. Die Post zu verwalten ist eine sehr wichtige Aufgabe. Sobald Briefe abgegeben werden, sortiere ich sie und schicke sie weiter, da gibt's kein Vertun.«

»Oh, das weiß ich«, sagte ich. »Daran hatte ich auch keinen Zweifel.«

Tante Lily nickte kurz. »Die Abzüge werden schon bald hier sein. Obwohl ich nicht weiß, wieso dieser Mann unsere Kamera hat. Mit welchem Recht beansprucht er, was uns zusteht? All diese teuren Filme! Dazu das ganze Hin- und Hergeschicke! So viel Extraarbeit für uns, und wozu das Ganze?«

Bei den Worten »was uns zusteht« schüttelte meine Mutter den Kopf. Immerhin hatte sie ganz allein den Fotoapparat gewonnen, mit allem Drum und Dran. »Ich gehe gleich Ruth besuchen«, sagte sie zu mir. »Möchtest du mitkommen?«

Ehrlich gesagt, wollte ich es nicht. Schon der Gedanke machte mir Angst. Doch ich sagte: »Ja, ich komme gern mit.«

Als wir fertig waren mit dem Bügeln und Schälen und dem Abwasch, zog ich meine Jacke an, setzte meinen Hut auf und verließ mit meiner Mutter das Haus.

Ruth lag in ihrem Bett, die Decke bis zum Hals hochgezogen. Über dem einen Auge trug sie eine weiche Klappe aus schwarzer Seide. Die Haut drumherum und auf der Wange war grüngelb. Ansonsten war Ruth bleich wie der Winterhimmel.

»Hallo, Ruth«, sagte ich, nachdem unsere Mütter eine Weile besorgt an ihrem Bett gestanden hatten, bevor sie sich ins Wohnzimmer zurückzogen, um miteinander zu reden. »Tut es weh?«

Ruth nickte langsam. Bisher hatte sie noch nichts gesagt außer einem leisen Dankeschön, als meine Mutter ihr eine Spitztüte aus Wachspapier gab, in die sie Sirupbonbons gefüllt hatte.

»Kommst du bald wieder zur Schule?«

Ruth schüttelte kurz den Kopf, dann drehte sie ihn weg. »Meine Eltern erlauben mir nicht, weiter dahin zu gehen«, sagte sie. »Ich muss jetzt in Sewickley zur Schule gehen.«

Ich war verblüfft. »In der Stadt? So weit von hier?«

»Mein Vater arbeitet doch da. Wir wohnen ja nur hier, weil mein Großvater uns dieses Haus vermacht hat, als er starb. Eigentlich wollten wir gar nicht so lange bleiben, aber dann gefiel es uns so gut. Es war so schön ruhig.« Jetzt schaute sie mich wieder an, und ich sah, dass sie weinte. »Nun verkaufen wir das Haus und ziehen in die Stadt.«

All die Jahre war ich mit Ruth zusammen aufgewachsen, einem der liebsten, sanftesten Menschen, die ich kannte. Nun musste auch ich weinen. »Es tut mir so leid, dass du dir wehgetan hast.«

Ruth erstarrte sichtbar. »Ich habe mir nicht wehgetan«, sagte sie. »*Jemand* hat mir wehgetan.«

Ich wischte mir übers Gesicht. »Hast du irgendwas gesehen?«

»Eigentlich nicht. Oben am Hügel hatte sich etwas bewegt, deshalb habe ich hochgeschaut, und deswegen hat mich der Stein auch mitten ins Auge getroffen. Hätte ich nur ein kleines bisschen weiter nach unten geschaut ...« Sie zog die Knie an und legte die Hände darauf. »Alle sagen, ich würde mich schon noch daran gewöhnen. Aber ich glaube das nicht.«

»Es wird Zeit, Annabelle«, sagte meine Mutter von der Tür her. »Ruth braucht Ruhe.«

Ich verabschiedete mich, ohne Ruth zu umarmen oder ihr alles Gute zu wünschen. Ich wusste ja nicht, dass es das letzte Mal war, dass ich sie sah.

Der Besuch bei den Glengarrys war schwieriger.

Es fühlte sich seltsam an, zwischen meinen Eltern auf dem fadenscheinigen Sofa im Besuchszimmer der Glengarrys zu sitzen, während Betty und ihre Großeltern leicht erhöht auf Küchenstühlen Platz nahmen, die sie uns gegenüber nebeneinander aufgereiht hatten. Die Glengarrys machten ernste Gesichter, doch meine Eltern waren ganz gelassen und schenkten mir von beiden Seiten Wärme.

»Ich freue mich, dass euer Besuch mir Gelegenheit gibt, euch zu danken«, begann Mr. Glengarry. »Für die Hilfe mit dem Springkraut. Als ich aus Ohio zurückkam, war Betty schon wieder auf dem Wege der Besserung. Wir sind euch wirklich sehr dankbar für die Hilfe.«

»Und wir helfen euch gerne, jederzeit«, sagte meine Mutter, doch das Aber lag ihr schon auf der Zunge, das spürte ich.

»Wir würden gerne mit euch über die Schule reden und über die Vorfälle der letzten Zeit«, sagte mein Vater.

»Wir auch«, erwiderte Mr. Glengarry. »Betty hat uns besorgniserregende Dinge erzählt über das, was Ruth passiert ist.«

»Ruth?«, fragte meine Mutter. »Wir sind nicht wegen Ruth hier. Wir sind hier wegen dem, was James passiert ist, unserem Jüngsten. Und wegen Annabelle.«

Die Glengarrys sahen verwirrt aus.

Betty starrte mich mit unbewegter Miene an.

Jeder im Raum wusste, warum Betty aufs Land geschickt worden war, deswegen rechnete ich nicht damit, dass das, was ich zu sagen hatte, jemanden überraschen könnte. »Betty hat mir gesagt, wenn ich ihr nichts mitbringe, würde sie mir und meinen Brüdern wehtun. Das hat sie dann auch gemacht. Erst hat sie mich mit einem Stock geschlagen, zweimal, dann hat sie eine Wachtel gefangen und getötet, und gestern hat sie über den Schulweg einen scharfen Draht gespannt, in den mein kleiner Bruder hineingerannt ist. Aber dabei hat ihr Andy Woodberry geholfen, glaube ich.«

Das Schweigen, das darauf folgte, dauerte länger als die Zeit, die ich gebraucht hatte, um das alles hervorsprudeln zu lassen.

»Betty?« Ihre Großmutter sah aus, als wäre sie von oben bis unten in zwei Hälften geteilt. Die eine Hälfte schien resigniert, die andere noch ein wenig hoffnungsvoll. »Hast du das wirklich getan?«

Betty schüttelte den Kopf. »Niemals«, sagte sie. »So was würde ich nie tun.«

»Doch, das hast du«, beharrte ich. »Und das weißt du auch. Dabei habe ich dir sogar einen Penny mitgebracht und gesagt, wir könnten doch Freundinnen werden.«

Meine Mutter legte mir beruhigend eine Hand aufs Knie. »Annabelle würde so etwas niemals sagen, wenn es nicht wahr wäre.«

»Aber unsere Betty schon?« Mr. Glengarry klang noch nicht wirklich ärgerlich, aber ich konnte sehen, worauf das Ganze hinauslief. Mein eigener Großvater würde sicher auch hinter mir stehen, egal, was ich angestellt hätte.

»Sie können ja Toby fragen, wenn Sie mir nicht glauben«, sagte ich. »Er hat gesehen, was passiert ist, als ich ihr den Penny gegeben habe. Sie hat ihn weggeschmissen und mich mit einem Stock gehauen. Das kann ich beweisen, ich habe immer noch blaue Flecken. Und als sie die Wachtel umgebracht hat, da hat Toby ihr gesagt, sie soll mich in Ruhe lassen. Aber das hat sie nicht. Sie war es, die den Draht gespannt hat, das weiß ich.«

»Lass gut sein, Annabelle«, sagte meine Mutter.

»Toby?«, fragte Mr. Glengarry. »Dieser Wilde?« Er sah seine Enkelin an. »Erzähl ihnen, was du uns erzählt hast.«

Als Betty schwieg, legte ihre Großmutter einen Arm um sie und sagte: »Du musst keine Angst mehr haben, Schätzchen. Jetzt ist alles gut.«

Betty drehte den Kopf leicht zur Seite, gerade so weit, dass sie mich noch im Auge behielt. »Ich hab Toby gesehen, auf dem Hügel, oberhalb von da, wo Ruth den Stein an den Kopf bekam«, sagte sie dann. »Aber er macht mir solche Angst, dass ich mich erst nicht getraut habe, was zu sagen.«

Mir fiel ein, was Ruth berichtet hatte – dass sie eine Bewegung auf dem Hügel gesehen hatte, unmittelbar bevor sie getroffen wurde. Doch Toby konnte das nicht gewesen sein.

»Du selbst bist doch die, die anderen Angst macht, Betty«, sagte ich. »Toby hat mit all dem nichts zu schaffen. Er würde Ruth niemals wehtun.«

»Bestimmt wollte er nicht Ruth treffen«, sagte Mr. Glengarry. »Er hatte auf den Deutschen gezielt.«

Den Deutschen. Damit meinte er Mr. Anselm.

Mr. Glengarry hatte einen Bruder im ersten großen Krieg verloren, und er gehörte zu den Menschen, die nie auch nur ein Wort mit Mr. Anselm sprachen. »Toby ist verrückt geworden wegen dem, was die Deutschen ihm angetan haben. Wenn irgendjemand Steine auf den Deutschen werfen würde, dann er.«

»Ich habe Toby nicht gesehen«, sagte ich. »Dabei stand ich zusammen mit Ruth auf der Straße.« Ich schaute Betty an. »Du warst doch gar nicht in der Nähe, als es passiert ist. Wie kannst du dann die Einzige sein, die Toby gesehen hat?«

»Ich war oben im Glockenturm«, antwortete Betty. »Andy wollte mir die Schulglocke zeigen, als ihr alle in der Pause draußen wart. Da oben gibt's ein kleines Fenster, von dem guckt man auf die Straße und den Hügel. Ich hab alles viel besser gesehen als ihr da unten.«

Meine Mutter beugte sich leicht vor. »Und die ganze Zeit hast du kein Wort darüber gesagt?« Wenn jemand im Ort mit Toby befreundet war, dann meine Mutter. Es war klar, dass sie Betty nicht glaubte. Andererseits hatte ja auch ich etwas für mich behalten, weil ich Angst vor jemandem gehabt hatte, der größer und stärker war als ich, und das wusste meine Mutter.

»Ich dachte, er tut mir was, wenn ich's sage«, antwortete Betty.

Ich war erstaunt, wie kleinlaut sie auf einmal klang. Sie, die doch eben noch so mühelos den Spieß umgedreht hatte.

»Aber Andy hat keine Angst vor Toby«, sagte ich. »Wieso hat er dann niemandem davon erzählt?«

»Weil ich die Einzige war, die gesehen hat, wie es passiert ist. Andy war gerade auf der anderen Seite und nahm ein Schwalbennest auseinander. Bis er wieder am Fenster stand, war Toby schon weg. Ich hab ihm auch nicht gesagt, was ich gesehen hab. Ich hatte

Angst, Toby könnte auch Andy was tun.« Sie hörte sich so verängstigt an, dass sogar ich ihr fast glaubte.

»Und was war mit dem Draht über den Weg?«, fragte ich. »Toby würde James doch niemals wehtun.«

»Möglich«, sagte Betty. »Aber ich gehe auch immer da lang. Vielleicht hat er ja mich gemeint.«

»Es reicht«, unterbrach Mr. Glengarry. »Toby ist verrückt. Das weiß jeder. Und was soll man von einem Verrückten anderes erwarten als verrückte Sachen?«

»Ich kann es Betty wirklich nicht verdenken, dass sie Angst vor Toby hat«, sagte Mrs. Glengarry. Sie war sonst eine stille Frau, und die plötzliche Schärfe in ihrer Stimme überraschte mich. Doch man konnte wirklich glauben, dass Betty nichts weiter war als ein Mädchen mit Zöpfen und mit einem blauen Pullover, das Angst hatte vor einem Mann, der auf Schritt und Tritt Gewehre bei sich trug.

»Vielleicht nicht.« Meine Mutter stand auf. »Aber wenn Annabelle noch einmal von jemandem bedroht wird, dann bleibt es nicht beim Reden.«

Ich war mir nicht sicher, was sie damit meinte, doch als mein Vater mich an die Hand nahm und wir uns neben meine Mutter stellten, fühlte ich mich plötzlich wie eine Riesin. So, wie wenn ich oben auf unserem Hügel stand und hinunter in die Wolfsschlucht schaute. Oder wenn ich ein Vogelei in der Hand hielt.

Als wir wieder zu Hause waren, blieben meine Eltern eine ganze Weile im Hof und sprachen miteinander. Ich selbst ging hinein und gleich in mein Zimmer.

Meine sonst so stabile Welt wirbelte neuerdings herum, und jede Umdrehung verwirrte mich nur noch mehr.

Ich glaubte nicht, dass Toby verrückt war. Traurig, das vielleicht.

Still. Vielleicht auch seltsam, jemand, der lieber allein lebte, in einer Räucherhütte schlief und Tag für Tag über die Hügel streifte. Aber verrückt nicht. Nicht auf gefährliche Art verrückt. Außerdem: Wieso sollte Toby von weit oben einen Stein auf eine Straße schmeißen, wenn unten zwei Mädchen und zwei Pferde standen? Wenn Toby Mr. Anselm angreifen wollte, dann hätte er jeden Tag Gelegenheit dazu, wo auch immer, ohne dass Kinder oder Pferde dabeistanden.

Toby war ein Mann, der nicht einmal ein schlafendes Reh erschießen würde. Jemand, der Berberitzen fotografierte und mir einen Penny zurückgab, obwohl er das nicht gemusst hätte. Seit er aus jenem schrecklichen Krieg zurückgekommen war, hatte er niemandem, keinem einzigen Menschen, etwas zuleide getan. Nicht, soweit ich wusste.

Ich glaubte nicht, dass Toby verrückt war. Kein bisschen. Und ich glaubte auch nicht, dass er Mr. Anselm etwas antun würde, auch wenn der Deutscher war.

Aber wenn Betty und Andy oben im Glockenturm gewesen waren, konnten sie nicht gleichzeitig auf dem Hügel gewesen sein. Dann konnten sie nicht den Stein geworfen haben.

Ich lag auf meinem Bett und machte mir meine Gedanken, so lange, bis meine Mutter rief, ich sollte ihr mit den Vorbereitungen fürs Abendessen helfen. Und noch ein bisschen länger.

»Die Luft muss mittlerweile voller Löcher sein«, sagte meine Großmutter zu mir, als wir zusammen am Spülbecken standen und Kartoffeln wuschen und schälten.

»Wieso?«, fragte ich und spülte eine Kartoffel im Waschwasser, bis sie blitzblank war.

»So, wie du die ganze Zeit Löcher in die Luft starrst, Annabelle. Kein Wort hört man von dir.«

Ich zuckte mit den Schultern. »Ich muss bloß immer an Ruth denken.«

»Eine schreckliche Geschichte. Für jeden wäre das schlimm, aber für so ein liebes Mädchen ganz besonders.«

»Aber du glaubst doch auch nicht, dass Toby das getan hat, oder? Nicht einmal aus Versehen?«

Inzwischen wussten alle Mitglieder unseres Haushaltes von dem Gespräch mit den Glengarrys am selben Nachmittag.

Tante Lily hatte verächtlich geschnauft und gesagt: »Ich fand ja schon immer, dieser Toby stinkt nach Schwefel.«

»Nein, so ist Toby nicht«, hatte Henry ihr widersprochen.

»Auf sie, Maat!«, hatte James gebrüllt. Was wir als ein Nein deuteten.

Mein Großvater hatte den Kopf geschüttelt und etwas von einem Schaf im Wolfspelz gemurmelt. Wie meine Mutter die Sache sah, wusste ich. Bei meinem Vater war ich mir nicht so sicher. Auf dem ganzen Rückweg von den Glengarrys hatte er kein einziges Wort gesprochen. Zu Hause hatte er nur mit meiner Mutter geredet und sich dann gleich wieder an seine Arbeit gemacht.

»Ach, ich weiß nicht, was ich davon halten soll«, antwortete meine Großmutter und schnitt eine Kartoffel in so dünne Scheiben, dass man das Licht hindurchsehen konnte. Ein besseres Kartoffelgratin als das meiner Großmutter gab es nirgends. »Toby ist merkwürdig, anders kann ich's nicht ausdrücken. All diese Gewehre geben mir schon zu denken. Andererseits habe ich nie erlebt, dass er zu irgendjemandem grob geworden wäre. Und er hat nie schlecht über die Deutschen gesprochen, auch nicht über Mr. Anselm.«

»Na ja, Toby spricht sowieso nicht viel, egal worüber«, musste ich zugeben.

»Da hast du recht. Aber ich habe mir immer gewünscht, dass andere Menschen mich nach meinen Taten beurteilen, und so will ich es auch bei ihm halten. Schließlich hat er mir nie irgendwas getan. Und meiner Familie auch nicht.«

Als mein Vater zum Abendessen erschien, war sein Gesicht leicht gerötet, und er roch nach Ruß.

»Ich war heute Nachmittag eine Weile bei Toby«, sagte er unvermittelt, als wir den gebackenen Schinken aßen, den meine Mutter zubereitet hatte, dazu Großmutters Kartoffeln und meinen Blumenkohl, zu dem James immer nur »kleine weiße Bäume« sagte und von dem er nur selten aß.

Alle sahen wir meinen Vater an und warteten. Vor allem ich war gespannt, was Toby zu den Ereignissen der vergangenen Woche zu sagen hatte.

»Geredet habe hauptsächlich ich«, sagte Vater. »Ich habe geklopft, Toby machte auf und bat mich herein. Außer einem Stuhl gab es keine Sitzgelegenheit, und da ich nicht als Einziger sitzen wollte, standen wir beide da und starrten uns an wie zwei Ziegen.«

Mein Vater hatte für Ziegen nicht viel übrig. Wenn ich einmal faul war, nannte er mich eine kleine Ziege, wenn ich etwas Dummes oder mich schmutzig machte, eine Ziege. Bei meinen Brüdern hielt er das genauso.

Wir warteten wieder. Er hätte den Besuch nicht erwähnt, wenn er nichts zu berichten gehabt hätte.

»Das Leben in so einer Hütte ist schon ganz schön hart«, fuhr er schließlich fort. »Aber er hat einiges getan, damit es darin ein bisschen freundlicher aussieht. Sein Bett ist eher so eine Art Nest. Kiefernzweige, über die er Sackleinen gelegt hat. Darauf nur eine alte Armeedecke, aber kein Kissen. Diesen einen Stuhl, den wohl irgendwer mal ausrangiert hat. Eine Feuerstelle im Boden, mit einem Loch im Dach als Rauchabzug. Haken an der Decke, an denen seine wenigen Sachen hängen. Aber …« Mein Vater brach ab. Lehnte sich zurück. Strich sich mit einer Hand übers Kinn. »Überall Fotos. An allen vier Wänden. Von Obstwiesen. Vom Wald. Viele Aufnahmen, auf denen nichts als Himmel zu sehen ist, oft bei Sonnenuntergang.«

Er schwieg einen Moment. »Sehr schöne Bilder, ich hätte sie gern alle angesehen, aber zum einen wurde es schon langsam dämmrig, und zum anderen wollte ich nicht unhöflich sein. Er hatte mich schließlich nicht eingeladen, und es schien ihn etwas nervös zu machen, dass ich da war. Viel Besuch hat er sicher nicht.«

Noch nie hatte ich meinen Vater so lange am Stück reden hören.

»Ich habe ihm berichtet, was die Glengarrys gesagt haben. Was Betty gesagt hat. Ich habe ihn gefragt, ob er da oben auf dem Hügel gewesen sei, worauf er nur meinte, er habe keinen Grund, irgendwen mit Steinen zu bewerfen, ob der nun Deutscher sei oder nicht.«

»Wenn überhaupt irgendwer einen Grund hätte, einen Deutschen anzugehen, dann höchstens Toby«, sagte mein Großvater.

»Oder jeder, der Angehörige dort drüben verloren hat«, entgegnete meine Mutter scharf. »Und davon gibt es reichlich.«

»Und dann sagte er etwas Seltsames«, fuhr mein Vater fort. »Nämlich – wenn ich ihn richtig verstanden habe: ›Sie haben Kratzer in den Schildkrötenstein gemacht.‹ Danach hat er nichts mehr gesagt, außer dass er dich bittet, Annabelle, ihm seine Bilder zu bringen, sobald sie da sind.«

Tante Lily richtete ihre Gabel auf mich. »Unsere Kamera. Unser Film. *Seine* Bilder. Wie finde ich das denn?«

Aber meine Gedanken waren beim Schildkrötenstein, einem großen Fels in der Wolfsschlucht, der die Form eines Schildkrötenpanzers hatte. Er war netzartig von Quarzeinsprengseln durchzogen, was ihm noch mehr Ähnlichkeit mit einer Schildkröte gab. Jeder hier kannte den Stein. Er lag auf einer kleinen Lichtung, so als hätten die Bäume sich nicht näher herangewagt. Der Boden um ihn herum war voller Farne und blühender Wildkräuter.

Es war ein hübscher Ort, aber gleichzeitig ging etwas Feierliches von ihm aus. Wir stellten uns immer vor, dass die Indianer hier religiöse Zeremonien abgehalten hatten. Wenn wir für unsere Gottesdienste nicht unsere Kirche hätten, bestimmt hätten wir dann, so wie vielleicht sie, den Schildkrötenstein dafür gewählt.

10

Der Gottesdienst am nächsten Morgen verlief im Großen und Ganzen wie immer, nur dass die Glengarrys, die in ihrer Bank drei Reihen hinter uns saßen, uns anders als sonst nicht grüßten. Das tat mir schon leid, aber nicht sehr.

Mein Vater hatte recht gehabt, als er sagte, ich würde mich besser fühlen, wenn ich mir alles von der Seele geredet hätte, und wenn ich dafür auf das übliche Sonntagslächeln der Glengarrys verzichten musste, dann konnte ich gut damit leben.

Betty trug ein kariertes Kleid über einer weißen Bluse mit Bubikragen und sah aus, als könnte sie kein Wässerchen trüben, doch ihre Augen verrieten sie.

Ich konzentrierte mich auf die gelben und violetten Chrysanthemen, die um den Altar herum standen, und das leere Kreuz, das darüber hing.

Der Chor schmetterte die Kirchenlieder so wie immer, Mr. Simmons näselnd, Mrs. Lancaster stockend, und jeder von uns sang auf seine Weise mit.

Pfarrer Kinnell predigte lang und breit über den Wechsel der Jahreszeiten, aber ich konnte mir beim besten Willen keinen Reim darauf machen. Ich war heilfroh, dass vor mir der Umschlag für die Kollekte lag, zusammen mit einem winzigen Bleistift. Ich konnte zwar wirklich kein bisschen zeichnen, doch um mir die Zeit zu vertreiben, versuchte ich es. Mein Großvater, der neben mir saß, schaute neidisch zu, wie ich den größten Teil der Predigt damit verbrachte, ein Pferd zu Papier zu bringen.

»Einen schönen Hund hast du da gemalt, Annabelle«, flüsterte er mir zu.

Als meine Mutter nach dem Umschlag griff, um ein paar Münzen hineinzutun, schmunzelte sie beim Anblick meines Hund-Pferdes. »Ich hoffe, der Pfarrer freut sich über deinen Beitrag zur Kollekte, Annabelle«, sagte sie.

Für den Moment war also alles in Ordnung, dachte ich, und wenn es Probleme gab, sollten sie gefälligst warten, bis wir Zeit hatten, uns um sie zu kümmern.

Doch es zeigte sich, dass die Probleme nicht warten wollten. Als wir die Kirche verließen, stand draußen der Constable, zusammen mit den Glengarrys.

Der Constable trug keine Dienstmarke und auch keine Waffe. Die Wache der Staatspolizei befand sich in Pittsburgh, ebenso wie das nächste Gefängnis und das Gericht, und so kümmerte sich unser Ortspolizist um alles, so gut er konnte. Die Staatspolizei bat er nur dann um Unterstützung, wenn es nötig war. Was meines Wissens nie vorkam.

Wir alle mochten Constable Oleska gern. Er hatte einen runden Kopf, rote Wangen, wenig Haar und lachte gern und oft. Aber einmal hatte ich gesehen, wie er auf der großen Landwirtschaftsausstellung einen Farmer in den Schwitzkasten nahm, der zu viel getrunken hatte und rumpöbelte. Als wäre der Mann nichts als ein Büschel Mais, hielt der Constable ihn so lange fest, bis der Mann sich beruhigte und nach Hause ins Bett verzog. Die Menschen nahmen unseren Constable sehr wohl ernst, denn sie wussten, er konnte auch streng werden, wenn er wollte.

Gerade jetzt hatte er eine sehr ernste Miene aufgesetzt. »Guten Morgen, Herrschaften«, sagte er. »John, Sarah, ich müsste kurz mit euch sprechen.«

Mein Vater öffnete die Türen unseres Lieferwagens und ließ meine Großeltern schon einmal einsteigen. Meine Brüder und mich schickte er mit einer Handbewegung auf die Ladefläche, doch wir drängten uns, so weit es ging, an den Rand, um möglichst viel von der Unterhaltung mitzubekommen.

Ich verstand nicht alles, was sie sagten, doch ich fing die Namen Toby, Ruth und Mr. Anselm auf. Betty durfte auch eine Weile mitreden, was mich ärgerte, aber ich wusste, dass meine Eltern für mich sprechen würden, und damit gab ich mich zufrieden.

Am besten war die erregte Stimme meiner Mutter zu hören, die sich über etwas empörte, was die Glengarrys sagten. »Gilt plötzlich der Grundsatz nicht mehr, dass ein Mensch so lange unschuldig ist, bis seine Schuld bewiesen ist?«, fragte sie erhitzt. »Und darf ein Mensch nicht mehr leben, wie er will?« Sie hatte die Arme in die Seiten gestemmt. »Wir sollten doch das Kind nicht mit dem Bade ausschutten.«

Das verwirrte mich allerdings, denn ich wusste nicht, was das alles auf einmal mit Babys und Badewannen zu tun hatte.

Mein Vater legte ihr eine Hand auf die Schulter, doch sie beachtete ihn gar nicht. »Toby ist vielleicht seltsam, doch das ist auch schon alles. Wenn ihr ihn aber so in die Ecke drängt, obwohl er gar nichts getan hat, vielleicht wird er dann mehr als seltsam. Abgesehen davon, kann man einen Mann nicht bloß deswegen festnehmen, weil ein Mädchen ihn angeblich auf einem Hügel gesehen hat.

Erst recht nicht, wenn man weiß, dass dieses Mädchen so einiges auf dem Kerbholz hat.«

Auf einmal redeten alle gleichzeitig und einer lauter als der andere. Meine Mutter war die ganze Sache offenbar leid und stieg hinten zu uns auf die Ladefläche. Mein Vater setzte sich hinters Steuer, ließ den Motor an und rief »Lily!« zum Fenster hinaus.

Doch meine Tante rührte sich nicht von der Stelle, redete weiter auf den Constable ein und nickte mit ihrem Vogelkopf bei seiner Antwort, bevor sie zu ihrem eigenen Auto ging. Mir gefiel ihre Miene nicht. Sie schien fast glücklich, was sehr ungewöhnlich war für Tante Lily. Besonders unter diesen Umständen.

Sonntags wurde meist wenig gesprochen beim Essen. Wir beteten, dann aßen wir, was auf den Tisch kam. Später räumten wir ab, während Tante Lily sich in ihr Zimmer zurückzog, wo sie beten und in sich gehen wollte. Allerdings drang von Zeit zu Zeit leise Tanzmusik unter der Tür hindurch.

Manchmal kam sonntags Besuch, meistens jedoch verbrachten wir den Tag in aller Ruhe und genossen den Frieden.

Doch an diesem Sonntag war es anders.

»Ich möchte, dass ihr euch morgen in der Schule so weit wie möglich von Betty Glengarry fernhaltet«, sagte meine Mutter zu meinen Brüdern und mir, als sie nach dem Essen den Apfelkuchen verteilte und Schlagsahne drauflöffelte. »Geht nicht in ihre Nähe. Sprecht nicht mit ihr. Und wenn sie irgendetwas tut, das euch beunruhigt, dann sagt es Mrs. Taylor. Egal, was es ist.«

»Und wenn ihr heimkommt, sagt ihr es auch uns«, mahnte mein Vater. »Keine Geheimnisse mehr.«

»Also wirklich, Annabelle«, sagte Tante Lily, »meinst du nicht, du übertreibst ein bisschen, was Betty angeht? Sie scheint mir so ein liebes, gottesfürchtiges Mädchen zu sein, und sie war so mutig, uns zu erzählen, was dieser Toby getan hat. Und das, obwohl es bei uns weit und breit nichts und niemanden gibt, wovor man sich mehr fürchten müsste.«

»Sie hat mich so fest gehauen, dass ich immer noch einen blauen Fleck davon habe, fast schwarz ist er und so groß wie eine Gurke!«

Tante Lily richtete sich hoch auf. »Du sollst kein falsches Zeugnis geben wider deinen Nächsten«, sagte sie mit schneidender Stimme.

Es war zwar schon eine Weile her, dass Betty mit dem Stock ausgeholt hatte, um mich zu treffen, doch ich stand auf und zeigte vor der ganzen Familie meine Hüfte und den immer noch sichtbaren Bluterguss. Sichtbar und hässlich.

Tante Lily sah weg. Während der restlichen Mahlzeit sprach sie kein Wort mehr.

Nach dem Essen, als alles aufgeräumt war, suchte meine Mutter einige Zutaten zusammen und bereitete unter meinen Blicken einen warmen Heilkräuterumschlag zu. Sie zerstampfte eine Handvoll Beinwellblätter aus unserem Garten in kochendem Wasser und strich die Paste auf ein sauberes Tuch, das sie zu einem ordentlichen Rechteck zusammenfaltete. In meinem Zimmer sollte ich mich dann seitlich auf dem Bett ausstrecken, und sie legte mir den Umschlag auf den Bluterguss.

»Eigentlich tut's schon gar nicht mehr weh«, sagte ich.

»Aber mir tut es weh zu wissen, dass du diesen blauen Fleck hast«, sagte sie. »Doch du wirst sehen, jetzt heilt er ganz schnell.«

Das Beste war, dass meine Mutter bei mir saß, auf meiner Bettkante, und mit einer Hand fest auf den Umschlag drückte, damit er schön warm blieb.

»Ich habe kein falsches Zeugnis gegeben«, sagte ich. »Das würde ich nie tun.«

»Das weiß ich doch, Annabelle. Tante Lily glaubt immer, sie weiß alles, auch wenn es nicht so ist. Lass uns nicht mehr davon reden.«

Danach saßen wir eine Weile still da, und es kam mir so vor, als wären wir weit entfernt von dem Lärm, den meine Brüder unten veranstalteten. Sie schafften es nie, ihren Geräuschpegel zu drosseln. Ob Sonntag oder Alltag, immer waren sie gleich laut.

»Was passiert jetzt mit Toby?«, fragte ich schließlich.

Meine Mutter seufzte. »Also, Constable Oleskas Informationen reichen bisher nicht, um die Staatspolizei zu rufen und Toby festnehmen zu lassen. Das hätten die Glengarrys am liebsten. Natürlich kann der Constable Bettys Aussage nicht einfach übergehen, doch genauso wenig kann er Toby allein daraufhin festnehmen. Das darf ohnehin nur die Staatspolizei. Nun will er erst einmal hören, was Andy zu Bettys Geschichte zu sagen hat, zu dieser Sache mit dem Glockenturm. Außerdem will er mit Toby sprechen, und anschließend vielleicht auch kurz mit dir, wegen der anderen Probleme mit Betty. Dann will er noch herausfinden, wer den Draht gespannt haben könnte. Das alles soll jetzt erst einmal passieren – in welcher Reihenfolge, weiß ich nicht. Kann sein, dass er noch heute mit Toby spricht, sonst gleich morgen früh. Ich weiß es einfach nicht, Annabelle. Fürs Erste will er jedenfalls mit allen reden, um herauszufinden, was eigentlich los ist.«

Ich schob die Hände unter meinen Kopf und versuchte mir vorzustellen, wie der Constable an die Tür von Tobys Hütte klopfte. Versuchte mir Tobys Miene vorzustellen, wenn er die Tür öffnete und erkannte, dass es Ärger gab. »Ich glaube nicht, was die Leute über Toby sagen. So ist er nicht.«

»Ich glaube das auch nicht, Annabelle. Aber Constable Oleska ist ein anständiger Mann. Zunächst einmal wird er bestimmt mit allen Beteiligten reden.«

Doch selbst das wäre Toby vielleicht schon zu viel. Er war lange umhergezogen, bevor er bei uns sesshaft geworden war. Ich stellte mir vor, wie er gerade jetzt darüber nachdachte, unsere Gegend zu verlassen und sich an einen anderen Ort aufzumachen.

11

Dann kam der Montag.

Toby war nirgends zu sehen, als meine Brüder und ich zur Schule gingen. Ein kalter Wind wehte, es regnete leicht und sah nach noch mehr Regen aus, trotzdem hoffte ich, Toby von Weitem zu erspähen. Ich hätte so gern gewusst, dass er nicht fort war.

Vielleicht sollte ich nach der Schule mal bei seiner Hütte vorbeischauen. Ich wollte ihn wirklich nicht stören, sondern nur einen Blick auf ihn erhaschen, falls er dort Schutz suchte vor dem Regen. Andererseits wusste ich ja, dass er in jeder Jahreszeit und bei jedem Wetter draußen herumlief. Warum sollte es an diesem Tag anders sein?

Aber erst einmal musste ich zur Schule. Meine Eltern sagten immer, Lernen sei das Allerwichtigste für mich. Bei zwei Brüdern würde ich niemals unsere Farm übernehmen, deshalb war es umso wichtiger, dass ich eine gute Ausbildung bekam. Und das war auch mein eigener Wunsch.

Was heute wohl auf dem Plan stand? Ganz sicher Mathematik, außerdem die Namen der Hauptstädte verschiedener Bundesstaaten, die Gründe für die Kriege der Vergangenheit, weitere Kapitel von *Anne auf Green Gables* und die Erklärung dafür, weswegen man Bleiche nicht mit Ammoniak mischen darf. Mich interessierte an diesem Morgen aber vor allem eins: was Andy zu sagen hatte.

Meine Eltern hatten mich gebeten, mich von Betty fernzuhalten. Aber sie hatten mich nicht darum gebeten, Andy aus dem Weg zu gehen. Sicher, er war ein Rabauke, aber ich hatte vor, ihn nach dem Glockenturm und dem über den Pfad gespannten Draht zu befragen.

»Sie haben Kratzer in den Schildkrötenstein gemacht«, hatte Toby gesagt, und ich fragte mich, ob er damit Betty und Andy gemeint hatte. Ob sie an jenem Stein den Draht geschärft hatten, an dem James sich geschnitten hatte. Ich stellte mir vor, wie sie zu beiden Seiten des Steins standen, die Enden des Drahts um Stöcke gewickelt, sodass sie ihn hin- und herbewegen konnten wie eine Zweimannsäge.

Was ich mir hingegen nicht vorstellen konnte, war, wie sie auf die Idee gekommen waren. Oder warum sie das überhaupt gemacht hatten. Selbst ein Wolf hat Gründe für das, was er tut. Selbst wenn eine Schlange ein Rotkehlchen frisst, hat das einen Sinn.

Als wir die Schule erreichten, schüttete es wirklich. Wir drei trugen unsere Capes mit Kapuzen und hatten Stiefel an den Füßen, sodass uns der Regen nicht viel anhaben konnte, doch von den anderen Kindern kamen viele durchnässt und vor Kälte zitternd zum Unterricht. Mrs. Taylor zündete ein Feuer im Ofen an und versammelte die am ärgsten betroffenen ihrer Schützlinge davor, damit sie dort erst einmal trocknen und sich wärmen konnten.

»Du liebe Güte, was ist denn dir passiert?«, fragte sie James und beugte sich zu ihm hinunter, um sich seinen Verband anzusehen.

James schaute zu mir herüber, und ich schüttelte den Kopf. »Piraten«, sagte er.

Mrs. Taylor nickte. »Das dachte ich mir.« Sie stellte sich vor die Klasse. »Wer von euch halbwegs trocken ist, kommt mal bitte nach vorn«, rief sie, und meine Brüder und ich gingen zu ihr, zusammen mit einigen anderen. Mir war nicht klar, was sie mit einem so bunt gemischten Häuflein anfangen wollte. Hauptstädte standen jedenfalls nicht auf dem Programm.

»Ich möchte mit euch über das reden, was Ruth passiert ist«, sagte sie und schaute zur Tür. Ich folgte ihrem Blick, doch die Tür war zu, niemand war hereingekommen. Erst da fiel mir auf, dass sowohl Andy als auch Betty wieder fehlten.

Bei Andy überraschte mich das nicht. An so regnerischen Tagen wurden viele Arbeiten auf den Farmen aufgeschoben; warum sollte er sich da zur Schule bemühen? Betty war vermutlich gerade dabei, ihre Anschuldigungen gegen Toby vorzubringen. Ich stellte mir vor, wie sie geschniegelt und gebügelt dasaß und das Unschuldslamm spielte. Bei Menschen, die sie nicht kannten, kam sie vermutlich auch damit durch.

»Annabelle?« Ich drehte mich wieder zu Mrs. Taylor um. Die anderen Kinder sahen mich alle an. »Ich habe dich gefragt, wie es dir geht. Es war sicher nicht leicht, zuzusehen, wie Ruth verletzt wurde.«

»Nein, das war es nicht«, antwortete ich. »Aber mir geht's ganz gut.«

Sie hielt uns einen kleinen Vortrag darüber, wie wichtig es sei, Erwachsenen zu vertrauen und mit ihnen zu sprechen, wenn uns etwas Sorgen machte. »Falls einer von euch an dem Tag Toby oben auf dem Hügel gesehen hat, oder sonst jemanden, oder wenn euch etwas seltsam vorkam, dann sagt es mir, euren Eltern oder auch Pfarrer Kinnell. Jemandem, der euch helfen kann, das Richtige zu tun.«

Ich hob die Hand. »Wer hat behauptet, dass Toby auf dem Hügel war?«

»Gestern in der Kirche habe ich davon gehört«, sagte sie. »Die Glengarrys haben es mir erzählt.«

Ich dachte kurz nach. »Das heißt, Sie wissen, dass Betty diejenige ist, die behauptet, Toby hätte den Stein geworfen?«

Mrs. Taylor nickte. »Ja, das habe ich gehört.«

»Dürfte ich dann bitte in den Glockenturm hinaufgehen? Ich wüsste gern, was man sieht, wenn man aus dem Fenster schaut.«

Mrs. Taylor war erkennbar überrascht. »Warum das?«

»Weil Betty angeblich in der Pause mit Andy im Glockenturm war und Toby vom Fenster aus gesehen hat, oben auf dem Hügel.«

»Betty behauptet, sie beide seien dort oben gewesen, als Ruth von dem Stein getroffen wurde?«

Ich nickte. Die anderen Kinder hörten unserer Unterhaltung aufmerksamer zu, als sie es je im Unterricht taten.

Mrs. Taylor stand auf und ging zur Tür an der Rückseite unseres Schulzimmers. Sie drückte die Klinke hinunter, doch die Tür blieb geschlossen. Nachdenklich kam Mrs. Taylor zu uns zurück. »Nun gut«, sagte sie. »Setzt euch jetzt auf eure Plätze und lest die Aufgaben, die ich euch an die Tafel geschrieben habe.« Dann ging sie zu den Kindern, die noch um den Ofen herumsaßen. Von meinem Platz aus hörte ich, was sie ihnen einschärfte: dass sie Menschen vertrauen sollten. Dass sie die Wahrheit sagen sollten.

Während ich in unserem Geschichtsbuch das Kapitel über den Spanisch-Amerikanischen Krieg las, lauschte ich immer mit einem Ohr, ob nicht vielleicht die Tür aufflog und Betty hereinkam. Doch das geschah nicht.

In der Pause regnete es noch immer, und so blieben wir im Schulzimmer, spielten mit Murmeln oder das Hexenspiel. Bevor der Unterricht weiterging, ließ Mrs. Taylor uns lange wie Hampelmänner auf und ab springen. »Damit ihr stark werdet!«, sagte sie, doch ich wusste, was sie meinte: dass der Nachmittag schwierig werden würde, wenn die Jungen – die vor allem – sich nicht vorher eine Zeit lang ausgetobt hätten.

Als wir an unsere Plätze zurückkehrten, ging tatsächlich die Tür auf, doch es war Andy, der hereinkam, nicht Betty.

Er stieß seine Kapuze zurück und schüttelte sich wie ein Hund, während er sich umsah. »Wo ist Betty?«, fragte er. Als niemand antwortete, fragte er noch einmal, dieses Mal lauter: »Mrs. Taylor, wo ist Betty?«

Die Lehrerin, die an der Tafel stand, drehte sich um. »Ich weiß es nicht, Andy. Sie ist heute Morgen nicht gekommen. Vielleicht ist sie krank.«

Andy zog sich die Kapuze wieder über den Kopf und ging ohne ein weiteres Wort hinaus.

Mrs. Taylor stand starr da und schaute auf die Stelle, wo Andy eben noch gestanden hatte.

»Nun setzt euch alle«, sagte sie schließlich. »Es wird Zeit, dass wir mit dem Unterricht fortfahren.«

Nach Schulschluss, als meine Brüder schon dabei waren, sich ihre Stiefel anzuziehen, nahm Mrs. Taylor mich beiseite. »Annabelle, ich würde gern nach dem Abendessen mit deinen Eltern sprechen. Meinst du, es würde ihnen heute passen?«

Ich erschrak. »Habe ich etwas falsch gemacht? Oder meine Brüder?«

»Aber nein, Annabelle, nicht doch. Ich würde nur kurz mit ihnen sprechen wollen.«

»Ja dann … Natürlich«, sagte ich.

Ich wollte nicht unhöflich sein, doch ich war neugierig: »Haben Sie ein Telefon zu Hause, Mrs. Taylor?«

»Ja, warum?«

»Wir haben nämlich auch eins.« Ich hoffte, ich klang nicht vorlaut. »Wenn Sie wollen, können Sie auch einfach anrufen.«

Mrs. Taylor lächelte kurz. »Stimmt. Aber …« Sie suchte nach Worten. »Nun, du weißt sicher, dass Mrs. Gribble manchmal ein bisschen … neugierig ist, wenn sie Anrufe durchstellt.«

Aha!

Annie Gribble lebte in einem kleinen Haus, an dem wir auf dem Weg zum Markt immer vorüberkamen. Ich hatte es nur ein einziges Mal betreten, zusammen mit meinem Vater, als wir ihr einmal zur Erntezeit einen Korb Pfirsiche lieferten. Sie hatte uns auf ein Glas Limonade hereingebeten, und ich hatte mir fasziniert das Schaltbrett angesehen, das einen großen Teil des Vorderzimmers einnahm. Es erinnerte mich an einen Webstuhl, an dem dünne schwarze Schlangen hingen.

Dort saß Annie Gribble den lieben langen Tag und stellte die Verbindung her zwischen den Familien in unserer Gegend, die bereits einen Fernsprecher besaßen. Wenn wir unseren benutzen wollten, mussten wir sie anrufen und ihr sagen, wen wir sprechen wollten. Annie hatte die Angewohnheit, bei Gesprächen zu lauschen, weil sie wohl hoffte, auf diese Weise Neuigkeiten zu hören, von denen auch andere Leute dringend erfahren sollten.

Inzwischen hatten wir uns daran gewöhnt. Niemand riskierte es, vertrauliche Dinge übers Telefon mitzuteilen, aus Angst, dass Annie mithörte. Doch Annie konnte selbst die alltäglichsten Dinge zu Räuberpistolen aufbauschen, und so hatten wir gelernt, stets mit irgendwelchen langweiligen Mitteilungen zu beginnen, in der Hoffnung, dass Annie sich dann leichter von anderen Anrufern ablenken ließe, die ebenfalls eine Verbindung wünschten.

Worüber auch immer Mrs. Taylor mit meinen Eltern sprechen wollte, es war auf jeden Fall nicht für Annies Ohren bestimmt.

»Soll ich zu Hause Bescheid sagen, dass Sie vorbeikommen?«

»Das wäre nett«, antwortete Mrs. Taylor.

Ich zog meine Stiefel an und wollte die Bändel von James' Kapuze unter seinem Kinn verknoten, doch er schleuderte den Kopf herum wie ein junges Pferd, und bevor ich fertig war, galoppierte er schon in den Regen hinaus. Henry folgte ihm, und beide hüpften in die schlammigen Pfützen auf dem Schulhof. Erst im Wald würde der Boden trockener sein.

Bei dieser Kälte und Nässe hatte ich wenig Lust, alleine nach Hause zu laufen, doch etwas anderes schien mir nicht übrig zu bleiben, bis Mrs. Taylor mich noch einmal zurückrief.

»Annabelle, ich könnte auch jetzt bei euch vorbeischauen. Meinst du, es wäre deinen Eltern recht? Dann könntest du bei mir mitfahren.«

Ich hatte nur selten Gelegenheit, in einem so schicken Auto zu fahren, vor allem aber würde es warm und trocken sein.

»Bei diesem Wetter ist mein Vater bestimmt im Haus oder ganz in der Nähe«, sagte ich, »und meine Mutter müsste auch da sein. Sie hätten sicher nichts dagegen, jetzt mit Ihnen zu sprechen.«

Ich folgte meiner Lehrerin zu ihrem Wagen, kletterte auf die Rückbank und fühlte mich fast wie eine Königin, bis mir wieder einfiel, dass genau dort vor Kurzem noch Ruth gelegen hatte.

Mrs. Taylor musste langsam und vorsichtig fahren, denn die Straßen waren zum Teil überflutet, doch wir kamen heil an.

»Geh du vor und kläre, ob mein Besuch deinen Eltern jetzt recht ist«, sagte Mrs. Taylor. »Ich warte hier.«

Sobald ich mit meiner Mutter gesprochen hatte, lief sie zur Tür und bat unsere Lehrerin ins Haus. »Mrs. Taylor, bitte, kommen Sie doch herein!«, sagte sie mit ihrer Sonntagsstimme. Sie nannte die meisten Leute in unserer Gegend beim Vornamen; die einzigen Ausnahmen waren der Pfarrer, der Arzt, der Constable oder die Lehrerin.

»Danke«, sagte Mrs. Taylor und versuchte, möglichst viel Regen von ihrem Hut zu schütteln, bevor sie das Haus betrat.

»Bemühen Sie sich nicht«, bat meine Mutter. »Das macht sonst auch niemand. Annabelle«, sagte sie dann zu mir, bevor ich mein Cape ausziehen konnte. »Lauf zur Scheune und hol deinen Vater!«

Also ging ich gleich wieder hinaus. Gerade kamen meine Brüder auf dem schlammigen Weg angeschlittert und blieben, als sie mich entdeckten, mit offenem Mund stehen.

»Mrs. Taylor hat mich im Auto mitgenommen!«, brüllte ich ihnen entgegen, bevor ich laut lachend zur Scheune ging.

Unsere alte Scheune lehrte mich die wichtigste Lektion meines Lebens: dass das Außergewöhnliche in den einfachsten Dingen zu finden sein kann.

Jede neue Jahreszeit veränderte völlig das Gesicht solcher Orte.

Im Winter war es dort wohlig warm, die Milchkühe und Zugpferde waren wie Öfen, deren Wärme von den Strohlagern und dem frischen Dung gespeichert wurde.

Im Frühling konnte man zusehen, wie von den Lehmnestern an der Scheunendecke aus junge Schwalben ihre ersten Flugversuche unternahmen und wie neugeborene weiche Kätzchen zwischen den Hufen der großen Tiere herumstolperten oder nach den Seilen der Flaschenzüge schnappten.

Im Sommer nisteten Wespen im Stroh, Hafer wuchs zwischen

den Bodendielen hindurch, Hühner suchten sich die verstecktesten Stellen für ihre Eier, um sie dort möglichst ungestört ausbrüten zu können, und staubgesprenkeltes Sonnenlicht fiel schräg ein und kam mir vor wie Brücken zu fremden Orten.

Am meisten jedoch liebte ich die Scheune im Herbst. Dann fand ich meinen Vater oft dort, wenn er gerade Wagenräder reparierte, die Achsen des Fuhrwerks schmierte oder – wie an jenem Novembertag – oben auf dem Heuboden ein Schläfchen hielt und im sanften blauen Licht leise schnarchte.

»Mrs. Taylor ist hier! Sie will euch sprechen«, flüsterte ich ihm ins Ohr, während der Regen auf das Blechdach über unseren Köpfen trommelte und die Pferde unter uns mit den Hufen aufstampften, weil sie nach ihrem Hafer verlangten. »Aufwachen!«

Mein Vater schien von einem anderen Kontinent zu kommen. Jetzt fuhr er auf und setzte sich gerade hin.

»Mrs. Taylor ist hier und will euch sprechen«, wiederholte ich und setzte mich auf die Fersen. »Du hast übrigens Stroh in den Haaren.«

Mein Vater strich den Halm weg, ich zupfte ein widerspenstiges Stückchen heraus, dann standen wir beide auf und kletterten die Leiter vom Heuboden hinunter.

Mein Vater räusperte sich und schüttelte sich den Schlaf aus dem Kopf. »Ich habe mich nur kurz ausgeruht«, sagte er, als wir nebeneinander die Treppe von der Dreschtenne in den Stall hinuntergingen. Dann fuhr er sich mit der Hand durchs Haar. »Mrs. Taylor, hast du gesagt?«

»Ja. Sie will mit Mutter und dir sprechen.«

Er sah mich scharf an. »Was hat James angestellt?«

»Nichts. Auch Henry nicht. Ich weiß nicht, worum es geht, aber ich glaube, es hat etwas mit Betty zu tun.«

Seufzend zog sich mein Vater die Kapuze über den Kopf. »Ich für meinen Teil habe langsam genug von der Sache«, sagte er. Damit ging er hinaus in den strömenden Regen.

Bis wir unsere Stiefel und die nassen Regencapes ausgezogen hatten, hatte meine Mutter schon Kaffee gekocht und eine Schale mit Haferkeksen bereitgestellt. Mrs. Taylor wartete im Wohnzimmer auf uns. Sie saß mit verschränkten Händen auf der Stuhlkante, so als hätten wir schlechte Nachrichten für sie.

Ich fürchtete allerdings, es könnte andersherum sein.

»Ich bin mir nicht sicher, ob Annabelle das wirklich hören sollte«, sagte sie zögernd, als wir alle Platz genommen hatten.

»Nun, ich weiß nicht, was Sie mit *das* meinen«, sagte meine Mutter, »aber wenn es irgendetwas mit dem zu tun hat, was Ruth passiert ist, dann sollte sie es sehr wohl hören. Sie steckte ja von Anfang an mittendrin in der Geschichte.«

Mrs. Taylor nickte. »Wenn Sie es für richtig halten.« Einen Moment lang schwieg sie und schien unkonzentriert, dann sagte sie: »Wenn ich Annabelle richtig verstanden habe, behauptet Betty, sie sei oben im Glockenturm gewesen und habe von dort oben beobachtet, wie Toby den Stein warf, der Ruth traf.«

Mein Vater nickte. »Das hat sie gesagt.«

»Aber das kann nicht stimmen.« Mrs. Taylor seufzte. »Ein paar Tage bevor Ruth verletzt wurde, habe ich Betty und Andy in der Pause oben im Glockenturm erwischt. Ich habe sie hinausgeschickt und die Tür zum Treppenhaus verschlossen. Als ich sie heute kontrolliert habe, war sie weiterhin verschlossen. Es gibt nur einen Schlüssel, und den verwahre ich hier.« Sie klopfte auf ihre Handtasche.

»Die nächste Lüge«, sagte meine Mutter leise.

»Die nächste *dicke* Lüge!«, sagte ich. Alle schauten mich an.

»Was? Ist doch wahr! Betty hat überhaupt nicht gesehen, dass Toby irgendetwas gemacht hat. Sie ist bloß gemein und außerdem wütend auf ihn, weil er gesagt hat, sie soll mich in Ruhe lassen.«

Mein Vater nahm meine Hand. »Ist gut, Annabelle. Du hast ja recht. Betty hatte diese Lüge parat, weil sie bereits einmal da oben auf dem Turm gewesen war. So wusste sie, was sie sagen konnte.«

Mrs. Taylor seufzte wieder. »Das klingt überzeugend.«

»Würden Sie das bitte Constable Oleska erzählen?«, bat ich sie.

Sie nickte. »Das mache ich. Aber erst wollte ich herkommen. Ich bin mit den Glengarrys befreundet, und ich möchte so eine Anschuldigung nicht vorbringen, ohne zuerst mit jemandem darüber gesprochen zu haben.«

»Eine Anschuldigung ist es ja nicht«, sagte mein Vater. »Nur eine Information. Der Constable wird sie nutzen, wie er es für sinnvoll hält.«

Seit Tagen schon hatte ich mich wie eine straff gespannte Banjosaite gefühlt, die bei jedem neuen Problem angeschlagen wurde. Doch dazwischen gab es einzelne Momente der Erleichterung, so wie jetzt eben. Vielleicht fingen die Menschen so langsam an zu verstehen, was für ein Mensch Betty tatsächlich war.

Mrs. Taylor erhob sich, und wir standen ebenfalls auf. »Betty war heute nicht in der Schule. Ich vermute, sie ist krank. Vielleicht sollte ich vorbeifahren und erst mit den Glengarrys reden, bevor ich den Constable aufsuche.«

Meine Mutter schüttelte den Kopf. »Wir haben das schon getan, erst kürzlich. Glauben Sie mir, das nutzt nichts. Die Großeltern haben sich in den Kopf gesetzt, dass Betty nichts Böses getan hat.«

Mrs. Taylor nickte. »Vermutlich haben Sie recht. Betty ist ein seltsames Mädchen. Aber sie ist auch ihre Enkelin.«

Über alles andere sprachen wir dann gar nicht mehr, nicht über

Bettys üble Drohungen mir gegenüber, nicht über James' Verletzung, an der vermutlich Betty und Andy schuld waren. Doch der Deckel war vom Eimer, die Würmer reckten ihre glatten kleinen Köpfe, und bald würden sie herauskriechen mitsamt ihren dreckigen Geheimnissen.

Ich kann nicht sagen, dass mich das freute. Aber leid tat es mir auch nicht.

12

Das ganze Haus lag im Dunkeln, wir schliefen alle in unseren Betten, als kräftige Schläge an die Haustür uns wieder weckten. Die Hunde, die normalerweise um diese Zeit längst im Holzschuppen waren, führten eine lautstarke Unterhaltung mit jemandem dort draußen, der ebenso entschieden antwortete.

Der Regen hatte aufgehört, doch die Nachtluft war noch immer voller Feuchtigkeit, und so sah es aus, als läge ein dichtes Spinnennetz über Constable Oleskas schwarzem Regenmantel.

Ein oder zwei Hunde verhörten den Polizisten noch weiter, doch beim ersten Wort meines Vaters, der im Schlafanzug die Tür geöffnet hatte, waren sie still. Hinter ihm stand meine Mutter, die noch schnell ihren Morgenmantel zuband, hinter meiner Mutter ich, die an ihr vorbeizugucken versuchte, und hinter mir meine Brüder. Fehlte noch Tante Lily, die aber soeben mit erboster Miene, die Haare auf Lockenwickler gedreht, durch den Flur marschiert kam.

»Was soll der Lärm?«, fragte sie.

Ich stellte mir vor, wie meine Großeltern inzwischen aufrecht in ihren Betten saßen, und hoffte, sie müssten nicht auch noch herunterkommen in dieses Gedränge.

»Tut mir wirklich leid, John und Sarah, dass ich euch geweckt habe ... Hallo, Lily«, sagte Constable Oleska. »Es ist spät, ich weiß, aber dürfte ich kurz reinkommen?«

»Natürlich«, sagte mein Vater und trat zur Seite, um den Polizisten ins Haus zu lassen.

»Normalerweise würde ich so spät nicht mehr stören, aber die Sache hat keine Zeit bis morgen«, sagte der Constable. »Betty Glengarry wird vermisst.«

»Vermisst?«, wiederholte mein Vater.

»Jetzt kommen Sie erst einmal herein und setzen Sie sich«, forderte meine Mutter Constable Oleska auf.

»Bestimmt ist sie von einem Bär gefressen worden«, vermutete James, dessen Haare in alle Richtungen abstanden.

»Ab ins Bett mit euch, Jungs«, sagte mein Vater. »Sofort.«

Als die zwei zögerten, nahm Tante Lily sie an die Hand. Mit entschlossener Miene fuhr sie die beiden an: »Ins Bett, hat euer Vater gesagt.« Als wären es Schafe auf Abwegen, stieß und schubste sie meine Brüder vor sich her aus dem Zimmer.

Ich selbst durfte anscheinend bleiben.

Eine Zeit lang hatte es mir gefallen, bei den Unterhaltungen der Erwachsenen dabei sein zu dürfen. Jetzt wäre ich gern wieder klein gewesen und wie James und Henry zurück in meinem Bett. Ich spürte, wie ich mich innerlich anspannte, und konnte nur hoffen, dass, wer auch immer auf dieser Saite spielen würde, Erbarmen hätte. Es war wirklich nicht lustig.

»Bitte, kommen Sie, setzen Sie sich«, sagte meine Mutter.

Als der Constable den Kopf senkte, um auf seine lehmverschmierten Stiefel hinunterzuschauen, strömte Wasser aus der Knickfalte in seinem Hut. »Ich bin völlig eingedreckt, Sarah.«

Doch meine Mutter nahm ihn am Arm und führte ihn zu einem

Stuhl in der Küche. »Sie sind nass und durchgefroren«, sagte sie und stellte den restlichen Kaffee vom Abendessen zum Aufwärmen auf den Herd. »Ein bisschen Dreck wird uns nicht umbringen.«

Als wir uns gerade alle setzten, erschien Tante Lily in der Küche. »Du auch«, sagte sie. »Ab ins Bett. Das ist nichts für Kinderohren.« Sie tat gerade so, als säßen meine Eltern nicht neben mir.

»Lass sie, Lily«, sagte mein Vater. »Annabelle weiß vielleicht mehr über die Sache als wir.«

Der Constable nahm seinen Hut ab und legte ihn sich auf die Knie. »Mrs. Taylor kam heute Abend zu mir wegen dieser Turmgeschichte«, begann er und strich sich dabei übers Haar. »Wir sprachen über alles, langsam wurden mir die Zusammenhänge klarer, und ich nahm mir vor, morgen früh die Glengarrys aufzusuchen. Doch auf einmal klopfte es, und die beiden standen selbst vor der Tür.« Er rieb sich die kalten Hände. »Mittlerweile war es dunkel. Betty war von der Schule nicht nach Hause gekommen, und die Großeltern machten sich Sorgen. Vor allem, als Mrs. Taylor berichtete, dass Betty am Morgen gar nicht in der Schule erschienen war.«

Ich nickte. »Wir dachten, sie sei krank.«

Der Constable schüttelte den Kopf. »Nein. Sie hat sich wie immer auf den Schulweg gemacht, Regen hin oder her. Ihre Großmutter hat dafür gesorgt, dass Betty ihr Regencape anzog, und ihr dann nachgesehen, wie sie die Straße hinunterging und nach der Biegung in Richtung Wolfsschlucht verschwand, genau wie immer.«

Meine Mutter stand auf, um dem Polizisten Kaffee einzuschenken. »Und es gibt keine Spur, wohin sie gegangen sein könnte?«

»Bei diesem Wetter? Alle Wege stehen unter Wasser oder sind voller Lehm.«

»Was kann man dann machen?«, fragte mein Vater. »Können wir irgendwie …?«

»Toby ist fort«, sagte der Constable. »Ich bin als Erstes zu seiner Hütte, um zu fragen, ob er das Mädchen vielleicht irgendwo gesehen hat. Damit will ich nicht unterstellen« – er hob beide Hände –, »dass er irgendwas Unrechtes getan hat. Als ich das erste Mal bei ihm war, nach der Sache mit Ruth, stand er vor seiner Hütte und hackte Holz. Als ich berichtete, was Betty über ihn gesagt hatte, veränderte sich plötzlich seine Miene, und ich muss sagen … Sie war mir nicht geheuer. Dass er gerade eine Axt in der Hand hielt, machte es nicht besser. Doch er tat nichts und sagte nichts, machte einfach mit der Arbeit weiter.«

Der Constable schüttelte den Kopf. »Viel mehr konnte ich in dem Moment nicht tun, außer die Puzzleteile zusammenzusetzen und für alle Möglichkeiten offen zu bleiben. Also bin ich heute Abend wieder hin, wollte aber wirklich nur fragen, ob er Betty gesehen hat. Toby kommt mehr rum als die meisten Leute – im Wald, auf den Obstwiesen und an abgelegenen Orten zwischen der Schule und dem Haus der Glengarrys. Aber er war nicht zu Hause.«

»Woher wollen Sie wissen, dass er endgültig fort ist?«, fragte meine Mutter.

»Genau weiß ich das nicht, aber auf jeden Fall war er nicht in seiner Hütte. Es brannte auch kein Feuer, und die Glut war kalt. Keine Gewehre. Keine Kamera. Gar nichts.« Mit einem tiefen Seufzer sah er mich an, dann wandte er den Blick wieder ab. »Ich hatte eine Taschenlampe im Wagen, und so bin ich eine Weile geblieben und habe mich umgesehen. Überall an der Wand klebten Fotos. Die habe ich genauer betrachtet. Eins habe ich mitgebracht, allerdings ging es nur ganz schlecht ab, weil er die Bilder mit Kiefernharz festklebt.« Der Constable zog ein zerknittertes Bild aus der Tasche und gab es meinem Vater. Der strich es glatt, schaute kurz darauf und reichte es dann meiner Mutter.

»Und?«

»Findet ihr es nicht seltsam, dass ein Mann wie Toby herumschleicht und heimlich eure Tochter fotografiert?«

Ich stellte mich hinter meine Mutter und spähte ihr über die Schulter. Das Bild zeigte mich auf meinem Schulweg. Sonne fiel zwischen den Zweigen hindurch auf mein Gesicht, während der Rest im Schatten blieb.

Es war ein merkwürdiges Gefühl, mich selbst so zu sehen, wie ich aussah, wenn ich glaubte, allein zu sein. Ich hatte nicht gemerkt, dass Toby da war, irgendwo zwischen den Bäumen, und mich beobachtete.

»Seltsam auf Tobys Art«, sagte meine Mutter. »Aber das heißt nicht, dass irgendetwas Schlimmeres dahintersteckt.«

Tante Lily stand plötzlich auf. »Heute waren wieder Abzüge seiner Aufnahmen in der Post«, sagte sie und ging schnell in ihr Zimmer, um sie zu holen.

Als sie zurückkam, streckte ich eine Hand aus. »Er hat gesagt, ich soll sie ihm gleich bringen, wenn sie kommen.«

»Tja, das geht ja wohl schlecht, wenn er abgehauen ist«, antwortete Tante Lily und reichte das Päckchen dem Constable.

Der öffnete es, nahm die Bilder aus dem Umschlag und hielt sie in sicherem Abstand zu seinem nassen Mantel, während er eins nach dem anderen betrachtete. Dabei wurde seine Miene immer ernster. Ein Foto behielt er in der Hand, die übrigen gab er meinen Eltern, die sie gemeinsam anschauten, während Tante Lily auf der anderen Seite des Tisches schon ungeduldig zappelte.

»Und?«, drängte sie. »Jetzt gebt sie doch mal rüber!«

»Bäume mit gelbem Laub«, sagte mein Vater. »Ein Feld mit Kürbissen.« Er wandte sich dem Polizisten zu. »Ich vermute, das, das Sie da haben, zeigt etwas anderes.«

Der Constable nickte und reichte das Bild meinem Vater. Ich stellte mich hinter ihn, um etwas sehen zu können.

Das Foto zeigt das Schulhaus, von hoch oben gesehen. Einige Äste waren im Weg, trotzdem erkannte ich Mr. Anselms Grauschimmel und den Anhänger voller Äpfel, Ruth, die auf der Straße lag, Mr. Anselm, der gerade vom Wagen kletterte, und mich.

»Oh, mein Gott«, sagte meine Mutter leise.

»Aber das heißt doch nichts«, sagte ich. »Dass er das Foto gemacht hat, heißt doch nicht, dass er auch den Stein geworfen hat.«

»Ich fürchte, es bedeutet eine ganze Menge, junges Fräulein«, widersprach der Constable. »Vor allem jetzt, wo Betty verschwunden und Toby fort ist. Nachdem sie ihn beschuldigt hat, Ruth verletzt zu haben, und ich dort war, um ihm das zu sagen. Sieh mal, ihm muss klar gewesen sein, dass wir uns diese Bilder irgendwann ansehen würden. Alles zusammen lässt beunruhigende Schlussfolgerungen zu. Aber das Allerwichtigste ist jetzt erst einmal, Betty zu finden.«

»Und diesen schrecklichen Mann«, fügte Tante Lily hinzu. Man sollte meinen, sie hätte harmlos ausgesehen, in ihrem Morgenmantel und mit Lockenwicklern in den Haaren, doch so war es nicht.

Der Constable sah mich an. »Mrs. Taylor hat mir berichtet, dass Andy heute kurz in die Schule kam, um nach Betty zu suchen. Was weißt du darüber, Annabelle?«

Ich zuckte mit den Schultern. »Andy und Betty sind dicke Freunde, das stimmt.« Ich dachte einen Moment lang nach. »Normalerweise verschwinden sie in den Pausen zusammen. Das mit dem Glockenturm wissen Sie ja bereits. Und ich glaube, dass Andy und Betty zusammen einen Draht geschärft und über unseren Weg gespannt haben. An dem hat mein kleiner Bruder sich die Stirn aufgeschnitten.« Ich zeichnete die Wunde auf meiner eigenen Stirn nach.

Der Constable schüttelte den Kopf. »Noch eine Geschichte, die ich mir irgendwann anhören muss. Aber jetzt muss ich erst einmal mit Andy sprechen. Je nachdem, was er zu sagen hat, werde ich ein paar Leute zusammentrommeln und mit der Suche nach Betty beginnen. Ich hoffe, John, du bist dabei.«

»Und was ist mit Toby?«, wollte Tante Lily wissen. »Mir gefällt der Gedanke überhaupt nicht, dass dieser Verrückte hier frei herumläuft.« Sie zog ihren Morgenmantel fest über der Brust zusammen.

»Ich vermute, er ist längst über alle Berge«, antwortete Constable Oleska. »Vermutlich meilenweit entfernt. Aber ich informiere die Polizei in Pittsburgh, für den Fall, dass er dort irgendwo auftauchen sollte.« Er stand auf. »Jetzt müssen wir erst einmal Betty finden, das ist das Allerwichtigste.« Er sah Tante Lily streng an. »Alles andere ist im Moment zweitrangig.«

Sie streckte das Kinn vor. »Und wenn man sie gefunden hat?«

»Ich kümmere mich darum, versprochen«, sagte er, während er die Fotos einsteckte. »Aber überlassen Sie das mir.« Dann sah er meinen Vater an. »Sind eure Hunde gute Spürhunde?«

»Nicht besonders; da müsste schon ein Hackbraten unterwegs sein«, sagte mein Vater.

»Vielleicht nimmst du sie trotzdem mit, für alle Fälle. Aber jetzt gehe ich erst mal zu Andy. Mal hören, was er zu sagen hat.«

13

Danach fiel es mir schwer, wieder einzuschlafen.

Schon oft war ich mit meinem Vater auf der Farm von Andys Familie gewesen, um unser Obst und Gemüse gegen Milchprodukte einzutauschen – Äpfel gegen Käse, Bohnen gegen Butter. Und so stellte ich mir jetzt unwillkürlich das still und dunkel daliegende Haus vor, an dem es auf einmal klopft. Das Licht vor der Tür geht an, und Andys Vater, zerknittert vom Schlaf, macht auf. Dann holt er seinen Sohn aus dem Bett, damit er die Fragen des Constable beantwortet.

Ich hoffte, dass Andy wusste, wo Betty war. Vielleicht hatte sie begriffen, dass all ihre Lügen schon bald auffliegen würden, und war weggelaufen. Oder sie hatte einfach die Gegend erkunden wollen. Aber im Regen und ohne Andy? Das war eher unwahrscheinlich.

Ich konnte mir nicht vorstellen, dass Toby irgendetwas mit Bettys Verschwinden zu tun hatte. Einerseits wünschte ich mir, er wäre inzwischen weit fort aus unserer Gegend, andererseits, und mit dem größeren Teil meines Herzens, hoffte ich, er würde wie immer plötzlich auftauchen.

Hätte er die Kamera an einem Haken in der Hütte hängen lassen, dann hätte ich geglaubt, er wäre tatsächlich für immer weg. Niemals hätte Toby unsere Kamera einfach mitgenommen, auch wenn sie inzwischen praktisch auch ihm gehörte.

Als ich mich endlich in den Schlaf gegrübelt hatte, träumte ich von Betty, lauter verworrenes Zeug, das sofort verschwamm, als ich wach wurde. Nichts, woran ich mich beim Aufwachen erinnern konnte.

Es war noch nicht Morgen, dafür war es zu dunkel. Doch das allein war es nicht. Es fühlte sich an wie Nacht. Trotzdem nahm ich von unten Bewegungen war.

Zum zweiten Mal in dieser Nacht ging ich hinunter, inzwischen waren meine Eltern fertig angezogen, und obwohl es gerade erst vier Uhr war, also in dieser Jahreszeit selbst für Farmer noch früh, stand schon das Frühstück auf dem Tisch. Mit am Tisch saß Constable Oleska und aß Würstchen mit Ei.

»Haben Sie sie gefunden?«, fragte ich von der Tür her und blinzelte ins helle Licht.

»Annabelle, was machst du denn schon hier unten?«, fragte meine Mutter. »Es ist doch noch Nacht. Geh schnell wieder in dein Bett.«

»Ich bin schon ganz ausgeschlafen«, sagte ich. »Ist Betty nach Hause gekommen, Constable?«

»Leider nicht«, antwortete der Polizist. »Sobald es hell wird, beginnen wir mit der Suche. Ihre Großeltern und ein paar Nachbarn sind bereits draußen, aber im Dunkeln werden sie nichts finden. Wir Übrigen brechen bald auf, trocken und ausgeruht, und wenn man sie finden kann, dann finden wir sie.«

Für mich sah er nicht gerade trocken und ausgeruht aus. Vermutlich war er die ganze Nacht aufgeblieben. »Was hat Andy gesagt?«

»Gerade wollte ich deinen Eltern davon berichten.« Zwischen seinen Sätzen aß der Constable immer wieder. Offensichtlich war er ganz ausgehungert. »Andy hat ein ziemlich großes Mundwerk, deswegen hatte ich vermutet, er würde eine freche Lippe riskieren. Aber es zeigte sich, dass er ziemlich aufgewühlt ist. Er und Betty hatten geplant, gestern die Schule zu schwänzen und draußen herumzustreunen. Sie wollten ›ein bisschen Spaß haben‹, wie er sich ausdrückte.«

Der Constable schüttelte den Kopf. »Der Junge war ganz zahm, wenn er von Betty sprach. Von seiner sonstigen Grobheit war nichts zu spüren. Sie hatten sich ganz früh gestern Morgen am Schildkrötenstein treffen wollen, doch dann hatte sein Pa ihn in letzter Minute gezwungen, auf der Farm einen Zaun zu flicken. Als Andy dann später zum Stein kam, war Betty nicht da. Er hat nach ihr gesucht, auch in der Schule, und als er hörte, dass sie nicht da gewesen war, ist er zu den Glengarrys. Da war aber niemand, und Andy nahm an, Betty sei mit den Großeltern irgendwohin gefahren. Also ist er wieder nach Hause.«

»Haben Sie ihn nach dem Glockenturm gefragt und all dem?«, wollte ich wissen.

»Jetzt nicht, Annabelle«, sagte meine Mutter. »Erst einmal müssen sie Betty finden, danach ist immer noch Zeit für die anderen Geschichten.«

Das hörte sich vernünftig an, andererseits gehörten all diese Dinge für mich zusammen. Ich stellte sie mir vor wie ein Seil, dessen einzelne Stränge fest miteinander verknüpft waren. Doch erst einmal gab ich Ruhe.

Meine Mutter wärmte Kaffee für den Constable auf, und die drei redeten über die bevorstehende Suche, während ich frühstückte und zuhörte.

Auf einmal erschien Tante Lily in der Tür. Die Lockenwickler hatte sie inzwischen herausgenommen, und die Haare fielen ihr in müden Wellen auf die Schultern. Sie war noch im Morgenmantel, hatte Pantoffeln an den Füßen und Spuren ihrer Nachtcreme unter den Augen. »Habt ihr ihn gefunden?«, fragte sie.

»Wen?«, fragten wir alle wie aus einem Munde.

»Toby«, fuhr sie uns an.

»Nach Toby suche ich nicht«, sagte der Constable. »Ich dachte, du meintest Andy.«

»Der nicht gefunden werden muss, weil er gar nicht vermisst wird«, sagte Tante Lily spitz, schenkte sich Kaffee ein und setzte sich. »Ihr solltet lieber nach diesem Toby suchen, bevor er sich noch ein Mädchen krallt.«

»Lily!«, sagte meine Mutter scharf.

»Du meinst wohl, Annabelle sollte solche Dinge nicht hören? Ganz deiner Meinung, Sarah, aber du bist doch die, die immer meint, Annabelle gehöre zu den Erwachsenen an den Tisch. Sagen Sie, Constable: Ist Ihnen je der Gedanke gekommen, dass die beiden am selben Ort sein könnten? Betty als Tobys Gefangene?«

Der Constable seufzte. »Natürlich habe ich daran gedacht, Lily. Und ich habe auch bereits die Staatspolizei angerufen, damit sie anfangen, nach ihm zu suchen. Oder nach beiden.«

Ich war zutiefst schockiert von dem, was ich da hörte. Nie im Leben wäre ich auf so eine Idee gekommen. In einem Punkt allerdings stimmte ich langsam mit meiner Tante überein.

»Ich glaube, ich gehe wieder ins Bett«, sagte ich.

Meine Mutter schenkte mir ein trauriges kleines Lächeln. »Gutes Kind«, sagte sie. »Vielleicht solltet ihr drei heute nicht zur Schule gehen. Ihr seid müde, und bei all diesen Aufregungen würdet ihr da heute bestimmt ohnehin wenig lernen.«

Noch so ein Schock! Noch nie hatte ich so einen Vorschlag aus dem Munde meiner Mutter gehört. Wir mussten schon ziemlich krank sein, oder ein Schneesturm musste toben, bevor wir nicht zur Schule gingen.

Ich nickte. »Okay.«

Ich versuchte wieder einzuschlafen. Wirklich. Aber ich musste immerzu an das denken, was Tante Lily gesagt hatte. Wieso sollte Toby Betty mitnehmen wollen, sie zu seiner »Gefangenen« machen? Sie war ein böses Mädchen, und Toby wusste das. Doch aus irgendeinem Grund schien nicht nur meine Tante, sondern sogar der Constable es für möglich zu halten, dass die zwei am selben Ort waren.

Sie mussten sich irren, ganz sicher.

Ich hatte Angst, dass ich die Einzige war, der genauso daran gelegen war, Toby zu helfen, wie Betty zu finden. Meine Eltern mochten ihn, das stimmte, aber ein vermisstes Mädchen war ein vermisstes Mädchen. Niemand sonst würde für Toby die Hand ins Feuer legen.

Ich lag im Bett und versuchte mir einzureden, Toby sei längst fort aus unserer Gegend. Aber war es wirklich denkbar, dass er unsere Kamera mitgenommen hatte? Dass er ohne Abschied gegangen war? Ohne das kleinste Andenken, durch das er uns … durch das er mich wissen ließ, dass es ihm leidtat, so grußlos wegzugehen?

Das konnte ich nicht glauben. Ich blieb überzeugt, dass Toby gar nicht fort war. Dass er da war, wo man ihn vermuten sollte. Wo die Polizei ihn finden würde. Sobald sie sich auf die Suche nach ihm machte.

Aber wenn ich das glaubte – was war ich selbst bereit zu tun?

Ich zog mich im Dunkeln an, gleich mehrere Schichten übereinander, damit ich lange in der Kälte draußen bleiben konnte. Dann schlich ich die Treppe hinunter und spähte vorsichtig in die Küche. Mein Vater und Constable Oleska waren nicht mehr da. Meine Mutter stand mit dem Rücken zu mir am Spülbecken. Von Tante Lily war nichts zu sehen.

Ich schlich mich in den geräumigen Vorflur, unseren sogenannten Schmutzraum, der seinen Namen ausnahmsweise wirklich zu Recht trug angesichts all des Drecks, den wir am Vortag ins Haus geschleppt hatten. Ich nahm meine Stiefel, zog sie aber erst auf der Türschwelle an, bevor ich hinaus ins Nasse trat, und schloss leise die Tür hinter mir.

Jeder, der schon einmal aus Wärme und Licht hinaus in Kälte und Dunkelheit getreten ist, weiß, wie ich mich fühlte. Hinter mir lag alles, was für mich Sicherheit bedeutete, vor mir die Nacht, die zwar nicht ganz so dunkel war, wie es mir beim Blick durchs Fenster erschienen war, aber immer noch dunkel genug. Inzwischen hatte es aufgeklart, nirgends erhellten weiße Wolken den schwarzen Himmel, kein Mond war zu sehen und nur ganz wenige Sterne. Die Bäume verneigten sich voreinander wie vor einem Tanz nach ihrer eigenen traurigen Musik. Plötzlich fühlte ich mich furchtbar unsicher.

Ich war schon oft nachts draußen gewesen, viele Male, doch nie war ich allein gegangen und nie weiter als bis ans Ende des Weges, der von unserem Haus zur Straße führte.

Doch während ich noch zögerte, gewöhnten sich meine Augen an die Nacht. Schon bald würde es dämmern und Morgen werden, und ich kannte den Weg.

Tobys Hütte in Cobb Hollow lag unterhalb des Hauses der Glengarrys, auf der anderen Seite unseres Hügels von der Wolfsschlucht aus gesehen, abseits von der Schule und mitten im Wald. Nicht weit von einem Feldweg, den ich schon oft entlanggegangen war. Außer Wald gab es zwischen unserem Haus und Cobb Hollow nicht viel.

Bei dem Gedanken an Bären war mir nicht ganz geheuer, aber ich hatte erst ein einziges Mal einen gesehen, und der hatte sich bei meinem Anblick gleich getrollt. Man hörte auch schon mal von einem Berglöwen in der Gegend, doch der war immer nur kurz gesichtet worden. Wölfe gab es schon lange nicht mehr bei uns. Und völlig allein war ich ja nicht. Irgendwo hier im Dunkeln, nicht weit von mir, waren Männer auf der Suche nach Betty.

Allerdings musste ich aufpassen, dass ich ihnen nicht über den Weg lief. Wenn sie mich irrtümlich für Betty hielten, wären alle schrecklich enttäuscht. Und ich würde Ärger kriegen.

Also hielt ich mich dicht am Wald, folgte Tierpfaden und passte auf, damit ich auf dem nassen Laub nicht ausrutschte. Ich kannte mich aus, im Grunde führte mein Weg immer nur bergab. Verlaufen konnte ich mich kaum, denn durch jede der Senken zwischen den Hügeln verlief ein Weg oder sogar eine richtige Straße mit Häusern zu beiden Seiten, und jedes dieser Häuser war mir vertraut.

Als ich am Fuß des Hügels ankam, schlug ich den Feldweg ein, der zum früheren Haus von Silas Cobb führte. Keine Menschenseele war zu sehen, doch ab und zu hörte ich in der Ferne Rufe, die hin und her gingen. Das niedergebrannte Fundament des Hauses befand sich im hinteren Teil des Grundstücks, zwischen hohen Bäumen, sodass es vom Weg aus nicht zu sehen war. Aber es gab ein windschiefes Holzschild mit der Aufschrift *COBB* und einen noch immer begehbaren Pfad, der zu dem einstigen Haus führte.

Der Weg war schlammig, die Bäume zu beiden Seiten senkten ihre Äste tief darüber und schufen so einen tropfenden, im Wind zitternden Tunnel. Es gab keine Lichtung, die angezeigt hätte, wo das Haus einmal gestanden hatte, Büsche und Sträucher hatten es vollständig verschluckt. Bäume wuchsen von unten durchs Fundament, doch sie waren so schlank, dass zwischen ihnen hindurch der Himmel zu sehen war. Schon zeigte sich immer mehr Blau im ursprünglichen Schwarz, bald würde die Sonne aufgehen.

Ich blieb stehen, um kurz auszuruhen. Da hörte ich auf einmal ein Geräusch, das ich nicht kannte.

Der Wind war es nicht, auch nicht irgendwelche Laute, die aus der Ferne von der Suchmannschaft herüberdrangen. Es klang eher nach einem Tier. So etwas wie ein Ruf, dachte ich. Aber eine Eule war es nicht. Auch kein Fuchs. Die meisten am Boden lebenden Tiere, aber auch brütende Vögel verhielten sich nachts still, aus Angst, Raubtiere anzulocken. Was auch immer dieses seltsame Geräusch machte, kannte solche Angst nicht.

Ein oder zwei Mal hatte ich ein Stachelschwein gehört. Es hatte geklungen wie Zähneklappern und Heulen, vermischt mit dem schrillen Gebimmel einer kaputten Fahrradklingel.

So ähnlich klang dieses Geräusch, und plötzlich bekam ich Angst. Ich hatte einmal einen Hund gesehen, dessen Schnauze gespickt war mit Stacheln, und ich hatte nicht die Absicht, mich mit einem Stachelschwein anzulegen.

Auf einmal blieb das Geräusch aus. Ich horchte, vernahm aber nichts als den Wind.

Tobys Hütte lag ein Stück abseits, hinter einer Gruppe dickerer Bäume. Das Gelände um die Hütte herum hatte Toby allerdings freigehalten. Ich sah einen Hackklotz mit einer Axt darin und musste unwillkürlich an König Artus denken und an sein Schwert Excalibur, das Schwert aus dem Stein.

An der Tür zur Hütte zögerte ich kurz, bevor ich klopfte. Auf einmal geisterte mir das Wort »Gefangene« durch den Kopf.

Zu meinem Erstaunen hörte ich ein Geräusch, so als ob sich im Haus etwas bewegte.

Ich trat gerade noch rechtzeitig zurück, bevor die Tür nach außen aufging.

Vor mir stand Toby.

14

Toby hatte sich in eine Armeedecke gehüllt, seine Füße waren nackt.

»Annabelle.« Es klang nach Feststellung und Frage zugleich.

»Hallo, Toby.« Erst da wurde mir bewusst, dass ich keine Ahnung hatte, wie er mit Nachnamen hieß. Ich konnte ihn also nicht mit Mr. Soundso anreden.

Er blickte an mir vorbei. Vielleicht erwartete er, dass mein Vater aus der Dämmerung treten würde. »Was ist passiert?«

»Der Constable hat gesagt, Sie wären nicht mehr da und hätten Betty mitgenommen oder wüssten, wo sie ist. Er hat die Staatspolizei angerufen. Die wird bald hier sein, um nach Ihnen zu suchen.« Ich hatte noch viel mehr zu sagen, aber für mehr als diese Sätze reichte mein Atem nicht.

Toby dachte kurz nach. »Das Mädchen, das behauptet, ich hätte einen Stein auf den Deutschen geworfen.«

Ich nickte. Die beginnende Verwirrung in meinem Kopf fühlte sich wie ein Juckreiz an. »Genau. Sie ist seit gestern Morgen verschwunden. Wussten Sie das nicht? Sie wird überall gesucht.« Ich sah ihm an, dass ihm das wirklich neu war. »Der Constable war gestern Abend hier und wollte mit Ihnen sprechen, aber Sie waren nicht da. Er dachte, Sie sind für immer weg. Vielleicht mit Betty ...« Meine Stimme wurde dünn, und Tobys ohnehin blasses Gesicht noch bleicher. »Sie haben nicht gewusst, dass Betty verschwunden ist?«

Er schüttelte den Kopf. »War angeln, unter der Brücke. Den Fisch habe ich bei Turner gegen Dörrfleisch getauscht.«

Die Turners züchteten Schweine und Rinder. Mein Vater aß das Dörrfleisch, das sie herstellten, auch gerne. Vor allem hielt es sich gut, auch ohne Eisschrank.

»Hab da in der Scheune abgewartet, bis der Regen nachließ. War erst spät zurück.« Mit einer Kopfbewegung ins Innere der Hütte sagte er: »Jemand hat eins von meinen Bildern gestohlen.«

Noch nie hatte ich Toby so viel auf einmal reden hören.

»Constable Oleska hat es mitgenommen«, sagte ich. »Das von mir auf dem Schulweg. Er hat sich auch die ganz neuen angesehen, die gestern mit der Post kamen. Es tut mir leid, aber Tante Lily hat sie ihm gegeben. Darunter war auch eins, dass Sie von hoch oben gemacht haben, vom Hügel aus, an dem Tag, als Ruth verletzt wurde. Unten sieht man Mr. Anselms Wagen.«

Toby sah mich fest an. »Ich habe den Stein nicht geworfen.«

Es tat gut, das von ihm zu hören, obwohl mir bis zu dem Moment nicht bewusst gewesen war, wie sehr ich es brauchte.

»Ich glaube Ihnen«, sagte ich. »Aber jetzt wissen alle, dass Sie auf dem Hügel waren. Betty hat behauptet, Sie hätten den Stein geschmissen, und jetzt ist sie weg. Die anderen glauben, Sie hätten schlimme Dinge getan, Toby.«

Toby holte tief Luft. »Das stimmt auch.«

Ich verschränkte die Arme vor der Brust. So fühlte ich mich größer. »Was denn?«

Er zog die Decke fester um sich.

Ich wartete.

»Aber den Stein haben Sie nicht geschmissen«, sagte ich nach einer Weile. Es hörte sich auch jetzt noch zu sehr nach einer Frage an.

Toby schüttelte den Kopf. »Das war sie.«

Ich war überrascht, auch wenn ich mir im Grunde so etwas gedacht hatte. »Sie haben es gesehen?«

»Ich wollte sie fotografieren, aber sie war zu schnell. Danach hat sie sich gleich ins Gebüsch geduckt. Zusammen mit diesem Jungen. Doch vorher hat sie mich noch bemerkt, ein Stück oberhalb von den beiden. Da war klar, dass ich sie beobachtet hatte.«

»Warum haben Sie das meinem Vater nicht gesagt?«

Toby schaute zur Seite. »Manche Dinge kommen von selbst in Ordnung. Andere nicht.«

»Wie? Toby, Sie hätten ihm erzählen müssen, was passiert war! Jetzt wird Ihnen niemand mehr glauben.«

»Dann kann ich's auch nicht ändern.«

Eine merkwürdige Art, das Leben zu sehen, dachte ich, aber ich war nicht Toby, und er war nicht ich.

Eine ganze Weile standen wir stumm da. Um uns herum weckten Vögel den Himmel auf. Aus der Ferne hörte ich Stimmen, die nach Betty riefen. Toby trat einen Schritt zurück in seine Hütte. Das half mir, eine Entscheidung zu treffen.

»Also gut«, sagte ich mit fester Stimme. »Ich möchte, dass Sie jetzt mit mir kommen.«

Tobys Mundwinkel zuckten ganz leicht. Es war das erste Mal, dass ich so etwas wie die Andeutung eines Lächelns in seinem Gesicht sah. »Du hörst dich an wie deine Mutter.«

Ich nahm das als Kompliment. »Gut, denn wenn sie jetzt hier

wäre, würde sie dasselbe sagen. Also bitte, würden Sie sich jetzt anziehen und mitkommen?«

Toby schien hin- und hergerissen. »Wohin?«

»An einen sicheren Ort, bis wir eine Lösung gefunden haben.«

»Mir liegt nichts daran.«

»Aber mir«, sagte ich. »Und wenn es Ihnen egal ist, warum machen wir es dann nicht auf meine Art?«

Wieder dieses Zucken um die Mundwinkel.

Wieder diese Rufe in der Ferne.

Nach wenigen Minuten trat Toby zu mir vor die Hütte. Er war gekleidet wie immer, die Kamera hing um seinen Hals, die Gewehre hatte er sich über die Schulter gehängt.

Der Weg bergauf war beschwerlicher, doch Toby ging immer hinter mir her, wartete, bis ich mich an den steilen Stellen, die zudem noch rutschig waren, an Ästen hochgezogen hatte. Die zunehmende Helligkeit half, beunruhigte mich aber auch.

Wegen der Stimmen in der Ferne waren wir so leise und vorsichtig wie möglich. Hätte ich Angst vor Jägern gehabt, dann hätte ich Rot getragen, doch wir trugen beide Braun und Schwarz und waren unsichtbar, sobald wir stillstanden und unsere Gesichter verbargen.

Als die Hügelkuppe hinter uns lag und wir von oben auf die Farm meiner Familie schauen konnten, wurde mir auf einmal klar, dass wir vom Haus aus zu sehen wären, wenn wir über die Weide abstiegen, also liefen wir bis in Höhe unserer Scheune dicht am Wald entlang. Schnell überquerten wir das letzte freie Stück und betraten das Gebäude durch den Hintereingang. Ich ging als Erste hinein und rief laut für den Fall, dass jemand da sein sollte. Zum Glück waren die Hunde als vermeintliche Spürhunde Teil der Suchmannschaft.

Als eines der Pferde seinen mächtigen Kopf über die Tür seiner Box schwang und mich neugierig ansah, blieb mir fast das Herz stehen.

»Zeit, dass du ins Freie kommst, Bill«, sagte ich, entriegelte die Tür und zog sie weit auf. Schnaubend trottete Bill zum offenen großen Hoftor hinaus auf die Weide.

Als Nächste ließ ich Dinah frei, die mit zuckendem Schweif hinter Bill her in die Sonne trabte. Nach ihnen kamen unsere Milchkühe an die Reihe, Molly und Daisy. Den Kälbchen gaben wir nie Namen, weil wir sie so schnell wieder hergeben mussten, doch unsere Milchkühe behielten wir, bis sie alt waren.

Ich hielt ihnen eine Hand hin, als sie an mir vorbeikamen, und die hintere drückte kurz ihre breite eckige Nase mit den kurzen borstigen Haaren in meine Handfläche.

Wäre mein Vater nicht auf der Suche nach Betty gewesen, hätte er die Tiere längst hinausgelassen. Ich hoffte, dass der Anblick der Tiere auf der Weide dafür sorgte, dass niemand zur Scheune kam, um diese Aufgabe zu erledigen. Andererseits konnte es natürlich sein, dass genau deswegen jemand kam: um zu sehen, wer die Tiere auf die Weide gelassen hatte. Ich fragte mich, ob inzwischen schon aufgefallen war, dass ich nicht in meinem Zimmer war.

Ich öffnete die Tür zu der Treppe, die mitten in der Scheune hinauf zur Dreschtenne führte. »Kommen Sie!«, rief ich Toby im Flüsterton zu und ging vor.

Unsere Scheune lag am Hang, sodass beide Ebenen getrennt zugänglich waren. Unten lagen die Ställe, und dort befanden sich auch eine Zisterne und unser Maisspeicher. Eine Rampe am oberen Hang führte seitlich zu einem breiten Doppeltor auf der oberen Scheunenebene. Über diese Rampe konnten wir mit dem Heuwagen direkt auf den Heuboden fahren. In der Scheune wurden auch die großen

Geräte gelagert, und bei schlechtem Wetter arbeitete mein Vater dort. Große Behälter mit Hafer standen neben Rutschen, die direkt hinunter in die Futterkrippen führten. Über einem Teil der oberen Ebene war das Dach sehr hoch und spitz. Daran hingen Seile und Flaschenzüge, mit denen die Heuballen auf den Heuboden befördert wurden, der den größten Teil zwischen den Dachsparren einnahm.

Unsere Scheune war schon alt, und so fehlten hier und da einige Dielen, am Boden hatte sich eine Schicht aus Erde und Stroh gebildet, doch auf dem Heuboden war es trocken und ganz gemütlich, weswegen mein Vater an Regentagen dort auch gern mal ein Nickerchen hielt. Ich hoffte also inständig auf trockenes Wetter in den nächsten Tagen.

Am Fuß der steilen Leiter, die zum Heuboden führte, blieb Toby stehen. Er sah erst die Leiter an, dann mich, dann wieder die Leiter.

Ich fing an hochzusteigen. »Kommen Sie!«, sagte ich über die Schulter. »Da oben können Sie warten, bis sich alles geklärt hat.«

Doch Toby rührte sich nicht. »Ich hab was gegen große Höhen«, sagte er.

Ich fiel vor Lachen fast von der Leiter, doch als ich sah, dass Toby die Situation gar nicht komisch fand, riss ich mich zusammen und kletterte wieder hinunter.

Vor mir stand ein Mann in einem schwarzen Wachsmantel, mit drei umgehängten Gewehren, zerzausten langen Haaren und einem struppigen Bart, mit einem schwarzen Hut und einem bleichen Gesicht, von dem unter der breiten Hutkrempe kaum etwas zu sehen war. Ein Mann, der einen schrecklichen Krieg erlebt hatte. Ein Mann, der sich weitgehend von Wild und Beeren ernährte und mitten im Wald in einer Hütte hauste.

»Haben Sie Angst, auf den Heuboden zu steigen?«

Toby senkte den Kopf und rückte die Gewehre zurecht.

Ich kaute an meiner Unterlippe. »Sie leben doch in einer bergigen Gegend«, sagte ich. »Sie sind meistens irgendwo hoch oben.«

Er schüttelte den Kopf. »Das ist was anderes.«

»Na dann«, sagte ich, »gibt's nur zwei Möglichkeiten: Entweder Sie steigen hoch, oder Sie verstecken sich bei den Mäusen im Maisspeicher.« Dieses Mal hörte ich selbst den Tonfall meiner Mutter in meiner Stimme.

Vielleicht war es das Wort »verstecken«, das den Ausschlag gab, oder der Gedanke, in den Maisspeicher zu klettern. Vielleicht auch die Vorstellung, selbst eine Maus zu sein. Toby sagte nichts, doch nach kurzer Pause machte er eine Handbewegung nach oben, und als ich die ersten Stufen der Leiter noch einmal hochstieg, folgte er mir.

Von oben schaute ich zurück und beobachtete, wie er langsam die Leiter hochstieg, beide Füße auf jede Stufe setzte und sich mit beiden Händen – die eine knotig und glänzend vernarbt – festklammerte. Er warf keinen Blick nach unten, sondern konzentrierte sich ganz auf jede seiner Bewegungen. Am schwersten fiel ihm der letzte Schritt auf den Heuboden. Er presste seine gesunde Hand auf den Boden vor ihm und grub die Nägel ins Holz. Ich packte ihn am Handgelenk, wohl mehr zur moralischen Unterstützung, bis er von der Leiter herunter und in sicherer Entfernung vom Rand des Heubodens war. Sein Atem ging schwerer als während unseres Aufstiegs von Cobb Hollow aus.

Dass es weit schwieriger werden würde, die Leiter wieder hinunterzusteigen, sagte ich ihm lieber nicht.

Wenigstens konnte ich davon ausgehen, dass er sich fürs Erste nicht von der Stelle rühren würde. Schon der Gedanke an den Schritt auf die oberste Sprosse würde ihn dort oben festhalten. Solange hatte ich Zeit, mir zu überlegen, wie es mit ihm weitergehen sollte.

»Sobald ich was zu essen und Wasser für Sie organisiert habe, komme ich wieder«, sagte ich. »Und einen Eimer für … Sie wissen schon.« Ich spürte, wie ich ein bisschen rot wurde. »Wenn jemand in die Scheune kommt, verziehen Sie sich einfach hinter die Heuballen und sind ganz still. Kann sein, dass die Jungs mal reinkommen, aber hier herauf klettern sie eher nicht.«

Toby setzte sich auf einen der Heuballen. Als er seine Gewehre weglegte und den Hut abnahm, sah er auf einmal selbst wie ein Junge aus. Viel älter natürlich, aber genauso jung.

»Keine Sorge«, sagte ich. »Alles wird gut.«

15

Bevor ich wieder ins Haus ging, lief ich erst eine ganze Weile auf der anderen Seite unseres Zauns herum und pflückte die Samenkapseln von Seidenblumen, bis meine Taschen prall gefüllt waren.

»Wo warst du denn, Annabelle?«, fragte meine Mutter, als ich zur Tür hereinkam. »*Ein* vermisstes Mädchen ist schon eins zu viel. Kannst du dir vorstellen, welche Sorgen ich mir gemacht habe, als ich hochkam und dein Bett leer vorfand?«

Ich wollte meine Mutter nicht anlügen, also blieb ich so nahe wie möglich bei der Wahrheit. »Du warst gerade im Keller, als ich aufgestanden bin«, sagte ich. »Es wurde Zeit, dass die Pferde und die Kühe auf die Weide kamen, also habe ich das übernommen. Danach habe ich mir gedacht, ich pflücke noch ein paar Samenkapseln für unsere Truppen.« Ich zog eine der tropfnassen Hülsen aus der Tasche. »Ich hatte bloß keinen Beutel dabei.«

Es gab ja nicht viel, was wir Kinder tun konnten, um unseren Beitrag zum Krieg zu leisten, und so hatte man uns gebeten, die Kapseln der Seidenpflanzen zu sammeln. Die in ihnen enthaltenen Seidenfäden eigneten sich besser als Kork für die Schwimmwesten der Marine. Im ganzen Land waren daher Kinder im Seidenpflanzeneinsatz. »Ich kann die Jungs mit rausnehmen, dann pflücken wir den Rest auch noch, bevor es zu spät ist.«

Das war nämlich einer der Schrecken der Farmer: dass die Kapseln sich öffneten und die Seidenfäden herumflogen und Wurzeln in den Obstgärten schlugen, wo sie nicht erwünscht waren, oder sich auf den Weiden verbreiteten und dort das Vieh ganz verrückt machten.

Meine Mutter sah mich schief an. »Wieso hast du so viele Schichten übereinander an, aber keinen Mantel?«

Ich zuckte mit den Schultern. »Weiß ich auch nicht.«

Seltsamerweise gab sie sich mit der Antwort zufrieden.

»Bis sich die Dinge hier wieder beruhigt haben, sagst du mir jedenfalls Bescheid, bevor du irgendwohin gehst.«

»Wo sind denn die anderen alle?«

»Deine Brüder waren schon in aller Herrgottsfrühe auf und haben deinem Vater so lange in den Ohren gelegen, bis er sie mitgenommen hat auf die Suche.« Sie seufzte. »Dein Vater, zwei Jungen, vier Hunde – ich kann es mir lebhaft vorstellen. Und dein armer Großvater versucht ebenfalls, sich nützlich zu machen, und fährt unablässig mit dem Traktor im Kreis herum.«

Mir war das nur recht, Hauptsache, alle hielten sich von der Scheune fern.

Als meine Mutter mit ihrer Arbeit weitermachte, nahm ich ein paar Brötchen aus dem Brottopf, füllte einen Becher mit Kaffee aus dem Kessel auf dem Herd und ging dann in den Keller hinunter.

Wir hatten einen großen Keller mit Steinmauern und Steinböden und vier getrennten Räumen. Einer, in dem es entsprechend feucht, aber sauber roch, war für die Wäsche. In einer Ecke stand der Wäschewringer. Leinen waren quer durch den Raum gespannt, auf einem langen Tisch stand ein Wäschekorb, in dem sich ein Stoffbeutel mit hölzernen Wäscheklammern befand. Es gab Blecheimer, in denen das Waschwasser vom Brunnen geholt wurde, und einen einflammigen Brenner, auf dem das Wasser erhitzt wurde. Im Boden befand sich ein Abfluss.

In einem anderen Kellerraum standen mehrere Regale, deren Böden mit Zeitungspapier ausgelegt waren. Darauf standen Einmachgläser mit Marmelade, eingelegten Gurken, Paprika, Bohnen, Tomaten, Erbsen, Mais und Pfirsichen.

Der Kohlenkeller hatte eine Rutsche, die unterhalb der Kellerdecke begann, sodass mein Vater die Kohlen von der Einfahrt aus direkt hineinschaufeln konnte. Es war ein schmutziger, rußiger Raum, den niemand betrat, bis es wieder Winter war und die Öfen gefüttert werden wollten.

Im vierten Raum fand alles Platz, was wir oben nicht brauchen konnten: Eimer, die geflickt werden mussten, leere Einmachgläser, Gartengeräte, Pflanzenzwiebeln, die in Torf überwinterten.

Ganz hinten im Keller gab es eine Tür, die direkt ins Freie führte und weiter unten am Hang lag als das übrige Haus. Gleich daneben war der separate Eingang zum Erdkeller, in dem wir Kartoffeln, Zwiebeln, Rote Bete und Möhren lagerten, also alles, was sich bis möglichst weit in den Winter hinein frisch halten musste.

Ich nahm einen Blecheimer, der zwar schon bessere Tage gesehen hatte, aber noch dicht war, und füllte ihn mit Proviant: den Brötchen, einem Glas Erdbeermarmelade, ein paar Möhren und ein paar leeren Einmachflaschen mit Deckeln. In eine von ihnen goss ich den mitgebrachten Kaffee, die übrigen würde ich an der Zisterne in der Scheune mit Wasser füllen. Den Eimer ließ ich außen vor der Kellertür stehen, bevor ich wieder die Treppe ins Haus hinaufstieg.

Meine Mutter war gerade dabei, im Zimmer meiner Großeltern die Betten abzuziehen, während meine Großmutter im Schaukelstuhl saß und Strümpfe stopfte.

»Ich geh noch mal raus, Seidenkapseln pflücken«, sagte ich.

In dem Moment überrollte mich die erste Welle des Kummers, den mir dieses neue Geheimnis brachte. Aber vielleicht wäre Betty am Ende dieses Tages ja gefunden, dann konnte Toby unbemerkt in seine Räucherhütte zurückkehren, und alles wäre wieder gut.

Wenn nicht, würde ich mit meiner Mutter sprechen. Ich konnte mein Geheimnis nicht ewig für mich behalten. Ebenso wenig konnte ich Toby über lange Zeit verstecken, auf dem Heuboden verborgen wie eine streunende Katze.

»Aber denk dieses Mal daran, einen Beutel mitzunehmen«, sagte meine Mutter, die gerade die gebrauchten Laken in einen Kissenbezug steckte.

»Mach ich!« Einen kurzen Moment lang sah ich den beiden bei ihrer Arbeit zu. So unterschiedlich und zugleich so ähnlich. Das Zimmer war angefüllt mit so vielen Dingen, die diese beiden Frauen hergestellt hatten und die vom jahrelangen Gebrauch weich und teilweise auch fadenscheinig geworden waren.

Eine zweite Kummerwelle überrollte mich. Dieses Mal galt sie Toby, der all diese Dinge schon viel zu lange nicht mehr gehabt hatte. Falls er sie je gekannt hatte.

Ohne Schule und ohne meine Brüder, die mir in die Quere kamen, hatte ich viel Zeit für mich. Normalerweise hätte ich mich für Stunden in die Scheune zurückgezogen, nur mit einem Buch und den Felsentauben als Gesellschaft, doch an diesem Tag musste ich mich um Toby kümmern.

»Ich bin's«, rief ich leise vom Fuß der Leiter nach oben.

Keine Antwort.

Ich kletterte vorsichtig hinauf, denn der Eimer war schwer, und der Metallhenkel drückte sich mir schmerzhaft in die Finger. Als ich oben ankam, stellte ich erst den Eimer ab, bevor ich den letzten Schritt auf den Heuboden tat. »Toby?«

Auf einmal tauchte er hinter einer Wand aus Heuballen auf. Seinen Mantel hatte er ausgezogen. Ohne ihn war er mager wie ein Bär nach dem Winterschlaf, und ohne seine Hutkrempe fehlte seinem Gesicht der Schatten, in dem es sich sonst versteckte. Zum ersten Mal sah ich, dass seine Augen blau waren.

»Sie haben sich ein Versteck gemacht«, sagte ich. »Das war schlau.« Ich zeigte auf den Eimer. »Haben Sie Hunger?«

Er zuckte mit den Schultern. »Hab noch Dörrfleisch.«

»Und jetzt auch noch Brötchen und Marmelade, Möhren und Brunnenwasser. Und Kaffee, aber den sollten Sie gleich trinken, sonst ist er kalt. Nach dem Abendessen kann ich mehr bringen.«

Toby war keinen Schritt näher an den Heubodenrand getreten, wo ich stand. Es gab zwar ein Geländer, doch das hatte keine Streben. Ein Mann mit Höhenangst konnte sich da kaum sicher fühlen.

»Ich bringe später noch mehr Wasser, aber am Eingang zur Scheune ist auch eine Zisterne mit Handpumpe. Wenn's dunkel ist, können Sie sich da waschen, wenn Sie möchten. Oder Sie gehen ans Ende der Weide, da steht ein Trog, der schönes frisches Wasser von einer Quelle bekommt. Das ist allerdings ziemlich kalt.«

Ich vermutete, dass Toby normalerweise in dem Flüsschen badete, das in der Nähe seiner Hütte vorbeifloss, und dass er dort auch seine Kleider wusch. Allerdings schien sein Mantel so steif vom Wetter und vom Ruß, dass der Mann trotzdem nie besonders reinlich wirkte. Doch jetzt, wo er ohne Mantel vor mir stand, sah er direkt respektabel aus, wenn man einmal von den zerzausten langen

Haaren und dem Bart absah. »Aber wenn Sie nicht runterklettern wollen …«

Ich stellte den Eimer woandershin, möglichst weit weg vom Rand des Heubodens, neben einen Heuballen, den Toby als Hocker benutzen konnte. Er kam näher, und dabei erinnerte er mich an die streunenden Hunde, die anfangs auch immer zögerlich waren, wenn sie auf unsere Farm kamen.

»Mist«, sagte ich. »Jetzt habe ich kein Messer für die Marmelade mitgebracht.«

Toby zog ein Taschenmesser hervor. Dann setzte er sich auf den Heuballen und schnitt eins der Brötchen in zwei Hälften. Er entfernte das Gummiband vom Marmeladenglas, drückte mit der Messerspitze den Deckel hoch und strich etwas Marmelade auf das halbe Brötchen. Er hielt es mir hin.

»Das ist doch für Sie, Toby. Ich kann zu Hause essen.«

Er hielt mir die Hälfte hin, bis ich sie nahm.

Dann bestrich er auch seine Hälfte mit Marmelade, legte sie sich aufs Knie und wischte die Messerklinge zwischen Daumen und Zeigefinger sauber. Dann klappt er die Klinge ein und steckte das Messer in die Tasche. Anschließend öffnete er die Flasche mit dem Kaffee.

»Tut mir leid, wenn er schon kalt ist«, sagte ich.

Nachdenklich aß Toby sein Brötchen und trank gelegentlich einen Schluck.

Ich biss in meine Hälfte und merkte erst da, welchen Hunger ich hatte. Auf einmal kam es mir vor, als wären Jahre vergangen, seit ich aufgewacht war, den Constable an unserem Küchentisch gesehen und erfahren hatte, dass die Staatspolizei auf dem Weg zu uns war.

Wir aßen schweigend. Toby leerte seinen Kaffee.

»Möchten Sie vielleicht etwas zu lesen haben? Soll ich ein Buch holen?«, fragte ich und sorgte mich im selben Moment, dass er vielleicht gar nicht lesen konnte.

Toby sah mich scharf an.

»Wir haben viele Bücher. Alles Mögliche. Meine Brüder lieben Robert Louis Stevenson. Ich auch. Wenn Sie mögen, bringe ich Ihnen was. Aber Sie müssen lesen, solange es hell ist.«

Toby schien nicht erst nachdenken zu müssen. »Was immer du hast.«

Ich setzte mich im Schneidersitz auf den Boden. Überlegte, ob es wohl in Ordnung wäre, ihm ein paar Fragen zu stellen.

Ich zwirbelte einen Halm zwischen meinen Handflächen. »Kann ich Sie was fragen, Toby?«

Er verschränkte seine Finger. »Das hast du soeben getan.« Wieder zuckte es um seine Mundwinkel wie der Anflug eines Lächelns.

Fast hätte ich gesagt: »Kann ich Sie was anderes fragen?«, doch mir fiel gerade noch ein, dass das dann ja bereits die andere Frage wäre. Also sagte ich: »Wie heißen Sie? Ich meine, mit Nachnamen?«

Doch Toby antwortete nicht, sondern schaute zur Seite.

»Oder nein«, sagte ich schnell, »ich weiß was Besseres.« Ich wollte wissen, wo er herkam, ob er Geschwister hatte, ob er je einen Hund gehabt hatte und wenn ja, wie der hieß, wie alt er gewesen war, als er in den Krieg zog, woher seine Verletzung kam, wie alt er jetzt war (meine Mutter schätzte ihn auf Mitte vierzig) und was er damit meinte, wenn er sagte, er habe »Schlimmes« getan.

»Was essen Sie am liebsten?«, war die Frage, mit der ich schließlich herausplatzte. Ich kam mir wie ein kleines Kind vor.

Dieses Mal schaute Toby mir direkt ins Gesicht und sagte nach einer kurzen Pause: »Hickorynusskuchen.«

»Wirklich? Meine Mutter backt richtig guten Hickorynusskuchen. Wussten Sie das?«

Er nickte. »Sie hat mir mal ein Stück verwahrt. Was Besseres habe ich nie gegessen.« Auf einmal klang Tobys Stimme ganz anders. Weicher. »Sie hat bedauert, dass es keine Schlagsahne dazu gab.« Er schüttelte den Kopf. »Ich weiß nicht, was ich getan hätte, wenn der Kuchen noch besser geschmeckt hätte. Vermutlich hätte es mich umgehauen.«

Auf diese Weise verbrachten wir eine ganze Weile: Ich stellte kurze Fragen, Toby gab immer längere Antworten, bis wir uns irgendwann ganz normal unterhielten. Unter anderem erzählte ich ihm von meiner Großmutter, die er nur selten zu Gesicht bekommen hatte, und von Tante Lily. Über die sagte ich allerdings nur: »Und dann ist da noch Tante Lily, die leitet die Poststelle.« Worauf Toby knapp erwiderte: »Ja, die hab ich gesehen.« Sonst nichts.

Bis wir irgendwann zu dem Punkt kamen, an dem ich etwas Schwierigeres fragen musste, obwohl ich durchaus fand, dass es mir zustand. »Was haben Sie damit gemeint, als Sie zu meinem Vater gesagt haben, sie hätten Kratzer in den Schildkrötenstein gemacht?«

Toby rückte ein Stück zurück und wirkte plötzlich wieder so angespannt wie zuvor. Er dachte kurz nach. »Sie haben einen Draht geschärft.«

»Betty und Andy.«

Er nickte.

»Wissen Sie, was die beiden damit gemacht haben?«

Er nickte wieder. »Aber wenn ich gesehen hätte, wie sie ihn anbrachten, hätte ich ihn entfernt, bevor dein Bruder sich daran die Stirn aufgeschnitten hat.«

»Sie haben davon gehört?«

»Ich habe gesehen, wie ihr drei aus der Wolfsschlucht gekommen seid, wie James geblutet hat und wie dieses Mädchen, Betty, euch vom Feld aus beobachtet hat. Ich bin den Weg hinuntergegangen und hab gesehen, wie sie den Draht von einem der Bäume entfernt hat. Als sie mich kommen sah, ist sie weggerannt.«

»Der Draht war nicht mehr da, als ich meinem Vater die Stelle gezeigt habe.«

»Sie hat ihn mitgenommen.« Toby sah mich fest an. »Sie war ein böses Mädchen.«

Ich wollte lieber nicht darüber nachdenken, warum er »war« gesagt hatte.

Ich stand auf und bürstete mich ab. »Ich muss gehen, Seidenkapseln pflücken.«

»Wozu?«

»Die Marine braucht die Seide für Schwimmwesten.«

Toby schwieg.

»Später bringe ich Ihnen ein Buch«, sagte ich. Damit überließ ich ihn sich selbst.

16

Jetzt musste ich aber auch wirklich einen Sack mit Samenkapseln füllen, und dafür brauchte ich länger als gedacht. Doch ich sagte mir, dass nicht nur Toby mich brauchte, sondern auch die Truppen. Ich stellte mir einen jungen Soldaten vor, der in stürmischer See trieb und dessen Schwimmweste ihn über Wasser hielt, bis er gerettet wurde. Eine Schwimmweste, prall gefüllt mit Seidenfäden von unserer Farm, vielleicht sogar aus dem Sack über meiner Schulter. Ich pflückte, bis meine Finger wund waren und der Sack überquoll.

Neben dem grasbewachsenen Pfad zwischen der Scheune und dem Haus stand ein Wagenschuppen. Dort breitete ich die Kapseln zum Trocknen auf einer Werkbank aus. Danach machte ich mich an meine übliche Arbeit, die ich an diesem merkwürdigen Tag so lange vernachlässigt hatte.

Zuerst holte ich Eier aus dem Hühnerstall, einem freundlichen Ort, wenn es kühl war, einem schrecklichen bei Hitze. Unsere Hühner waren an mich gewöhnt und zeterten nicht, selbst wenn ich unter sie griff, um ihnen die noch warmen Eier wegzunehmen. Einige jedoch ließ ich den Bruthennen, damit wir immer genügend ausgewachsene Hühner hatten, um die zu ersetzen, die wir aßen.

Von all meinen Arbeiten hasste ich am meisten das Rupfen der Hühner, nachdem meine Mutter ihnen den Hals umgedreht und sie in kochendes Wasser getaucht hatte.

Mit Mais und getrockneten Ringelblumen bedankte ich mich bei den Vögeln für das Dutzend Eier in meinem Korb; dann ließ ich sie wieder in Frieden.

Nah beim Haus stand unser Brunnen, der eine gemauerte Einfassung hatte, um den Ansprüchen meiner Mutter an Sicherheit und Sauberkeit zu genügen. Dort wusch ich die Eier unter der Pumpe, bevor ich sie ins Haus brachte.

»Gutes Kind«, sagte meine Großmutter, nachdem ich meine Stiefel ausgezogen und die Eier in eine Schale beim Herd gelegt hatte.

Ich ging hinauf in mein Zimmer und legte einige der Kleiderschichten ab, die ich gegen die Morgenkälte übereinandergezogen hatte, wechselte meine feuchten Socken und bürstete mir flüchtig die Haare.

Zurück in der Küche, half ich meiner Mutter und meiner Großmutter, einen großen Topf Suppe zu kochen. Wir hatten keine Vorstellung davon, wann die Suchmannschaft zurückkehren und wie viele der Männer mein Vater mitbringen würde, damit sie bei uns ein warmes Essen bekamen. Also brieten wir Zwiebeln und Rindfleisch an, gaben Gemüse dazu und Tomatensaft, den meine Mutter im August hergestellt hatte, und ließen alles im Topf vor sich hinköcheln.

Meine Mutter inspizierte meine Hände, ob sie auch blitzsauber waren, dann stellte sie eine große Schüssel auf den Küchentisch, zog das feuchte Leinentuch weg, das darübergebreitet war, und ließ mich kurz noch einmal den Teig kneten, der aufgegangen war und jetzt wie ein weicher, weißer Bauch aussah. Alle drei rissen wir kleine Portionen davon ab und formten sie zu Brötchen, die wir auf gefetteten Backblechen in den Ofen schoben.

In kürzester Zeit duftete es in der Küche so köstlich nach der köchelnden Suppe und den sich langsam goldbraun färbenden Brötchen, dass ich sofort wieder Hunger bekam. Ich konnte mir nur entfernt vorstellen, wie Toby sich gefühlt haben musste.

»Jetzt geh und räum dein Zimmer auf, Annabelle«, sagte meine Mutter.

Ruckzuck hatte ich mein Bett gemacht und die herumliegenden Kleider ordentlich weggelegt. Dann kam mir eine Idee, und ich zog den Bezug von meinem Kopfkissen ab. Anschließend breitete ich die Decke wieder darüber und machte mich auf die Jagd.

Aus dem Zimmer meiner Brüder holte ich *Die Schatzinsel*. Meine Großmutter hatte den beiden das Buch gerade erst zum dritten Mal vorgelesen, also würden sie es nicht so bald vermissen. Ich stopfte es in die Kissenhülle.

Aus dem Zimmer meiner Eltern nahm ich eine alte Hose meines Vaters, ein weiches Flanellhemd, das ganz ähnlich aussah wie alle anderen, die er besaß, außerdem dicke Socken und eine Garnitur Unterwäsche. Genau solche hatte meine Mutter Toby auch irgendwann einmal gegeben, das passte also perfekt. Aus dem Nähkorb meiner Mutter lieh ich mir ihre schärfste Schere.

Alles kam in die Kissenhülle, zusammen mit einem Stück Lavaseife und einem sauberen Handtuch aus unserem Bad.

Bei alledem war ich nur Schritte entfernt von meiner Mutter und meiner Großmutter, doch die beiden waren beschäftigt. Ich schlich wie auf Katzenpfoten in den Keller hinunter, schlüpfte durch die Tür nach draußen und versteckte den Bezug hinter einem Busch.

Als ich in die Küche zurückkam, backte meine Mutter gerade Kuchen.

»Ich will auch suchen helfen«, sagte ich.

Sie unterbrach kurz ihre Arbeit. Ihre Hände waren weiß vom Mehl. »Oh, Annabelle, ich finde das keine gute Idee. Aber wenn dein Vater mit den Jungen zurückkommt, kannst du ihn ja fragen. Ich nehme an, die beiden Kleinen wollen lieber zu Hause bleiben, nachdem sie den ganzen Vormittag lang durch den nassen Wald gestapft sind. Vielleicht kannst du ihren Platz einnehmen.«

Eigentlich hatte ich nur einen Grund gesucht, um gleich wieder aus dem Haus zu können, mit einem Glas Suppe und ein paar Brötchen, doch jetzt sah es fast so aus, als hätte ich mich um Kopf und Kragen geredet und müsste den Nachmittag damit verbringen, nach einem Mädchen zu suchen, das allen Leuten nur Probleme gemacht hatte.

»Gut«, sagte ich langsam. »Aber niemand sieht sich hier bei uns um. Ich könnte doch einen kleinen Spaziergang machen, im Wald gleich hinter der Scheune. Ich geh nicht so weit, und etwas zu essen könnte ich mir auch mitnehmen.«

Meine Mutter sah mich forschend an. »Kann es sein, Annabelle, dass du mehr weißt, als du mir sagst?«

Ich zwang mich, ihrem Blick standzuhalten. »Mehr worüber?«

»Über Bettys Verschwinden.« Inzwischen hatte sie sich mir ganz zugewandt. Ihre bemehlten Hände reckte sie in die Luft, als wollte sie einen Chor dirigieren.

Meine Antwort war die Wahrheit, aber sie war gleichzeitig eine Lüge, und wieder war mir klar, dass ich mein Geheimnis nicht mehr lange für mich behalten konnte. »Nein!«, sagte ich. »Ich habe keine Ahnung, wo sie ist. Aber ich würde gerne helfen, sie zu finden.«

Meine Mutter nickte nachdenklich. »Ist gut. Nimm dir, was du möchtest, und zieh los, aber bleib immer auf unserem Hügel, verstanden?«

»Sehr wohl, Ma'am«, sagte ich.

Ich wählte einen Mantel mit tiefen Taschen. In die eine steckte ich ein Einmachglas mit heißer Suppe, um das ich ein Geschirrtuch gewickelt hatte, außerdem einen Löffel. In die andere tat ich ein noch heißes Brötchen, das ich von der Seite etwas aufgeschnitten und mit einem Stückchen Butter gefüllt hatte. Das Loch hatte ich wieder zugedrückt und das Brötchen in Wachspapier gewickelt.

»Du siehst aus, als hättest du Jodhpurs an«, sagte meine Mutter, als ich startklar in der Tür stand.

»Was ist das – Jodhpurs?«, fragte ich.

»Egal. Pass auf dich auf, Annabelle, und geh nicht zu weit. Wenn du die Essensglocke hörst, weißt du, dass dein Vater zurück ist.«

»Sehr wohl, Ma'am«, sagte ich wieder.

»Und nimm den Eierkorb mit und stell ihn zurück in den Stall.«

»Sehr wohl, Ma'am.«

Das war genau ein »Sehr wohl, Ma'am« zu viel.

Meine Mutter beugte sich herunter, um mir direkt ins Gesicht sehen zu können. »Was verheimlichst du vor mir?« Sie klang nicht ärgerlich, aber doch sehr ernst.

Ich erwiderte ihren Blick. »Ich habe Angst«, sagte ich.

Wo das plötzlich herkam, wusste ich selbst nicht. Es war auf einmal da. Und es war die Wahrheit.

Meine Mutter richtete sich auf. »Was macht dir Angst?«

Ich zuckte mit den Schultern. »Betty. Dass Betty verschwunden ist. Dass Toby verschwunden ist. Was Tante Lily glaubt – dass Toby Betty gefangen hält. Dass die Polizei herkommt, wo ich doch noch nie einen Staatspolizisten gesehen habe.«

Und dann fing ich an zu weinen.

Ich weinte, und das überraschte mich selbst mehr als meine Mutter, die sich wieder zu mir herunterbeugte, mich in die Arme nahm und leise beruhigende Laute in mein Ohr flüsterte. »Ist ja gut, Annabelle. Ist ja gut. Alles kommt wieder in Ordnung.«

So ähnlich hatte ich es zu Toby gesagt, auch ohne es vielleicht so ganz zu glauben.

Hoffentlich glaubte wenigstens meine Mutter, was sie sagte.

Doch im Laufe der letzten Wochen hatte ich gelernt, dass Glaube allein nicht immer bewirkt, was wir uns wünschen.

Ich wischte mir über die Augen und setzte meinen Hut auf. »Ich weiß selbst nicht, was das gerade sollte«, sagte ich. »Eigentlich habe ich nicht wirklich Angst. Ich wünschte bloß, sie würden Betty finden, damit alles wieder normal wird.«

Meine Mutter lächelte mich an. »Ich auch. Und nun geh und schau dich um, aber vergiss nicht, was ich dir gesagt habe: Bleib in der Nähe.«

Als sie sich wieder ihrer Arbeit zuwandte, fragte ich: »Was würdest du sagen, wenn ich dich bitten würde, doch mal wieder einen Hickorynusskuchen zu backen?«

Wir hatten ein paar Hickorybäume und genug Nüsse für den eigenen Bedarf geerntet, doch die waren meist für Feiertage reserviert, denn wenn man zusätzlich welche kaufen musste, musste man viel Geld dafür hinlegen.

Meine Mutter griff nach dem Nudelholz. »Ich würde sagen, über kurz oder lang könnte das passieren.«

»Vergiss nicht, die Glocke zu läuten, wenn sie zurück sind.«

Ich ging hinaus und ums Haus herum, holte meine Kissenhülle und schwang sie mir über eine Schulter. Ein bisschen fühlte ich mich wie ein Landstreicher, als ich mich im Schutz der Bäume an der Scheune vorbei zum rückwärtigen Eingang schlich. So konnte ich hinein, ohne vom Haus oder vom Weg her gesehen zu werden.

Von der Weide aus beobachteten mich die Pferde, in der Hoffnung auf einen Apfel aus meiner Tasche, doch als ich sie nicht beachtete, grasten sie weiter.

»Ich bin's wieder«, rief ich, als ich die Leiter zum Heuboden hinaufstieg.

Dieses Mal kam Toby gleich aus seinem Versteck. »So bald hatte ich dich gar nicht zurückerwartet«, sagte er.

»Ich bringe mehr Essen. Wenn alle von der Suche zurückkommen, muss ich gehen, und dann kann es dauern, bis ich wieder herkann.« Ich zog das Suppenglas und das Brötchen aus der Tasche und reichte Toby den Löffel. »Mittagessen«, sagte ich.

Toby dabei zuzusehen, wie er die Suppe und das Brot aß, war ein wenig, als würde man jemandem beim Beten zusehen. Er ließ sich Zeit, tauchte den Löffel langsam in das Einmachglas. Den allerletzten Suppenrest kippte er sich in den Mund. Als er ins Brötchen biss und zu seiner Überraschung auf die weiche Butter stieß, lachte er. Ein einziges knappes Auflachen.

Es schien ihn genauso zu überraschen wie mich. Noch nie hatte ich ihn lachen hören. Nicht einmal richtig lächeln sehen.

Er aß sein Brötchen auf, verschloss das Glas wieder und stellte es weg. »Danke«, sagte er dann.

»Bitte schön.«

Er zeigte auf den Kissenbezug. »Was hast du da?«

Ich öffnete den Bezug und zog das Buch hervor. »Also, das hier ist *Die Schatzinsel.*« Ich hielt ihm den Band hin.

Das Buch war reichlich abgegriffen vom vielen Lesen, und die Ecken waren angestoßen, doch Toby wischte sich gründlich die Hände an seinen Hosenbeinen ab, bevor er es entgegennahm. »Danke«, sagte er wieder.

»Gern geschehen«, antwortete ich. »Da drüben, hinter den Ballen, ist eine große Luke, durch die das Heu auf die Weide hinuntergelassen wird. Sie können einen der Läden aufmachen, dann haben Sie ein bisschen Licht zum Lesen.«

Toby nickte.

»Kann ich Sie was fragen?«

Toby zog beide Augenbrauen hoch. »Das hast du soeben getan.«

Lächelnd schlug ich mir mit der Hand vor die Stirn. »Stimmt.« Auf einmal verließ mich der Mut, und ich zögerte. »Es gefällt mir, wie Sie Ihre Haare tragen und so. Sehr sogar. Sie haben schöne Haare.«

»Danke«, sagte Toby und schien verwirrt. »War das eine Frage?«

»Ich hatte auch so lange Haare, aber ich fand es immer schrecklich, wenn sich Knoten darin bildeten. Meine Mutter riss mir jedes Mal fast den Kopf ab, wenn sie versuchte, sie rauszukämmen.«

Toby wartete.

»Eines Morgens, als ich aus dem Hühnerstall kam und Hühnerfedern in meinen Zöpfen hatte, hat Tante Lily mir die Haare kurz geschnitten. Meine Mutter hat fast einen Anfall gekriegt, aber am Ende hat es ihr sogar besser gefallen. Ich sähe aus wie die Pilotin Amelia Earhart, sagte sie.«

Toby nickte. »Stimmt. Ein bisschen.«

»Deswegen habe ich mich gefragt, ob ich Ihnen vielleicht die Haare schneiden dürfte. Für alle Fälle habe ich schon mal eine Schere mitgebracht. Aber Ihre Haare gefallen mir wirklich gut, Toby. Es sind schöne Haare.« Ich kam mir so blöd vor.

Toby zog eine Strähne nach vorn und sah sich an, wie lang sie war. »Wärmt gut im Winter«, sagte er.

Ich nickte. »Ich kann Ihnen einen Schal stricken, als Ersatz.«

Dafür müsste ich allerdings erst mal stricken lernen, aber das wusste Toby ja nicht.

»Warum?«

»Warum Sie sich die Haare schneiden sollten?«

Er nickte.

»Aus demselben Grund, aus dem Sie sich den Bart kürzen sollten«, antwortete ich. »Damit Sie sich wieder ordentlich fühlen. Ich mag das Gefühl. Und ich mag, dass es sich so leicht anfühlt.« Ich schüttelte den Kopf. »Nichts mehr, was mir in die Augen fällt. Einfach ordentlich.«

Das stimmte auch. Was ich nicht sagte, war, dass er sich zu sehr hinter seinen Haaren und seinem Bart versteckte, dass es so aussah, als spähte er von irgendwo tief innen heraus.

»Und dann«, fügte ich noch hinzu, bevor mich die Courage verließ, »können Sie sich an der Pumpe gründlich waschen und sich anschließend frische Sachen anziehen.« Ich packte Seife, Handtuch und Kleidung aus und legte alles auf einen Heuballen. Ich trat einen Schritt zurück und wartete.

»Bin ich so schmutzig?«, fragte er und streckte beide Hände aus. Es versetzte mir einen Stich, seine vernarbte, knorrige Hand anzusehen.

»Nein, wirklich nicht. Ach, es tut mir leid, Toby«, sagte ich. »Das meinte ich überhaupt nicht. Nur, dass es sich so gut anfühlen würde, so ...«

»... ordentlich«, ergänzte er.

»Genau«, sagte ich. »Ordentlich.«

Ich dachte, wenn ich noch ein einziges Mal »ordentlich« sagte, würde er mich bestimmt packen und vom Heuboden stoßen.

Doch nach einer Weile nickte er und sagte: »Wenn du meinst.«

Wir fingen mit den Haaren an. Zuerst schnitt ich einfach dicke Strähnen ab und legte sie auf einen Haufen, um sie später im Wald zu verbrennen. Als das Schlimmste geschafft war, machte ich mich daran, die Haare in Form zu schneiden. Damit es ... nun ja, ordentlich aussah. Erfahrungen hatte ich keine damit, aber ich hatte oft genug zugesehen, wie meine Mutter den Jungs die Haare geschnitten hatte, und so hatte ich wenigstens eine grobe Vorstellung davon, was ich tun musste. Trotzdem war ich froh, dass ich keinen Spiegel mitgebracht hatte.

Als ich fertig war, sah Toby erstaunlich wenig nach Toby aus.

»Sie könnten Ihr eigener Bruder sein«, sagte ich, womit ich meinte, dass er wie eine andere Version von ihm selbst aussah.

Toby sah mich ernst an. »Ich habe keinen Bruder.«

»Vielleicht eine Schwester?«

Er schüttelte den Kopf.

Ich zögerte, doch dann schluckte ich weitere neugierige Fragen hinunter. »Jetzt den Bart«, sagte ich.

Toby warf den Kopf zurück. »Nicht zu kurz!«, bat er.

Ich nickte. »Keine Sorge.«

Doch bevor ich noch anfangen konnte, hörte ich die Glocke, die mich energisch zum Essen rief.

»Oh-oh«, sagte ich und reichte ihm die Schere. »Mein Vater ist zurück. Um den Bart müssen Sie sich also selber kümmern.«

Toby stand plötzlich auf. »Gibst du mir Bescheid, ob sie sie gefunden haben?«

»Mache ich. Aber seien Sie ab jetzt vorsichtig.« Ich steckte Suppenglas und Löffel wieder in die Manteltasche. »Ich weiß nicht, wer heute noch in die Scheune kommt. Verstecken Sie die anderen Sachen hinter dem Heu, ja? Ich komme wieder, sobald ich kann.«

Als ich dieses Mal von der Tenne einen Blick zurückwarf, schaute Toby über das Geländer.

Hätte ich nicht gewusst, dass es Toby war, der da oben stand, ich hätte ihn nicht erkannt. So anders sah er aus mit den kurzen Haaren.

17

Erwartet hatte ich meinen Großvater, meinen Vater und meine Brüder, dazu vielleicht einige hungrige Nachbarn, die auf eine warme Suppe hofften.

Die kamen auch wirklich, aber das waren noch längst nicht alle.

Im Hof, vor der Tür zum Schmutzraum, wimmelte es von Hunden aller Größen und Fellfarben, überall standen geleerte Futternäpfe und Wasserschüsseln, um die herum sich Pfützen gebildet hatten. Der Schmutzraum selbst, mit Schlammspuren am Boden und Unmengen lehmverkrusteter Stiefel, trug seinen Namen wieder einmal ganz zu Recht.

In der Küche drängten sich nasse, erschöpfte Männer um den Tisch, viele mussten stehen. Bis auf einen waren alle auf Socken und bis zu den Knien eingedreckt.

Der Einzige, der noch seine Stiefel anhatte, war ein Trooper der Staatspolizei. Hier bei uns, in unserer Küche! Ich sah, dass er nicht mit den anderen im Wald gewesen war, denn seine kniehohen Stiefel waren fast ganz sauber. Der ganze Mann schien aus knarrendem Leder zu bestehen: Stiefel, Gürtel, Pistolenhalter, Kinngurt. In kleinen Schlaufen an seinem Gürtel steckte längliche, spitz zulaufende

Munition. Der Griff seiner Pistole war aus Holz und beinahe hübsch, die steife Uniform vom Kragen bis zu den Knien absolut faltenfrei, nur an den Seiten beulte sich die Hose merkwürdig aus.

Aha, dachte ich, das also sind Jodhpurs!

Gerade sprach Constable Oleska. »... und in allen angrenzenden Bezirken, doch niemand hat ihn gesehen. Er muss sich irgendwo im Wald aufhalten, das heißt, am ehesten dürfte ein Jäger oder Farmer ihn entdecken. Die Nachricht ist jedenfalls in der Welt und wird sich verbreiten. Irgendwann wird ihn jemand sehen, und dann können wir ihn befragen. Aber Officer Coleman ist nicht wegen Toby hier, sondern um uns bei der Suche nach Betty zu helfen.«

Ich drückte mich an den Männern vorbei und stellte mich neben meine Großmutter, die die Suppe aus dem großen Topf löffelte, während meine Mutter einen heißen Teller nach dem anderen zu den Männern brachte. Zwischen den Stiefeln des breitbeinig dastehenden Troopers hindurch entdeckte ich meine Brüder, die mit weit aufgerissenen Augen unter dem Tisch kauerten.

Officer Coleman hatte eine tiefe Stimme, passend zu dem eckigen Kinn und den breiten Schultern. »Der Constable hat recht«, sagte er. »Aber wir können nicht erfolgreich nach Betty suchen, solange wir nicht wissen, warum sie verschwunden ist. Sollte dieser Toby sie tatsächlich bei sich haben, dann hat es keinen Sinn, hier in der Gegend nach ihr zu suchen.«

Da war sie wieder, diese schreckliche Andeutung. Am liebsten hätte ich laut geschrien: *Das hat er nicht! Er ist in der Scheune und liest.* Die Schatzinsel *liest er. Da staunen Sie!*

»Bis wir ihn finden, und das werden wir, müssen wir davon ausgehen, dass sie sich verletzt hat und nicht um Hilfe rufen kann. Es kann gut sein, dass man direkt an ihr vorbeigeht und sie vor lauter Schlamm und Laub nicht sieht.«

»Sie hatte ein gelbes Regencape an, als sie gestern Morgen das Haus verließ«, sagte der Constable.

»Das ist ein Glück«, erwiderte der Trooper. »Aber wenn sie in einem Ölhäuschen liegt oder in einen Brunnen gefallen ist, dann kann man sie nicht sehen.«

Auf einmal wurde alles in mir ganz still. Mir war, als hätte mir jemand auf die Schulter geklopft. Als flüsterte etwas in der Tiefe meines Gedächtnisses.

»Es gibt hier bei uns noch diese alten Wolfsgruben«, sagte mein Großvater. »Die meisten sind weitgehend aufgefüllt, aber falls sie zufällig in eine hohle Stelle getreten und in die Tiefe gestürzt ist ...«

»Wir haben die ganze Wolfsschlucht durchkämmt«, sagte Andys Vater.

Wo war eigentlich Andy?, fragte ich mich. Vielleicht lief er immer noch draußen herum und suchte nach Betty.

»Sucht auf jeden Fall weiter«, sagte der Trooper. »Falls er sie mitgenommen hat, werdet ihr sie nicht finden. Aber wenn er ihr etwas angetan hat, dann findet ihr vielleicht ... etwas.« Dabei sah er über seine Schulter hinweg meine Mutter an. Und dann mich. »Irgendetwas könntet ihr finden«, wiederholte er. »Wenn sie noch in der Nähe ist und nur verletzt, dann ist sie womöglich bewusstlos, steckt in so einer Grube fest und kann nicht auf eure Rufe antworten. Ruft trotzdem weiter. Selbst wenn sie zu schwach ist, um zu antworten, hört sie euch vielleicht und schöpft neuen Mut.«

»Aber hätten die Hunde sie dann nicht aufgespürt?« Diese Frage kam von Mr. Anselm. In dieser Gesellschaft fiel sein deutscher Akzent noch stärker auf als sonst.

Der Trooper schüttelte den Kopf. »Eure Hunde nicht. Und unsere Spürhunde kommen erst noch. Wenn wir Glück haben, heute, sonst morgen. Sie sind gerade bei einem Einsatz in Waynesburg.

Aber wir bekommen sicher bald Unterstützung. Wenn es sich herumspricht, dass irgendwo eine Suche läuft, kommen Leute von überallher. So lange machen wir weiter.« Er wandte sich an Andys Vater. »Außerdem möchte ich mit Ihrem Sohn sprechen.«

Mr. Woodberrys Miene wurde finster. »Der hat nichts gemacht.«

»Das sagt auch keiner, aber wie ich höre, war er ein enger Freund des Mädchens. Er war mit ihr zusammen, bevor sie verschwand. Vielleicht weiß er mehr, als ihm selber klar ist.«

Die Männer der Suchmannschaft aßen still ihre Suppe und die Brötchen und ruhten sich aus, während der Trooper weitersprach. »Constable Oleska hat mir von den Problemen berichtet, die es hier gab. Von dem Mädchen, das ein Auge verloren hat« – bei diesen Worten verharrte Mr. Anselms Löffel auf halbem Weg zum Mund in der Luft – »und von Ihrem Sohn, der über einen gespannten Draht gestolpert ist.« Das Letzte war an meinen Vater gerichtet. Sofort tastete James unter dem Tisch nach seiner Narbe.

»Ich habe eine Spule mit Draht in Tobys Hütte gefunden, unter seinem Bett«, fuhr Officer Coleman fort. »Der Draht war blutverschmiert.«

Meine Mutter stand neben mir, und ich spürte sofort die Veränderung an ihr. Ihr ganzer Körper erstarrte. Wieder hätte ich gern laut dazwischengerufen: *Betty hat den Draht weggenommen. Toby hat niemandem etwas getan.*

Doch ich schwieg. Ich brauchte Zeit, um über alles nachzudenken. Und um dem Flüstern in meinem Hinterkopf zu lauschen.

Ich füllte mir einen Becher mit Suppe und aß sie im Stehen, ebenso langsam wie Toby zuvor. Dabei hörte ich den Männern zu, die jetzt darüber sprachen, wo sie gesucht und was sie gesehen hatten. Zum ersten Mal überlegte ich ernsthaft, wo Betty wohl sein mochte.

Bis dahin hatte ich mich ganz darauf konzentriert, gegen die Andeutung anzukämpfen, Toby könnte ihr etwas angetan haben. Stattdessen war ich davon ausgegangen, dass Betty wieder eines ihrer blöden Spiele spielte oder weggelaufen war. Doch nun fragte ich mich wirklich, wo sie sein mochte und wieso niemand sie bisher gefunden hatte.

Als die Männer satt waren, setzten sie die Suche fort, und dieses Mal wäre ich wirklich gern mitgegangen. Doch ich blieb und half beim Abwasch. Dabei kamen meine Gedanken immer so gut zur Ruhe, und ich hoffte, dann das Flüstern in meinem Kopf wieder klarer zu hören.

»Annabelle, der Teller ist längst trocken. Wenn du noch länger darüberreibst, zerfällt er zu Staub«, sagte meine Großmutter.

Ich senkte den Blick und war überrascht, immer noch denselben Teller in meinen Händen zu sehen, den ich schon seit geraumer Zeit abtrocknete.

»Tut mir leid, Großmutter, ich war in Gedanken.«

»Aber bestimmt nicht bei diesem Teller.« Sie wies mit dem Kopf auf das Trockengestell, auf dem dampfend heißes Geschirr auf mich wartete. »Wie wär's, wenn du damit weitermachst?« Das Spülbecken vor ihr war noch voller Teller, die ebenfalls auf das Gestell sollten.

Ich nahm einen Becher, trocknete ihn ab, nahm den nächsten, trocknete ihn ab, und immer so weiter. Es war, als hätten meine Hände einen eigenen Kopf, der ihnen sagte, was zu tun war, während ich pausenlos nachdachte – über den Draht, den Trooper und die ganze vertrackte Geschichte.

Als wir fertig waren mit dem Abwasch, fegte ich den Boden in der Küche. Wo die Männer gestanden hatten, war alles voller Lehmspuren, auch wenn es nicht so schlimm aussah wie in unserem Schmutzraum.

»Tu, was du kannst«, sagte meine Mutter, »aber fang nicht an, die Böden zu scheuern. Heute Abend, wenn sie zurückkommen, sieht's gerade wieder genauso aus.«

Es sah meiner Mutter so wenig ähnlich, Dreck nicht sofort zu beseitigen, dass ich mit einem Mal begriff, wie müde auch sie war. Müde und besorgt.

»Ich bin sicher, sie finden Betty bald«, sagte ich.

Sie seufzte. »Bestimmt. So oder so.«

Da war sie wieder, diese Andeutung, es könnte noch Schlimmeres ans Licht kommen. Etwas, womit alle anderen zu rechnen schienen. Ich selbst zum Glück nicht, obwohl ich langsam dachte, ich sollte mich vielleicht darauf einstellen.

»Kann ich rausgehen, mich noch ein bisschen umsehen?«, fragte ich.

»Meinetwegen«, antwortete meine Mutter. »Ich habe mich ohnehin gewundert, als du vorhin nicht gefragt hast, ob du mit den anderen gehen dürftest.«

Ich stellte den Besen zurück in den Schrank. »Ich bin ein bisschen müde«, sagte ich, und das war die Wahrheit. »Aber ich würde trotzdem gern noch etwas rausgehen.«

Meine Mutter nickte. »Aber wie gesagt: Bleib in der Nähe. Und bring dich nicht in Gefahr.«

»Bestimmt nicht«, sagte ich und hoffte, dass ich die Zusage halten konnte. »Bin bald zurück.«

Als ich auf den Heuboden kam, hatte Toby sich wieder hinter den Heuballen versteckt. »Ich bin's, Annabelle«, rief ich leise, und als er dann hervorkam, verschlug es mir den Atem.

»Ich bin runtergeklettert«, sagte er nervös. »Da alle im Haus waren, beim Essen, hab ich beschlossen, mich an der Zisterne zu waschen, wie du's vorgeschlagen hast.«

Er hatte sich den Bart gestutzt, sich gründlich geschrubbt und auch die Haare gewaschen, die jetzt wie feine Federn um seinen Kopf herum abstanden. Er sah aus wie … wie neu.

In den Sachen meines Vaters hätte er irgendwer sein können, ein ganz gewöhnlicher Mann, ein bisschen mager, ein bisschen zerzaust, aber bis auf die vernarbte Hand völlig unauffällig.

Schon hatte ich seine frühere Erscheinung nicht mehr vor Augen, und ich konnte nicht mehr sagen, ob die Veränderung tatsächlich so groß war, wie sie mir schien.

Doch mir kam ein Gedanke, bei dem mir zunehmend warm wurde, so als ob eine kleine Sonne aufginge: So verändert, wie er aussah, würde niemand darauf kommen, dass er Toby war.

»Lieber Himmel«, sagte ich. »Sie sehen völlig anders aus.«

Er sah an sich herunter. »Ich komme mir vor wie ein Fremder.«

Ich nickte. »So sehen Sie auch aus – wie ein Fremder.«

Er setzte sich auf einen Heuballen und sah mich erwartungsvoll an. »Was?«

»Was *was*?«

»Du scheinst dir Sorgen zu machen.«

»Tue ich auch. Über alles Mögliche. Aber eben ist noch eine neue Sorge hinzugekommen.«

»Nämlich?«, fragte er.

Es war merkwürdig, mich einem Erwachsenen gegenüber so gleichberechtigt zu fühlen, aber so ging es mir, als ich auf dem Heuboden stand und mit diesem Mann sprach, der vielleicht viermal so alt war wie ich.

»Wenn ich eine Idee hätte, die helfen könnte, alles aufzuklären … Ich meine, das, was Betty behauptet hat … Würden Sie mitmachen?«

Toby dachte eine Weile nach. »Kommt drauf an.«

»Worauf?«

»Was für eine Idee das ist.« Er tastete nach seinen kurzen Haaren, so als hätte er einen neuen Hut auf, der nicht richtig passte. »Für meinen Geschmack bewegt sich gerade alles ein bisschen zu schnell.«

Mir gefiel schnell allerdings besser als gar nicht. Und ohne mich hätte sich gar nichts bewegt.

»Also, Sie können gerne hier warten, so lange Sie wollen«, sagte ich. »Vielleicht finden die Männer Betty ja und begreifen, dass Sie nichts Schlimmes getan haben.«

»Oder?«

»Oder Sie unternehmen etwas.«

Er zog die Augenbrauen hoch. »Zum Beispiel?«

Es dauerte einen Moment, bis ich wusste, wie ich anfangen sollte.

»Letztes Jahr bin ich einmal in der Dämmerung den Hügel oberhalb von unserem Haus hochgegangen. Ganz leise, weil ich hoffte, ein Reh mit einem Kitz zu beobachten, das ich schon einmal dort gesehen hatte. Da oben habe ich lange gestanden und die Augen aufgehalten. Aber weit und breit war kein Wild zu sehen. Bis ich auf einmal eine Fliege verscheuchte und damit ein Reh erschreckte, das am Feldrand bei den Bäumen stand. Gut versteckt, aber im Grunde für jeden sichtbar.«

Toby sah mich fragend an. »Eine sehr schöne Geschichte.«

»Freut mich, dass sie Ihnen gefällt.« Ich wartete, bis es klick machte.

Toby wartete auch.

»Das Reh sind Sie«, erklärte ich schließlich.

»Das *was?*«

»Das Reh. Sie sind derjenige, der sich vor aller Augen versteckt.« Ich begriff, dass er nicht wissen konnte, wie komplett er sich verändert hatte; er hatte sich ja nicht im Spiegel gesehen. »Niemand wird wissen, wer Sie sind, so wie Sie jetzt aussehen.«

Er verzog das Gesicht. »Selbst wenn das stimmt – wie sollte mir das helfen, die Dinge in Ordnung zu bringen?«

Ich erklärte es ihm.

Ich brauchte meine ganze Überredungskunst, doch als Toby mir erst einmal glaubte, dass niemand ihn erkennen würde, sah er selbst die Chancen.

Wir beschlossen, dass er in der Scheune bleiben würde, bis es dunkel war, vielleicht auch bis zum Morgen. Dann würde er sich der Suche anschließen. Sollte ihn jemand fragen, würde er sagen, er sei aus Hopewell gekommen. Er habe von dem vermissten Mädchen gehört und sei nun da, um seine Hilfe bei der Suche anzubieten. Und so weiter.

»Langsam fühlt es sich wie ein Spiel an«, sagte er. »Das gefällt mir nicht.«

»Mir auch nicht. Das Ganze ist ein einziges dummes Missverständnis. Aber es ist nun mal so, Toby: Sie sind das Reh, und all die anderen Männer sind die Jäger. Sie können sich nicht für immer hier verstecken, und ich kann mein Geheimnis nicht viel länger für mich behalten. Es fühlt sich an wie ein Stein in meinem Bauch.«

Toby nickte. »Das Gefühl kenne ich.« Er strich sich mit der Hand übers Gesicht und schien verblüfft, dass sein Bart so kurz war.

Die Hand mit den Narben war auf einmal so nah, so nah und so schrecklich, und ich konnte nicht anders, als daraufzustarren.

Toby sah meinen Blick, senkte die Hand langsam und hielt sie mir hin. »Es macht mir nichts aus«, sagte er.

Bestimmt hatte er nicht gemeint, ich solle seine Hand berühren, doch nachdem ich die vernarbte Haut lange angesehen hatte – wie die Blätter eines Kohlkopfes im Oktober sah sie aus, voller Knoten und dicker Sehnen –, nahm ich seine Hand in meine, drehte und wendete sie. Wie klein und weich meine im Vergleich dazu war!

Als er versuchte, seine Hand wegzuziehen, hielt ich sie ganz fest.

Nach einer Weile sah ich auf und merkte, dass Toby weinte.

Und dann weinte auch ich.

Was ich an jenem Nachmittag von Toby erfuhr, habe ich nie einer Menschenseele erzählt.

Vielleicht war es so lange her, seit ihn zuletzt jemand berührt hatte, dass diese wenigen Momente, in denen seine Hand in meiner lag, ausreichten, um das, was so lange in ihm versteinert gewesen war, aufzubrechen.

Was ich durch diese Bruchstelle sah, war so traurig, dass ich mich seitdem immer frage, wie er das überlebt hatte.

Er sprach über seine Erlebnisse im Krieg.

»Nicht in diesem«, sagte er. »In dem anderen. Dem, der eigentlich für immer der letzte sein sollte.«

Vieles von dem, was er mir erzählte, verstand ich nicht. Die meiste Zeit sprach er auch gar nicht zu mir. Jedenfalls nicht direkt. Er redete einfach. Manchmal hinter vorgehaltener Hand. Auf und ab gehend. Eine Geschichte erzählte er. Über »das Schlimme«, das er getan hatte.

Er sprach von dem Geräusch, das eine Gewehrkugel macht, wenn sie einen Schädel durchschlägt.

Von dem Geschmack von Erde, die mit Blut getränkt ist. Ihrem

Geruch. Davon, wie es sich anfühlt, in einem schlammigen Schützengraben zu hocken und sich zu fragen, ob sich oben wohl gerade Senfgas ausbreitet und mit jedem Moment näher kommt.

Von den blökenden Lauten, die ein Mensch ausstößt, den es in Stücke zerreißt. Von Schreien, die sich wie das schrille Pfeifen eines Zuges anhören.

Er sprach davon, wie es war, auf einer Weide Gras zu essen wie ein Pferd, in einem Baum zu schlafen, mit dem Gewehrgurt festgebunden, und für immer dort bleiben zu wollen, verhungern zu wollen, der Brustkorb eine Heimat für nistende Vögel, bis die Knochen irgendwann einer nach dem anderen, dem Gesetz der Schwerkraft folgend, abfallen wie tote Äste.

Er sprach von den gegnerischen Soldaten, die er erschossen hatte. »So viele«, sagte er. »So viele.«

Und dann sprach er von dem neugeborenen Baby, das noch mit der Nabelschnur an seiner Mutter hing, die … Was er dann sagte, ergab für mich keinen Sinn mehr. Falls überhaupt irgendetwas von dem, was er gesprochen hatte, einen Sinn ergeben hatte.

Ein- oder zweimal versuchte ich ihn zu unterbrechen, wollte ihm sagen, er sei nicht der schreckliche Mensch, als der er sich ausgab, ihm versprechen, dass Gott ihn verstehen würde. Doch es war, als wäre ich eine der Felsentauben unter dem Dach und gurrte in einer Sprache, die er nicht verstehen konnte.

Also saß ich ganz still da und wartete, versuchte, nicht alles zu hören, und hoffte, obwohl ich erst elf war, fast zwölf, dass ich selbst niemals Söhne bekommen würde.

18

Irgendwann war Toby erschöpft vom Reden, legte sich ins Heu und schlief sofort ein. Seine tränennassen Wimpern sahen wie die eines Kindes aus, auf eine Weise, wie ich das bei einem erwachsenen Mann nie für möglich gehalten hätte.

Er schlief völlig lautlos. Reglos. Er merkte auch nichts, als ich ihn mit seinem Mantel zudeckte und verließ.

Langsam kletterte ich vom Heuboden hinunter, fiel einmal fast, kam aber heil unten an und ging durchs offene Tor hinaus.

Es war merkwürdig, doch alle Farben waren verändert. Nur leicht. Einfach schärfer als sonst. Leuchtender.

Als ich am Hühnerhaus vorbeikam, gackerte ein Huhn mich durch das kleine Drahtgitterfenster an. Am liebsten hätte ich den kleinen gelben Schnabel geküsst.

Wäre doch bloß einer unserer Hunde aus dem Holzschuppen gesprungen, um mir Geleitschutz zu gewähren – ich hätte mich sofort ins Laub gelegt und ihn als Kopfkissen benutzt. Wäre so liegen geblieben, und das Hundefell wäre für eine Weile meine ganze Welt gewesen.

Doch statt eines Hundes sah ich nur ein fremdes Auto in unserer

Einfahrt. Den Wagen des Troopers. Ich holte tief Luft, riss mich zusammen und suchte mir eine Arbeit. Darin war ich immer gut.

Ins Haus zu kommen half schon mal. Wenigstens da hatte sich nichts verändert.

»Wo ist Officer Coleman?«, fragte ich meine Mutter noch vom Schmutzraum aus.

Meine Großmutter und sie machten Kohlsalat, so viel, dass es für einen ganzen Hunnensturm gereicht hätte, wie mein Großvater gern sagte – einer der vielen Ausdrücke, die ich nicht verstand.

»Der ist nicht hier, nur sein Auto«, sagte meine Großmutter. »Dein Großvater fand es einfacher, ihn in unserem Truck zu den Woodberrys zu fahren, als ihm den Weg zu beschreiben.«

Ich stand in der Tür zur Küche und schaute den beiden bei der Arbeit zu. »Das heißt, er kommt wieder her?«

»Bald sogar, vermute ich. Sie sind schon eine ganze Weile fort«, antwortete meine Großmutter.

»Annabelle, wasch dich und fang an, die Kartoffeln zu schälen«, mahnte meine Mutter. »Dein Vater bringt sicher ein paar Männer von der Suchmannschaft mit, die brauchen was zu essen.«

Als ich nicht reagierte und mich auch nicht von der Stelle rührte, drehte sie sich zu mir um. »Annabelle?« Sie wischte sich die Hände an der Schürze ab, kam zu mir und fühlte mir die Stirn. »Ist alles in Ordnung? Hast du Fieber? Du bist ja ganz blass!«

Ich nickte. »Mir geht's gut.«

Sie sah nicht überzeugt aus. »Na, dann wasch dir die Hände und hilf mit.«

Eigentlich hatte ich mir vorgenommen, meine Brüder im Blick zu behalten, damit sie bloß nicht zur Scheune gingen, am besten nicht einmal in deren Nähe, aber sie waren so müde von der Suche am Morgen, dass sie nur noch im Wohnzimmer auf dem Boden liegen wollten, wo sie, umgeben von ihren Bausteinen, im Radio Supermans Abenteuern lauschten.

Als ich sie so sah, fühlte ich mich auf einmal ganz alt.

Doch dann kamen Officer Coleman und mein Großvater zurück, und sofort war ich wieder das besorgte Mädchen.

Sobald sie die Stimme des Troopers hörten, schlichen sich meine Brüder in die Küche und verkrochen sich wie schon mittags unter den Tisch.

Ich strengte mich sehr an, um mitzubekommen, was der Officer von Andy erfahren hatte, aber es war schwierig. Der Klang von Tobys Stimme, der Anblick seiner schlafenden Gestalt im Heu dämpften alles andere, und ich fühlte mich, als steckte ich in einem Einmachglas unter einem Deckel mit viel zu wenigen Luftlöchern.

Bei frischem Kaffee und einem Stück Kuchen erzählte uns Officer Coleman den Rest der Geschichte, und ich begriff, wieso Andy bisher einen Teil davon zurückgehalten hatte.

»Er hat wiederholt, was er auch schon dem Constable gesagt hatte: dass Betty und er geplant hatten, die Schule zu schwänzen und sich im Wald zu treffen. Aber das war nicht alles. Als ich nachbohrte, gestand er, dass sie vorgehabt hatten, nach Cobb Hollow zu laufen. Für den Fall, dass Toby in seiner Hütte gewesen wäre, hatten sie andere Pläne. Falls nicht, wollten sie sich ein bisschen umschauen.«

»Du liebe Güte«, warf meine Mutter ein. »Warum in aller Welt sollten sie das wollen?«

»Das fragt man sich wirklich«, sagte der Trooper kopfschüttelnd. »Es hat auch gedauert, bis Andy damit rausrückte. Aber sein Vater ist ein harter Mann, und er hat seinen Sohn, sagen wir mal, aufgefordert, mit uns zusammenzuarbeiten. Also hat Andy uns erzählt, dass sie es an dem Tag auf Toby abgesehen hatten. Vielleicht sogar seine Hütte in Brand setzen wollten, um ihn zu vertreiben.«

»So ist sie, hab ich's euch nicht gesagt?«, platzte ich heraus, doch meine Mutter brachte mich zum Schweigen.

»Sei still, Annabelle, oder fang mit den Kartoffeln an.«

Der Trooper lächelte mir kurz zu. »Ich weiß nicht recht, welchen Reim ich mir auf das alles machen soll. Constable Oleska hat versucht, mir alle notwendigen Informationen zu geben, aber mir scheint das hier ein einziger Zirkus zu sein. Erst einmal gilt es, das Mädchen zu finden.«

»Sonst hatte Andy nichts zu sagen, was Ihnen weiterhelfen könnte?«, fragte meine Großmutter.

»Wenig.« Officer Coleman schob seinen Teller weg und leerte seinen Kaffee. »An dem Tag, als Betty verschwand, regnete es so heftig, dass Andy glaubte, sie könne unmöglich woanders sein als in der Schule oder zu Hause. Ich habe ihn gefragt, aber er hat gesagt, er könne sich nicht vorstellen, dass sie allein zur Räucherhütte gegangen wäre. Aber es sei ihre Idee gewesen, Toby durch irgendwelche Schikanen zu vertreiben. Sie sei fest entschlossen gewesen. Und jetzt ist sie verschwunden. Und Toby genauso. Deshalb denke ich, ich sollte langsam intensiver nach ihm suchen, während ihr hier weiter nach Betty sucht.«

Er erhob sich, setzte seinen Hut wieder auf. »Danke für Ihre Gastfreundschaft, Ma'am«, sagte er zu meiner Mutter. »Und für Ihre Hilfe«, sagte er zu meinem Großvater. »Auch für deine«, er sah mich an, »und für eure«, er bückte sich, um unter den Tisch zu spähen, wo Henry und James noch immer hockten. »Ich bin sicher, von jetzt an kommt der Constable allein mit der Suche nach Betty zurecht.« Nach diesen Worten ging er. Einfach so.

Ich war natürlich erleichtert, dass er anderswo nach Toby suchen wollte. Und ich war überzeugt, dass Constable Oleska schon das Richtige tun würde. Doch er wusste ja nicht alles, was ich wusste.

Er wusste nicht, dass Betty den Stein geworfen hatte, egal, was Betty selbst behauptete oder das Foto zu beweisen schien.

Er wusste nicht, dass Toby sie nicht entführt hatte.

Er wusste nicht, dass der blutige Draht, den sie in der Hütte gefunden hatten, nichts bewies. Dass Betty ihn dort hingelegt hatte. Da war ich mir ganz sicher.

Das aber bedeutete, dass sie an dem Tag, als sie verschwunden war, tatsächlich in Tobys Hütte gewesen war. Während Toby am Fluss angeln war und es in Strömen regnete.

In dem Moment wurde das Flüstern in meinem Kopf lauter, und auf einmal dachte ich, ich wüsste, wo Betty war.

»Die Kartoffeln, Annabelle«, ermahnte mich meine Mutter. »Dein Vater kann jederzeit zurück sein, und sicher nicht allein.«

»Sehr wohl, Ma'am«, sagte ich.

Das Spülbecken war voll mit großen Kartoffeln, die sich viel leichter schälen lassen als kleine, und so ließ ich meine Hände die Arbeit machen, während das Flüstern immer deutlicher wurde.

Ich versuchte, Löcher in meine Theorie zu bohren, doch sie hatte eine ziemlich feste Haut. Auf jede Frage, die ich mir selbst stellte, gab es eine Antwort. Auf jeden Zweifel folgte eine Beteuerung. Sie musste da sein. Es ergab einfach Sinn.

Ich war versucht, auf der Stelle jemandem davon zu erzählen. Die Sache ohne weitere Verzögerung oder Verwirrung in Ordnung zu bringen.

Nur: Betty zu finden würde Toby nicht vom Verdacht freisprechen.

Betty hatte in der Vergangenheit gelogen, und sie würde es wieder tun, würde Dinge sagen, die niemand widerlegen konnte. Wie sollte Toby beweisen, dass er weder Ruth noch James noch Betty etwas getan hatte? Wie sollte er erklären, warum er sich versteckt hielt, wenn er sich nichts hatte zuschulden kommen lassen?

Ich hätte ihn in seiner Hütte lassen sollen. Hätte die Finger von der ganzen Sache lassen sollen. Was, wenn er gezwungen wäre weiterzuziehen, ausgerechnet jetzt, wo der Winter vor der Tür stand?

»Annabelle, wenn du mit den Kartoffeln fertig bist, hol mir bitte ein Glas Pfirsiche aus dem Keller.«

»Sehr wohl, Ma'am.«

Zuerst die Hausarbeit. Dann würde ich hören, was mein Vater zu berichten hatte. Und dann, vielleicht, würde ich den anderen sagen, was ich dachte.

Als mein Vater eine Stunde später zur Tür hereinkam, sah er mehr als müde aus. »Es ist mir ein Rätsel, wo dieses Mädchen steckt«, sagte er, während er seine Stiefel auszog. »Aber wenn sie irgendwo in der Nähe ist, dann außer Sicht- und Hörweite.«

Gleich darauf traten vier weitere, ähnlich müde Männer ein; zwei von ihnen kannte ich nicht. Die beiden anderen waren Mr. Earl und Mr. Jim. Ihre Nachnamen hatte ich vergessen, doch ich wusste, dass der eine Mechaniker war und der andere Lebensmittelhändler. Mein Vater stellte uns die Fremden vor: Theodore Lester aus Aliquippa und Carl Anderson aus dem entfernten New Castle.

Nach der Begrüßung schenkte meine Mutter allen Kaffee ein, während ich den Tisch deckte.

»Ich weiß wirklich nicht, was wir noch tun können, Sarah«, sagte mein Vater. »Die Glengarrys sind völlig verzweifelt. Bettys Mutter ist gekommen und macht ihnen – gelinde gesagt – schwere Vorwürfe.«

»Aber das ist doch nicht gerecht!«, sagte meine Großmutter.

»Was ist an dieser Geschichte schon gerecht?«, fragte mein Vater.

Langsam wurde es Abend. Bald würde Tante Lily nach Hause kommen, und falls ich noch einen weiteren Grund brauchte, um in die Scheune zu gehen, so bekam ich ihn gleich darauf geliefert.

»Der Constable dürfte inzwischen zurück sein, mit mehreren Spürhunden aus Waynesburg«, sagte mein Vater, als er sich mit den anderen zu Tisch setzte, auf dem schon Rinderbraten, Röstkartoffeln und Möhren bereitstanden, ein kräftiges, sättigendes Essen. Das Richtige für Toby. Ich nahm mir fest vor, ihm etwas zu bringen, sobald ich wegkonnte. »Die Hunde haben einen kleinen Jungen gefunden, der seit zwei Tagen als vermisst galt. Er steckte in einer Tierfalle in einem alten Kohlenschacht fest. Aber ab jetzt sind die Spürhunde bei uns im Einsatz, und ich bin sicher, dass wir bald Erfolg haben.«

Ich hätte mich freuen sollen. Wenn Betty war, wo ich sie vermutete, dann würden die Hunde sie finden, und das war ja wichtig. Natürlich musste das das Allerwichtigste sein. Wenn es so war – und so war es, so *musste* es sein –, dann wäre das Schlimmste erst einmal überstanden, so oder so.

Oder ich stand jetzt gleich auf und sagte: *Ich glaube, ich weiß, wo Betty ist.*

Um ein Haar hätte ich es getan. Die Worte reckten sich schon vor und hätten fast den Sprung ins Freie geschafft, doch es schien mir wichtig, erst mit Toby zu reden. Das war ja wohl das Mindeste, dass er sich dazu äußern durfte.

Der Himmel hatte sich noch nicht vollständig verdunkelt. Bald würden die Männer sich mit ihren Hunden auf die Suche machen.

Ich ging unauffällig in den Vorraum, zog Mantel und Stiefel an und kramte herum, bis ich einen alten Jagdmantel aus kariertem

Wollstoff fand, den mein Großvater schon länger nicht mehr getragen hatte. Schnell ein Paar Handschuhe in die eine Manteltasche, dann huschte ich hinaus. Ich hörte gerade noch die Stimme meiner Mutter, die nach mir rief, aber ich lief so rasch ich konnte aus dem Haus, außen herum und am Waldrand entlang zur Scheune.

Als ich die Scheune durch den Hintereingang betrat, warteten die Tiere schon im Mittelgang.

»Brave Mädels!«, lobte ich die Kühe. Ich machte ihnen das breite Tor zum großen Stall auf, zog frisches Heu aus dem Netz und tat es ihnen in die Krippen. Die Pferde warteten derweil geduldig. Dinah hatte ihren mächtigen Kopf auf Bills Rücken gelegt. »Komm rein, müdes Mädchen, und leg dich!« Ich gab ihr etwas Hafer, dann schob ich Bill in seine Box und gab auch ihm sein Futter. Nachdem ich kontrolliert hatte, ob die Wassereimer gefüllt waren, überließ ich die Tiere sich selbst.

Toby war wach, als ich auf den Heuboden kam. Den Kopf in den Händen, saß er im Schatten.

Ich wartete, bis er aufblickte, und erschrak über die Traurigkeit in seinem bleichen Gesicht.

»Ich weiß nicht, warum ich das getan habe«, sagte er. »Das wollte ich nicht, Annabelle.«

»Was meinen Sie denn?«, fragte ich.

»Was ich vorhin alles gesagt habe – das hättest du niemals hören dürfen.«

Ich stemmte die Hände in die Seiten. »Weil ich ein Mädchen bin?«

»Ja, Annabelle, auch deswegen«, sagte er schulterzuckend. »Aber ich würde mich genauso schlecht fühlen, wenn Henry das gehört hätte oder, schlimmer noch, James. Wenn es eine Möglichkeit gäbe, alle diese Erinnerungen aus meinem Kopf zu entfernen, ich würde sie sofort ergreifen. Ohne eine Sekunde zu zögern. Aber das geht nicht. Und wenn ich all diese Erinnerungen bei dir ablade, ändert das gar nichts.«

»Meine Mutter sagt immer, ich sei hart im Nehmen.« Ich versuchte ein kleines Lächeln. »Außerdem weiß ich lieber zu viel als zu wenig.«

Was ich ihm nicht sagte: Ich hatte all seine schrecklichen Geschichten in Schachteln gepackt und ganz hinten in meinem Kopf verstaut. Eine leisere Version war zwar noch aus dieser dunklen Ecke zu hören, durch all das hindurch, was meinen Kopf sonst noch beschäftigte, aber ich wusste, ich würde diese Schachteln nicht mehr öffnen, bis ich bereit wäre, Tobys Geschichten noch einmal anzuhören, so wie sie es verdienten. Doch bis dahin würde sicher viel Zeit vergehen.

Ich hielt Toby den alten Mantel meines Großvaters hin. »Ziehen Sie den an«, sagte ich.

Er nahm ihn. »Warum?«

»Weil ich eine Idee habe, und wenn Sie sie nicht für allzu blöd halten, probieren wir sie gleich aus.«

Ich berichtete Toby, was Andy gesagt hatte über Bettys Pläne, in der Räucherhütte irgendetwas Schlimmes anzustellen, sie möglicherweise sogar niederzubrennen, damit er gar kein Zuhause mehr hätte.

Toby rieb sich mit der gesunden Hand über die andere. »Wieso hasst sie mich so sehr?«

»Ich glaube nicht mal, dass sie das tut, Toby, aber Sie sind der perfekte Sündenbock. Betty schmeißt einen Stein und behauptet, Sie wären es gewesen. Betty spannt einen Stolperdraht und behauptet dasselbe.« Ich erzählte ihm von dem blutverschmierten Draht, den der Trooper unter Tobys Bett gefunden hatte.

»Für mich hört sich das schon nach Hass an«, sagte Toby.

»Ich weiß«, sagte ich. »Ich dachte das auch erst, aber inzwischen glaube ich es nicht mehr. Ich glaube, sie macht einfach irgendwelche Dinge, die ihr gerade in den Kopf kommen.«

Dann erklärte ich ihm, wo Betty meiner Meinung nach sein könnte und was wir unternehmen sollten.

»Vielleicht war ich bisher nicht besonders umsichtig«, sagte ich. »Ich bin herumgehüpft wie ein blinder Frosch. Aber ich glaube, Sie sollten derjenige sein, der sie rettet.«

Er stellte mir mehrere Fragen, dachte eine Weile stumm nach, stellte weitere Fragen.

»Deine Idee ist nicht dumm«, sagte er schließlich. »Aber das Mädchen zu finden ist nicht die Lösung aller Probleme. Sie wird weiter Lügen erzählen.«

»Das stimmt«, sagte ich. »Es kann sein, dass alle Leute Ihnen die Schuld geben, nur weil Betty etwas behauptet. Kann sein, dass man Sie festnimmt. Vielleicht müssen Sie auch weiterziehen, weg von hier, und irgendwo anders neu anfangen. Aber selbst wenn der Verdacht trotzdem an Ihnen hängen bleibt, obwohl Sie sie gerettet haben, bleibt es trotzdem eine gute Tat, Toby.«

Er nickte.

Im karierten Jagdmantel meines Großvaters kam mir Toby noch fremder vor. Sein schwarzer Wachstuchmantel lag über einem Heuballen und sah wie eine Riesenfledermaus aus. Sein alter Hut, randvoll mit den Haaren, die ich ihm abgeschnitten hatte, taugte nur noch fürs Feuer. Ohne seinen Mantel und den Hut würde man nur das sehen, was er an diesem Abend tun würde.

Doch dann griff er nach seinen Gewehren.

»Was machen Sie da?«, sagte ich. »Damit können Sie unmöglich herumlaufen, so machen Sie alles kaputt. Schon *ein* Gewehr auf dem Rücken würde ziemlich merkwürdig aussehen, aber drei davon, und Sie sind sofort wieder Toby.«

Er ballte seine Hände so fest zusammen, dass die Narben weiß wie Milch wurden.

»Haben Sie Angst vor Bären?«, fragte ich. Das hätte ich immerhin verstanden.

»Nein«, sagte er.

»Aber wieso schleppen Sie dann überall diese Gewehre mit sich herum? Sind die nicht furchtbar schwer auf die Dauer?«

Er löste die Fäuste und rieb seine Hände aneinander, als wäre ihm kalt. »Allerdings«, sagte er.

»Warum tragen Sie sie dann immer bei sich?«

»Nur so.«

»Gerade hören Sie sich an wie James.«

Der Vergleich schien ihn nicht zu stören. Aber eine bessere Erklärung provozierte er auch nicht.

Ich wusste, die Erklärung steckte in einer von Tobys schrecklichen Geschichten, die in ihren Schachteln warteten. Eines Tages würde ich genauer hinhören. Aber fürs Erste stieg ich nur die Leiter hinunter.

Toby kam mir nach, ohne vor der oberen Stufe auch nur kurz zu stocken. Die Gewehre hatte er nicht auf dem Rücken.

19

Als ich zurückkam, verließen die Männer soeben das Haus.

»Annabelle, wo warst du denn?«, fragte mein Vater. »Deine Mutter braucht dich in der Küche.«

»Ich hab die Tiere in den Stall gebracht.«

Mein Großvater ließ schon den Motor unseres Trucks an, während die anderen hinten auf die Ladefläche stiegen, zusammen mit einigen Hunden.

»Na gut«, sagte mein Vater und wandte sich ab. »Aber jetzt geh schnell und hilf deiner Mutter.«

»Warte kurz, Papa«, sagte ich und lief ein Stück neben ihm her. »Kleinen Moment noch.«

»Annabelle, wir müssen los«, sagte er und öffnete die Beifahrertür. »Es wird gleich dunkel, und die Spürhunde sind bereit. Sie warten schon an der Kirche auf uns.«

»Papa, ich glaube, ich weiß, wo Betty ist.«

Meine Worte erwischten ihn kalt, und er ließ die Autotür wieder zufallen.

»Du weißt, wo sie ist?« Er klang misstrauisch, und so war auch sein Blick. Ich konnte es ihm nicht verdenken. »Auf einmal?«

»Ich war an der Zisterne, um den Pferden Wasser in ihre Eimer zu füllen, und dabei habe ich mich an etwas erinnert.« Verglichen mit allem anderen schien mir das eine kleine Lüge. »Andy hat dem Trooper erzählt, dass Betty zu Tobys Hütte wollte, um da irgendetwas anzustellen. Also habe ich überlegt, ob sie nicht vielleicht doch hingegangen ist, alleine, als Andy nicht zum Schildkrötenstein kam.«

Mein Vater schüttelte ungeduldig den Kopf. »Annabelle, Constable Oleska ist dort gewesen, um nach Toby zu suchen. Betty war nicht da. Dann ist der Trooper selbst da gewesen und hat sich gründlich umgeschaut. Sie war nicht da, Annabelle. Sie ist nicht da.«

»Aber die Männer haben nach Toby gesucht, nicht nach Betty. Da wussten sie noch nicht, dass sie vielleicht hingegangen ist, um etwas anzustellen.«

Wieder öffnete mein Vater die Autotür. »Ich weiß nicht, worauf du hinauswillst, Annabelle. Diese Hütte besteht aus einem einzigen Raum. Es gibt keinen Keller und keinen Dachboden. Keinen Wandschrank. Nichts wies darauf hin, dass sie da gewesen war.«

»Außer dem Draht.«

»Annabelle –«

»Sie konnte vom Glockenturm aus nichts sehen, Papa, weil sie nicht oben war. Toby hat nichts Böses getan.«

Mein Vater stieg ein. »Annabelle, wir müssen los.«

»Papa, sie ist im Brunnen«, sagte ich.

Er schüttelte den Kopf. »Toby hat keinen Brunnen.« Schon wollte er die Tür schließen.

»Doch«, sagte ich und packte ihn am Arm. »Hinten im Wald, beim alten Haus von Silas Cobb.«

»Annabelle!«, rief meine Mutter von der Haustür her.

»Der Brunnen ist nur noch ein Loch im Boden«, sagte ich.

»Man könnte daran vorbeigehen, ohne ihn überhaupt zu bemerken.«

Mein Vater zögerte. »Ich bin sicher, irgendwer hat dort schon jeden Zentimeter abgesucht.«

»Betty hat so getan, als hätte sie Angst vor Toby«, erinnerte ich meinen Vater. »Deshalb dachte auch niemand, sie könnte irgendwo in der Nähe seiner Hütte sein. Der Einzige, der wusste, dass sie an dem Tag dahinwollte, war Andy.«

Wovon ich ihm nichts sagen konnte, das waren die seltsamen Geräusche, die ich dort im Dunkeln vernommen hatte und die sich angehört hatten wie Rufe eines verängstigten Tieres.

»Annabelle!«, rief meine Mutter wieder.

»Ich fahre mit Papa«, rief ich zurück.

»Geh ins Haus«, sagte er. »Wir schauen uns den Brunnen an.«

»Bitte lass mich mitkommen«, bettelte ich. »Ich bin euch auch nicht im Weg, ehrlich.«

Er sah mich kurz an, dann winkte er meiner Mutter zu zum Zeichen, dass er einverstanden war.

Ich kletterte in den Truck und setzte mich zwischen meinen Vater und meinen Großvater, der zum Glück ein langsamer und besonnener Fahrer war.

Bis wir an der Kirche ankämen, würde Toby schon in der Nähe von Cobb Hollow sein.

Bis mein Vater den Hundeführern erklärt hätte, dass sie die Hunde noch nicht von der Leine lassen sollten, wäre Toby schon auf dem Hang, der hinab zu seiner Hütte führte.

Bis mein Vater dem Constable erklärt hätte, warum alle uns nach Cobb Hollow folgen sollten, würde Toby schon im Wald auf uns warten, in der zunehmenden Dunkelheit.

Und bis wir den Brunnen gefunden hätten, wäre Toby so weit,

sich uns anzuschließen als ein hilfsbereiter Fremder, der sich wie ein Chamäleon an die Gruppe anpasste.

Als wir auf Cobb Hollow zufuhren, erinnerte ich mich noch einmal an das Geräusch, das ich gehört hatte. Ein Stachelschwein, hatte ich gedacht.

Ich stellte mir vor, dass Betty vielleicht seit zwei Tagen tief unten in diesem kalten Brunnen feststeckte, während Regen auf sie fiel. Vielleicht wäre das ja schon Strafe genug für alles, was sie angerichtet hatte. Doch ich wusste, Ruth würde das womöglich anders sehen.

Mein Großvater bog in die Cobb Lane ein und parkte gleich bei Tobys Hütte. Hinter uns hielt ein zweiter Truck, an dessen Steuer der Constable saß. Er brachte fünf weitere Männer mit.

Wir alle stiegen aus und sammelten uns auf der Lichtung.

»Dort drüben im Wald gibt es einen Brunnen«, rief mein Vater den Männern zu. »Ein Stück den Weg zurück und dann links halten. Passt aber auf, wo ihr hintretet!«

Er packte mich am Ärmel. »Du bleibst schön bei mir, Annabelle, verstanden?«

Ich wäre ihm ohnehin nicht von der Seite gewichen. Falls ich mich täuschte, falls Betty nicht in dem Brunnen war, dann wusste ich nicht, was ich tun sollte. Außerdem wartete Toby hier irgendwo und beobachtete, wie es weiterging. Schon seinetwegen musste ich in der Nähe sein. Ich musste ihm helfen, falls es notwendig würde. Und ich wollte meinen Vater bei mir haben.

Die Männer verteilten sich zwischen den Bäumen. Inzwischen war es so dunkel, dass einer nach dem anderen seine Taschenlampe anknipste. Die auf und ab und nach rechts und links leuchtenden Lichter wiesen uns den Weg.

Die niedergebrannten Grundmauern des Hauses von Silas Cobb waren leicht zu finden, doch den Brunnen zu orten war schwieriger, denn er war seit Langem nichts weiter als ein dunkler Fleck am Boden. Die flachen Steine der Einfassung waren schon lange von Moos und modrigem Laub überdeckt.

Eigentlich hätte auch das Loch selbst mit Laub bedeckt sein müssen. Ich war mir sogar sicher, auch ohne einen Blick hineinzuwerfen, dass es bis vor Kurzem noch so gewesen war. Doch Betty musste ahnungslos daraufgetreten sein, und ihr Körper hatte im Fallen das Loch freigemacht. Nur deshalb konnten wir den Brunnen jetzt erkennen.

Ich trat zurück, während die Männer sich ringsherum aufstellten. Wie schrecklich! Was für eine schreckliche Vorstellung, dass Betty dort unten sein könnte. Dass irgendwer dort sein könnte.

Bis dahin hatte ich nicht ernsthaft darüber nachgedacht. Sonst hätte ich es laut herausgeschrien und wäre gleich losgerannt, um sie zu suchen.

Der Constable trat an den Brunnenrand und leuchtete mit der Taschenlampe in die Tiefe. »Ich kann nichts sehen«, sagte er. »John.«

Mein Vater trat neben ihn, ebenso zwei andere Männer, und alle vier richteten ihre Lampen in das Loch.

»Mein Gott, da unten ist sie«, sagte der Constable. »Betty!«

Im nächsten Moment stolperten die Männer Hals über Kopf los, um Laternen und Seile und Schaufeln von den Trucks zu holen.

Ich lehnte mich, ein Stück abseits, mit dem Rücken an einen Baum. Von da aus beobachtete ich, wie Toby aus dem Wald kam und sich wortlos unter die anderen mischte. Niemand beachtete ihn weiter; was zählte, war nur, dass es zwei zusätzliche Hände gab, die helfen wollten, Betty aus dem Brunnen zu ziehen.

Toby hatte die Handschuhe meines Großvaters an.

Er sah aus wie ein Farmer. Wie mein Vater. So wie auch Henry und James eines Tages aussehen würden.

Betty aus dem Brunnen zu befreien war ein langwieriges Unterfangen.

Ursprünglich war der Brunnen geräumig genug gewesen für den Mann, der ihn mit einer Schaufel ausgehoben hatte, doch die Steine, mit denen das tiefe Erdloch anschließend ausgekleidet wurde, hatten ihn verengt. Betty befand sich in kaum mehr als sechs Metern Tiefe, denn die Vorderseite ihres Regencapes hatte sich an einem rostigen alten Rohr verfangen. Deswegen war sie nicht bis ganz nach unten gestürzt, sondern hing in ihrem Cape wie in einem Storchenbündel. Doch ihre Beine waren nicht zu erkennen, und wir alle fragten uns, ob sie im kalten Novemberwasser hingen.

Die große Sorge der Männer war, sie könnten sie versehentlich von dem Rohr losmachen und Betty auf diese Weise noch tiefer hinabstürzen lassen, wodurch sie sich womöglich noch schlimmer verletzen oder sogar ertrinken könnte. Gleichzeitig wussten sie, dass sie Betty so schnell wie möglich heraufbekommen mussten.

Immer wieder riefen sie Bettys Namen, doch sie reagierte nicht, auch dann nicht, als die Männer ein Seil zu ihr hinunterließen. Ohnehin war ausgeschlossen, dass sie das Seil selbst um sich legen und fest verknoten könnte.

Auf der anderen Seite des Brunnens, gegenüber von Vater und mir, stand Toby zwischen einigen anderen Männern und beobachtete, was geschah. Unsere Blicke trafen sich über diesen grauenvollen Abgrund hinweg. Im Licht der Laternen sah er jünger aus, zugleich aber auch ernster, als er mir mit Bart, Hut und dem schwarzen Mantel je vorgekommen war.

»Jemand muss da runter und sie heraufholen«, sagte mein Vater.

»Aber dafür bräuchten wir ein Dreibein und die Seilwinde«, sagte der Constable. »Sonst kann es sein, dass wir einen Fehler machen, und der Mann, den wir runterlassen, stürzt mit ihr zusammen in die Tiefe.«

»Wollen Sie warten, bis jemand eine Seilwinde geholt hat?«, fragte mein Vater.

»Nein«, antwortete der Constable. »Nein, wirklich nicht. Ich bin mir sicher, dass Betty keine Minute länger als nötig da unten bleiben will.«

Ich erinnerte mich an die Stunden, die ich damit verbracht hatte, Samenkapseln von Seidenpflanzen zu pflücken oder Toby die Haare zu schneiden. Dachte daran, wie ich mit den Pferden geschwätzt hatte, während ich ihnen Hafer gab. Daran, wie froh ich gewesen war, dass mein Großvater so langsam und besonnen Auto fuhr. Das alles fiel mir ein, und mir war ganz elend zumute.

Von einer nahen Eiche ragte ein kräftiger Ast über den Brunnen. Wir alle traten ein paar Schritte zurück, als mein Vater ein Ende des Seils zu einem festen Knoten band und das Seilende über den Ast hinweg dem Constable zuwarf, der es zu sich herunterzog und schnell eine Schlinge daraus band.

»Ich gehe«, sagte mein Vater und knöpfte schon seinen Mantel auf.

Doch Toby, der neben dem Constable stand, nahm ihm das Seil aus der Hand. »Lassen Sie mich gehen«, sagte er. »Ich bin zwar mager, aber kräftig.« Den Mantel meines Großvaters hatte er abgelegt, die Handschuhe jedoch angelassen.

»Ich kenne Sie gar nicht«, sagte der Constable, es schien ihn aber auch im Moment nicht zu interessieren, wer der Fremde war.

»Ich bin nicht aus der Gegend«, erklärte Toby, »aber ich bin gekommen, um zu helfen, und wäre Ihnen dankbar, wenn Sie mich ließen.«

Ich bekam wieder Luft, doch meine Hände waren weiter zu Fäusten geballt, während Vater und der Constable das Seil um Toby legten. Ein langes Stück, mit dem Toby Betty sichern sollte, ließen sie frei herunterhängen.

»Sie sind sich ganz sicher?«, fragte der Constable Toby. »Das Mädchen lehnt mit seinem Gewicht an der Wand, an der sie festhängt. Man kann nicht ausschließen, dass das ganze Ding zusammenbricht und Sie mit in die Tiefe reißt.«

Die anderen Männer bildeten einen Kreis um den Brunnen. Zwischen ihnen hindurch sah ich Toby, der sich jetzt mit dem Seil sicherte, dann den Constable anschaute und nickte.

»Nehmen Sie meine Taschenlampe«, sagte der Constable. »Wir werden nicht an Ihnen vorbeileuchten können. Andererseits ist mir nicht klar, wie Sie das Mädchen festbinden und gleichzeitig die Lampe halten wollen, dafür bräuchten Sie mehr Hände.«

»Wird schon gehen«, sagte Toby. Er griff in seine Tasche und reichte meinem Vater sein Taschenmesser. »Würden Sie das für mich halten? Ich muss kopfüber hinunter, dabei ...«

»Haben Sie eine Brieftasche? Schlüssel?«

Toby zögerte einen Moment, dann sagt er: »In meinem Mantel.«

Als Toby schon am Brunnenrand kniete, sagte mein Vater noch: »Ich habe Ihren Namen nicht verstanden.«

Toby blickte über die Schulter zurück. »Jordan«, antwortete er. Und es hörte sich wahr an.

Inzwischen hatte jemand die Glengarrys geholt, die aufgeregt zum Brunnen kamen. Bettys Mutter, mit städtischer Kleidung und eleganten Locken, war für alle eine Überraschung. Sie weinte ein bisschen, als sich alle Männer am Seil aufstellten und Toby langsam, mit dem Kopf zuerst, in den Brunnen hinunterließen. Der Eichenast senkte sich etwas, hielt aber stand, und das Seil war stark genug und riss auch dann nicht, als es durch Tobys Gewicht fest an der Baumrinde entlangscheuerte.

Hand über Hand ließen sie ihn hinunter, bis von Toby ein gedämpftes »Halt!« zu hören war, was der Constable mit erhobener Hand sofort wiederholte. »Er hat sie erreicht«, rief er. »Stoppt jetzt, aber haltet das Seil gut fest.«

Wir warteten. Das Seil zitterte. Ich stellte mir Toby vor, wie er sich die Taschenlampe unters Kinn klemmte und das Seil um Betty wickelte.

Dann hörte ich, wie er wieder etwas heraufrief.

»Er kann das Seil nicht unter ihren Armen hindurchführen«, sagte der Constable. »Sie sitzt zu fest in ihrem Regencape. Aber wenn er daran zieht, kann es passieren, dass es sich vom Rohr löst.«

Mein Vater richtete seine Taschenlampe in die Tiefe. In der anderen Hand hielt er eine Laterne. »Er muss sie mit beiden Armen packen und selbst rausziehen.«

»Können Sie die Arme um sie bekommen?«, rief der Constable hinunter.

Es folgte eine lange Pause. Das Seil zitterte wieder und zog nach unten. Die Männer, die es hielten, stemmten sich fest dagegen.

Im nächsten Moment wussten wir, wie schlimm Betty verletzt war.

Von tief unten hörten wir sie schreien.

Dieser Schrei glich nichts, was ich je gehört hatte.

Bettys Großmutter drehte sich immer wieder um sich selbst, den Kopf gesenkt, die geballten Fäuste vor den Mund gepresst.

Ich betete. Jetzt verstand ich nicht mehr, wieso ich auch nur eine

Minute gezögert hatte, bevor ich meinem Vater sagte, was mir dieses leise Flüstern in meinem Kopf eingegeben hatte: *Das war kein Stachelschwein, was du da gehört hast.*

Und ganz, ganz dunkel begann ich zu ahnen, warum Toby seine Gewehre überall mit sich herumschleppte.

Oberhalb des Brunnens straffte sich das Seil und schlug heftig aus. »Festhalten!«, mahnte der Constable wieder. Er kniete sich hin und beugte sich tief hinunter.

Toby brüllte etwas nach oben, aber ich verstand kein Wort.

»Sie hängt fest«, sagte der Constable und sah sich zu meinem Vater um. »Als ihr Cape sich an dem Rohr verfing, muss sie gegen die andere Seite vom Brunnen geprallt sein. Da kommt ein zweites Rohr aus der Wand, und an dem hängt sie fest.«

Mein Vater beugte sich weiter vor. »Wie meinen Sie das – sie hängt fest?«

»Es ist in sie eingedrungen«, sagte der Constable. »Es steckt in ihrer Schulter.«

Ich schloss die Augen. In dem Moment war ich mir ganz sicher, dass ich mich nie wieder über irgendwelche Kleinigkeiten aufregen würde.

Betty schrie und schrie und schrie.

»Er zieht sie jetzt von dem Rohr runter«, sagte der Constable. Dann brüllte er den Männern am Seil zu: »Achtung! Er bringt sie hoch!«

Trotz dieser Vorwarnung ging ein Ruck durch die Männer, als das Seil mit der zusätzlichen Last fertigwerden musste.

Der Ast senkte sich weiter, und der Constable brüllte: »Jetzt langsam hochziehen!«

Inzwischen stand er wieder und gab den Männern Zeichen – Hoch! Hoch! Hoch! –, bis endlich Tobys Füße im Licht der Laterne auftauchten, dann seine Beine und schließlich der restliche Körper.

In seinen Armen, fest an seine Brust und den Hals gepresst, lag ein Bündel mit nassen Kleidern, am Kopf klebenden Haaren und blauen Lippen. Blut strömte aus dem Cape, die tropfnassen Beine hingen schlaff herab, und ihr Gesicht war so weiß, dass ich unmöglich glauben konnte, dass Betty lebte.

Behutsam legten sie sie auf ein Nest aus Mänteln und Jacken auf dem Anhänger des Trucks, mit dem der Constable gekommen war. Sie war bei Bewusstsein, aber nur ganz schwach. Als sie mit den Zähnen klapperte, musste ich zu meinem Schrecken wieder an ein wildes Tier denken. So machten Murmeltiere, wenn sie von Hunden umzingelt waren.

Ich kniff mich in die zarte Haut unterm Kinn.

Als Bettys Großvater sie mit seinem Mantel zudeckte, fiel mir auf, dass sie ihr Cape falsch herum anhatte, die gefütterte dunkle Seite nach außen, die gelbe Außenseite innen, sodass sie kaum zu sehen war. Ich stellte mir vor, wie Betty durch Cobb Hollow und in Tobys Hütte geschlichen war, wo sie die Drahtspule unter sein Bett schob.

Ich kniff mich wieder und wandte mich ab.

Niemand von uns konnte sagen, wie schwer verletzt Betty tatsächlich war, doch allen war klar, dass sie so schnell wie möglich ins Krankenhaus musste. Wo das Rohr in ihre Schulter eingedrungen war, hatte sich das Fleisch grün verfärbt und war dick geschwollen. Und während sie die Finger bewegen konnte, schienen ihre Beine völlig leblos.

»Kann sein, dass sie nur wieder warm werden müssen«, sagte mein Vater. »Sie war lange in der Kälte, ohne jede Bewegung.«

Bettys Mutter stieg vorn beim Constable ein, während die Großeltern und zwei der Männer zu Betty auf die Ladefläche stiegen, um sie festzuhalten. Als ein weiterer Mann Mrs. Glengarry anbot, ihren Platz bei Betty zu übernehmen, lehnte sie dankend ab.

Wenn es möglich ist, langsam schnell zu machen, dann war es genau das, was der Constable tat, als er den Motor anließ, um Betty ins Krankenhaus zu bringen.

Wir Übrigen standen im Schein der Laternen und sahen einander groß an, holten tief Luft und versuchten, wieder ein bisschen zu uns zu kommen.

»Ich bin Jed Hopkins«, sagte einer der Männer und hielt Toby die Hand hin, bis der sie ergriff. »Nicht schlecht, was Sie da geleistet haben.«

»Allerdings«, sagte ein anderer, gab Toby ebenfalls die Hand und nannte seinen Namen. Und so ging einer nach dem anderen zu ihm und dankte ihm für das, was er getan hatte.

»Uns allen sind Albträume erspart geblieben, Jordan«, sagte mein Vater. »Ich fürchte nur, stattdessen werden Sie die nun haben. Übrigens, ich bin John McBride. Und das ist meine Tochter, Annabelle.«

»Freut mich«, sagte Toby. Dabei mied er sorgsam meinen Blick.

Ein Weilchen hatten wir noch damit zu tun, die Seile aufzurollen und den Brunnen mit Ästen abzudecken, bis er ordentlich gesichert war.

Dann sagte mein Vater: »Ich glaube, wir können jetzt nach Hause gehen.«

»Das glaube ich auch«, sagte ich und sah mich nach Toby um. Ich entdeckte ihn bei seiner Hütte, mit dem Rücken zu mir.

»Hört zu«, rief mein Vater den anderen zu. »Ihr könnt heimfahren. Ich bringe euch alle zu euren Autos.«

»Was ist mit ihm?«, fragte ich und wies mit dem Kopf auf Toby.

»Jordan?«, fragte mein Vater. »Ein Fremder, der freiwillig in einen Brunnen steigt, um ein Mädchen zu retten, das er nie zuvor gesehen hat? Er kommt mit zu uns.«

20

Toby fuhr auf der Ladefläche von unserem Truck mit, zusammen mit den Hunden und vier weiteren Männern, die teils aus unserer Gegend, teils von weiter weg waren. An der Kirche, wo ihre eigenen Autos standen, stiegen sie ab. Mein Vater rief ihnen noch einen Dank durchs offene Fenster zu, sie winkten freundlich und kehrten dann in ihr Leben zurück, mit einer Geschichte, die noch die Enkel dieser Männer weitererzählen und so in ein neues Jahrhundert hineintragen würden.

Auf der restlichen Wegstrecke bis zu unserer Farm saß Toby alleine hinten. Er wollte es so. Als ich mich umdrehte und durch das kleine Kabinenfenster schaute, sah ich ihn gleich hinter der Scheibe, wo er zusammen mit den Hunden kauerte. Inzwischen trug er wieder den alten Mantel meines Großvaters, auch die Handschuhe hatte er an, trotzdem musste ihm die Eiseskälte in die Knochen gedrungen sein, vom Nachtwind, aber auch von dem, was er im Brunnen gesehen und getan hatte.

Als wir bei uns zu Hause ankamen, trollten sich die Hunde gleich in den Holzschuppen. Toby zögerte, doch mein Vater und ich blieben in der Einfahrt stehen und warteten, bis er sich uns anschloss.

»Kommen Sie herein und essen Sie erst mal was mit uns«, sagte mein Vater. »Nach allem, was Sie heute getan haben, kann ich Sie doch nicht hungrig heimschicken.«

Meine Brüder kamen zur Begrüßung an die Tür gestürzt. Sie waren frisch gebadet, rosig und warm, das noch feuchte Haar dunkler als sonst, und am liebsten hätte ich sie fest an mich gedrückt und meinen Tränen freien Lauf gelassen. Doch das ließ ich lieber bleiben. Hätte ich es auch nur versucht, sie hätten mich bestimmt zu Boden gerungen und behauptet, ich sei eben nur ein Mädchen.

Doch meine Liebe zu ihnen musste ich nicht erst beweisen.

Mein Vater nahm Tobys Mantel und hängte ihn in den Wandschrank, wo er noch am Morgen seinen rechtmäßigen Platz gehabt hatte.

»Ihre Handschuhe?«, fragte mein Vater, doch Toby schob beide Hände unter die Arme und sagte leise und mit gesenktem Kopf: »Die lass ich noch an, wenn's recht ist. Hab noch ziemlich kalte Hände.« Das leuchtete uns ein.

»Nicht ganz einfach, mit Handschuhen zu essen, aber was kalte Hände angeht, da kann ich ein Lied von singen«, erwiderte mein Vater freundlich.

Alle hatten sich in der Küche versammelt, als sie uns hörten. Mein Vater machte sie miteinander bekannt. »Das ist Jordan. Jordan, das sind meine Eltern, David und Mary. Meine Schwester Lily.«

Tante Lily trat vor, streckte eine Hand aus und schenkte Toby eines ihrer seltenen Lächeln. »Guten Abend«, sagte sie mit einer sanften Stimme, von der ich gar nicht wusste, dass sie sie besaß.

Toby zögerte einen Moment, dann zog er den rechten Handschuh aus und schüttelte Tante Lily die Hand. »Freut mich, Sie kennenzulernen«, sagte er und zog den Handschuh gleich wieder an.

»Das sind James und Henry«, sagte mein Vater und zeigte auf die Jungen. »Wie sollen die Kinder Sie nennen? Mr. …?«

»Jordan reicht völlig.«

Worauf die Jungen wie aus der Pistole geschossen fragten: »Habt ihr Betty gefunden?« Und dann: »Ist sie tot?«

»Still jetzt!«, sagte Tante Lily.

»Und das ist meine Frau, Sarah.«

Toby, der noch immer mit Vater und mir im breiten Durchgang zwischen Schmutzraum und Küche stand, machte tatsächlich eine Verbeugung. »Hallo«, sagte er dann.

Beim Klang von Tobys Stimme hatte meine Mutter aufgehorcht. Nach seiner ungewöhnlichen Geste wischte sie sich die Hände an der Schürze ab und trat zu ihm. »Sie heißen Jordan, sagten Sie?«

»Genau«, antwortete er.

Sie sah ihm ins Gesicht, und ich hielt es für möglich, dass sie Bescheid wusste.

»Kommen Sie, setzen Sie sich«, sagte sie und führte ihn zum Tisch.

Während meine Mutter Essen aufwärmte, das übrig geblieben war, erzählte mein Vater, was sich ereignet hatte.

Ich half ihm ein bisschen.

Toby schwieg die ganze Zeit, auch als mein Vater erklärte, wie sie ihn in den Brunnen hinabgelassen hatten, und Tante Lily bemerkte: »Das war sehr mutig von Ihnen, Jordan!« – wieder mit dieser sanften, fast melodiösen Stimme –, und sogar als die Jungen lauter Fragen auf ihn abfeuerten: wie es im Brunnen gewesen sei, ob es dort Schlangen und Tausendfüßler gab und ob das Loch bis auf die andere Seite der Erde reichte, bis nach China.

Als mein Vater dann aber von Betty berichtete, verstummten sie.

Niemand sprach ein Wort, als mein Vater beschrieb, was Betty zugestoßen war, doch nachdem er fertig war, entschuldigte sich meine Großmutter leise und ging zu Bett.

»Ich werde mich auch zurückziehen«, sagte mein Großvater. Er wandte sich an Toby. »Nehmen Sie sich einen Korb Äpfel mit, wenn Sie gehen.«

»Danke«, sagte Toby, »gerne.«

Meine Mutter schenkte ihm und meinem Vater frischen Kaffee ein.

»Kann ich auch welchen haben?«, fragte ich, doch sie beachtete mich nicht.

»Wird Betty wieder ganz gesund werden?«, fragte sie.

»Das kann ich nicht sagen. Aber der Constable hat sie ins Krankenhaus gefahren, und bestimmt hören wir bald von ihm.«

»Und was ist mit diesem Toby?«, wollte Tante Lily wissen. »Hat man den schon gefasst?«

Ich sah zu Toby hinüber und gleich wieder weg. Doch meine Mutter hatte meinen Blick schon bemerkt.

»Nicht, dass ich wüsste«, sagte mein Vater. »Aber es scheint so zu sein, dass Betty zu Tobys Hütte gegangen ist, um dort Ärger zu machen, und dabei einfach in den Brunnen stürzte.«

»Aber wo ist er dann?«, fragte Tante Lily.

»Genug jetzt«, sagte meine Mutter und deckte den Tisch für meinen Vater, Toby und mich. »Freuen wir uns doch einfach, dass Betty gefunden wurde.« Sie brachte eine Platte mit Braten, Kartoffeln und Möhren. »Bitte schön«, sagte sie zu Toby. »Greifen Sie zu.«

Als er wieder zögerte, nahm sie seinen Teller und tat ihm auf. »Und nun essen Sie, solange es heiß ist.«

Ich hielt die Luft an, doch Toby zog sich einfach den rechten

Handschuh aus und begann zu essen. Ich hoffte, dass es niemandem auffallen würde, als er die linke Hand, die mit dem Handschuh, auf den Schoß legte und das Fleisch allein mit rechts zerlegte, mit der Kante seiner Gabel.

Tante Lily stand auf. »Ich hoffe, ihr entschuldigt mich, ich muss morgen früh raus.« Dann wandte sie sich Toby zu und lächelte wieder. »Es war mir wirklich eine Freude, Sie kennenzulernen, Jordan. Ich hoffe, wir sehen Sie irgendwann wieder.«

Toby erhob sich halb von seinem Stuhl. »Ebenso.«

Auf einmal fiel ihr noch etwas ein. »Oh, John, du hast uns noch gar nicht erzählt, wie ihr darauf gekommen seid, dass Betty in dem Brunnen steckte. Haben die Spürhunde euch zu ihr geführt?«

Mein Vater zeigte mit der Gabel auf mich und sagte: »Da sitzt der Spürhund. Unser ganz persönlicher Sherlock Holmes hatte den richtigen Riecher.«

Außer Tante Lily kannte ich niemanden, der eine Augenbraue allein statt beider zusammen hochziehen konnte, was ihr einen zugleich klugen und misstrauischen Blick verlieh. »Und wie ist dir das gelungen, Annabelle?«

Ich zuckte mit den Schultern. »Ich habe einfach immer wieder nachgedacht über das, was Andy gesagt hat, das ist alles.« Ich sah sie fest an. »Und ich wusste, dass Toby nichts Schlechtes getan hat, so war es leichter, dahinterzukommen, was wirklich passiert ist.«

Tante Lily verzog den Mund und schob das Kinn vor. »Dein Vertrauen in diesen Menschen ist mir ein einziges Rätsel, Annabelle. Er hat zwei kleinen Mädchen etwas angetan – sowohl Ruth als auch Betty – und vielleicht auch anderen.«

»Zeit, schlafen zu gehen, Jungs«, sagte mein Vater, was die üblichen Proteste und die ebenso übliche Reaktion von Tante Lily hervorrief.

»Sofort«, bellte sie und scheuchte die Jungs vom Tisch. Beide flohen, sobald Tante Lily sich näherte. Jeder in der Familie wusste, dass sie sehr bissig sein konnte.

Nun waren wir nur noch zu viert. Meine Mutter goss sich selbst auch einen Becher Kaffee ein und sah uns beim Essen zu.

»Wo stammen Sie her, Jordan?«, fragte sie Toby.

Er warf mir einen raschen Blick zu, bevor er antwortete. »Ursprünglich aus Maryland. Aber jetzt lebe ich in Hopewell.«

»Und Sie hatten davon gehört, dass Betty vermisst wurde?«

Toby nickte bedächtig. »Solche Nachrichten verbreiten sich schnell.«

»Und was sind Sie von Beruf?«, fragte meine Mutter weiter. Es kam mir so vor, als hörte ich zunehmende Skepsis in ihrer Stimme. Aber vielleicht legte ich auch mehr hinein, als tatsächlich da war, einfach weil Toby so unverwechselbar Toby war, dass ich nicht begriff, wie irgendjemand dafür blind sein konnte.

»Ich bin Zimmermann«, antwortete er.

Was ebenso überzeugend klang wie »Jordan« und »Maryland«.

»Ihre Frau macht sich inzwischen bestimmt schon Sorgen«, sagte meine Mutter, beide Ellbogen aufgestützt, die Hände um den Kaffeebecher gelegt. Durch den aufsteigenden heißen Dampf sah sie Toby unablässig an.

Wegen des Handschuhs konnte sie nicht gesehen haben, ob er an der linken Hand – wie alle Verheirateten – einen Ring am Finger trug.

»Sie können sie gern anrufen«, bot mein Vater an.

»Ich bin nicht verheiratet«, antwortete Toby leise und schien sich bei diesen Worten so unwohl zu fühlen, dass meine Mutter ihre Befragung einstellte. Trotzdem sah sie ihn noch eine Weile aufmerksam an.

»Lasst noch etwas Platz für den Nachtisch«, sagte sie schließlich. »Ich habe einen Hickorynusskuchen gebacken.«

Als kurz darauf das Telefon läutete, waren wir weniger überrascht, als wir es an einem normalen Abend zu so später Stunde gewesen wären.

»Das wird der Constable sein«, sagte mein Vater. »Er hat versprochen anzurufen, wenn es etwas Neues gibt.«

Er ging ins Wohnzimmer, und wir hörten ihn sprechen, verstanden ihn aber nicht.

Meine Mutter seufzte. »Ich hoffe, es geht ihr so weit gut. So etwas hat niemand verdient.«

»Nicht für das, was sie getan hat«, sagte Toby.

Ich blickte überrascht auf.

Meine Mutter legte den Kopf schief und sah Toby fragend an. »Und was genau hat sie getan?«

Was sie damit unausgesprochen fragte, war: Woher weiß ein Fremder aus Hopewell, was Betty getan oder nicht getan hat?

Mein Vater kehrte zurück und ersparte Toby so die Antwort. »Also«, begann er, ließ sich schwer auf seinen Platz fallen und strich sich über den Kopf. »Sie sind noch dabei, herauszufinden, was Betty sich alles zugezogen hat, aber ein paar Dinge stehen schon fest: Die Wunde an der Schulter ist sehr tief, deswegen wird sie jetzt erst einmal gegen Wundstarrkrampf und eine böse Entzündung behandelt. Außerdem braucht sie Blutkonserven und stete Wärme gegen die Unterkühlung.«

Meine Mutter atmete tief durch. »Keine Knochenbrüche?«

Mein Vater schüttelte den Kopf. »Erstaunlicherweise nein. Allerdings hat sie Wundbrand im rechten Fuß. Das Bein klemmte im Regencape fest, aber als sie es bewegen wollte, fing das Cape an zu reißen, da hat sie es lieber gelassen. Aber die Ärzte glauben, sie wird gesund. Kann sein, dass sie einen Zeh verliert, aber um das endgültig zu sagen, ist es noch zu früh.«

Mir wurde ganz schlecht. »Das heißt, sie spricht über die Sache?«

»Ein bisschen.« Mein Vater wandte den Blick ab. »Sie behauptet, Toby hätte sie in den Brunnen gestoßen.«

»Aber …!«

»Moment, Annabelle, ich gebe nur wieder, was sie gesagt hat. Mit mir musst du darüber nicht diskutieren.«

»Aber sie lügt doch!«

»Lass deinen Vater aussprechen, Annabelle.«

»Angeblich hat Toby sie dabei erwischt, wie sie gestern Morgen in Cobb Hollow herumgeschnüffelt hat, bevor der Regen immer heftiger wurde. Er habe sie gepackt und in seine Hütte gezerrt.«

Toby hatte beide Hände auf dem Schoß liegen und hielt den Kopf gesenkt. Ich starrte ihn an, besorgt, was er denken mochte. Dabei fiel mir auf, dass ich die Haare nicht überall sorgfältig genug geschnitten hatte, nicht ganz gleichmäßig. Eine kleine Tolle oben am Scheitel.

»Er sei böse auf sie gewesen, weil sie ihn angeschwärzt hat. Wegen des Steins, der Ruth getroffen hat. Wegen des Stolperdrahts. Er habe dann seine Sachen zusammengepackt, sie in den Wald geschleift und ohne ein Wort in den Brunnen gestoßen. Einfach so.«

»Und ist weggegangen«, sagte meine Mutter.

»Und ist weggegangen.«

Genau das hatte ich befürchtet. Wie sollte Toby beweisen, dass er etwas *nicht* getan hatte?

Mittlerweile würde Mrs. Gribble, die Telefonistin, die Neuigkeiten jedem im Umkreis weitererzählen, der einen Fernsprecher besaß. Über ihr Schaltbrett streckte sie wie eine Krake die Arme in alle

Richtungen aus. Es würde keine Stunde dauern, und Toby wäre ein mordendes Monster und Betty ein bedauernswertes liebes Kind.

Im darauffolgenden Schweigen strich meine Mutter mit dem Zeigefinger über die Maserung unseres Tisches, als läse sie eine Landkarte.

»Nun, Jordan«, sagte mein Vater, »noch mal ganz herzlichen Dank für Ihre Hilfe. Wenn Sie so weit sind, bringe ich Sie gern zu Ihrem Auto zurück. Wir haben auch noch ein paar Äpfel für Sie im ...«

»John«, unterbrach ihn meine Mutter.

Er stockte. »Was?«

Meine Mutter blickte von Toby zu meinem Vater.

»Er hat kein Auto«, sagte sie. Sie sah ihn mit einem kleinen Lächeln an, doch es war ein trauriges Lächeln, vielleicht, weil die Erleichterung, die wir alle nach Bettys Rettung empfunden hatten, so schnell neuen Sorgen gewichen war.

»Wie willst du das wissen?«

Meine Mutter blickte Toby an. »Zeigen Sie mir Ihre Hände, bitte«, sagte sie.

Ich ließ die Luft heraus, die ich seit zwei Tagen angehalten hatte.

»Sarah?« Mein Vater sah so verwirrt aus, dass ich nicht wusste, ob ich lachen oder weinen sollte.

Toby setzte sich auf und hob die Hände vom Schoß. Mit der nackten rechten Hand zog den Handschuh von seiner Linken. Die Narben waren ein so zwingender Beweis wie ein Fingerabdruck.

»Jordan?«, sagte mein Vater und beugte sich vor.

»So heißt er nicht«, sagte meine Mutter.

»Doch«, sagte Toby. »Ich heiße Tobias Jordan. Ich bin Zimmermann und stamme aus Maryland. Und ich habe Betty nicht in den Brunnen gestoßen.«

21

In dem Moment hätte ich entkommen können.

Toby war der Einzige, der wusste, dass ich ihn versteckt hatte. Die Kleidung, die er jetzt anhatte, war mehr oder weniger die gleiche, wie sie alle Männer bei uns trugen, und so bald würde mein Vater die Sachen nicht vermissen. Mir würde mehr als genug Zeit bleiben, um mich um alles zu kümmern, was auf dem Heuboden geblieben war: die Einmachgläser, die Kamera, die Schere und alles Übrige.

Toby würde mich nie verraten, das wusste ich. Er würde sagen, die Kleider habe er von einer Wäscheleine genommen, er habe sich selbst Haare und Bart geschnitten, und in unserer Scheune unterzukriechen sei seine eigene Idee gewesen.

»Toby ist nicht abgehauen«, sagte ich. »Ich habe ihn gezwungen mitzukommen. Er hat sich auch nicht versteckt. Ich habe ihn versteckt, in unserer Scheune. Ich habe ihm die Haare geschnitten und ihm ein paar Sachen von dir zum Anziehen gegeben, Papa. Nichts von all dem hätte er gemacht, wenn ich ihn nicht gezwungen hätte.«

Obwohl meine Mutter hinter Tobys Geheimnis gekommen war, wirkte sie bei meinem Geständnis doch schockiert. Auch mein Vater war sprachlos.

»Sie wollte mir nur helfen«, sagte Toby. »Sie können ihr deswegen unmöglich böse sein.«

»Und ob ich das kann«, entgegnete meine Mutter. »Aber ich bin es nicht, noch nicht. Dazu kommen wir später.«

»Ich kann es noch immer nicht glauben, dass Sie Toby sind«, sagte mein Vater. »Sie sehen so … anders aus.«

»Aber er ist kein anderer, Papa.«

»Doch, das ist er«, sagte mein Vater.

»Stimmt«, sagte Toby. »Doch das spielt jetzt keine Rolle. Was Betty behauptet, habe ich nicht getan.« Er stand auf und schob seinen Stuhl zurück. »Aber ich sollte jetzt gehen, bevor ich Ihnen allen noch mehr Probleme bereite.«

Ich fing gleich an zu protestieren, und auch meine Mutter sagte: »Setzen Sie sich. Ich brauche noch ein paar Minuten, um meine Gedanken zu sortieren. Du lieber Himmel! Der Trooper hatte wirklich recht: Es ist der reinste Zirkus hier.« Sie klemmte eine Haarsträhne hinters Ohr. »Außerdem habe ich einen Kuchen gebacken. Und wenn es das Letzte ist, was wir im Leben tun: Den essen wir jetzt.« Sie stand auf und holte den Nusskuchen. Dieses Mal gab es sogar Schlagsahne dazu, so als ob Weihnachten wäre.

»Wartet noch, bis der Kaffee fertig ist«, sagte sie, als sie den Kuchen auf die Teller tat. Dabei hatte ihre Stimme diesen Klang, bei dem man ihr besser nicht widersprach. Die gleiche Stimme hatte auch ich angewandt, um Toby hierherzubekommen.

Sie schenkte mir ein Glas Milch ein, die Männer bekamen Kaffee. »Dann mal los«, sagte sie, »der Kuchen isst sich nicht von selbst.«

Toby aß langsam, genoss jeden Bissen, als wir anderen mit unseren Stücken längst fertig waren. Wir saßen da und sahen ihn an, als wäre er eine Giraffe oder ein Marsmensch. Selbst ich konnte es nicht recht glauben, dass Toby an unserem Küchentisch saß und Kuchen aß, nach all den Jahren, in denen er, abgesehen von kurzen Begegnungen, jeden Kontakt mit uns gemieden hatte, in denen er kaum gesprochen und keiner Menschenseele erlaubt hatte, ihn ohne seine dunkle Verkleidung zu sehen.

»Helfen Sie mir, das alles zu verstehen«, sagte mein Vater schließlich, als Toby mit geschlossenen Augen den letzten Bissen verzehrt hatte. »Ich begreife immer noch nicht, wie Annabelle es fertiggebracht hat, Sie unter unseren Augen … so – *Hokuspokus* – verschwinden zu lassen. Der Constable sucht Sie seit gestern überall.«

Toby zuckte mit den Schultern. »Erst war ich den ganzen Tag angeln, unter der Brücke, während es so geregnet hat, dann war ich bei Turner, wo ich Fisch gegen Dörrfleisch getauscht habe, und dann bin ich nach Hause. Aber da war es schon dunkel.«

»*Nachdem* Constable Oleska bei ihm gewesen und wieder gegangen war«, unterbrach ich ihn.

»Ich habe meine nassen Sachen aufgehängt und mich schlafen gelegt. Dass Betty vermisst wurde, habe ich erst erfahren, als Annabelle kurz vor Sonnenaufgang an meine Tür klopfte, mir alles berichtete und mir erklärt hat, wieso ich mit ihr gehen sollte.« Bei diesen Worten lächelte er meine Mutter fast an, doch sie war noch nicht willens, sein Lächeln zu erwidern. »Sie klang dabei fast so wie Sie eben.«

Bei diesen Worten musste mein Vater wider Willen grinsen, wenn auch nur kurz. »Die Stimme kenne ich«, sagte er, mehr zu sich selbst.

»Vorsicht, sonst wirst du sie gleich noch besser kennenlernen«, sagte meine Mutter. »In der Scheune waren Sie also seit …«

»Seit dem frühen Morgen«, sagte Toby und strich sich mit der gesunden Hand über Bart und Hals. »Kommt mir vor, als wäre das ewig her.«

»Und du bist ganz allein im Dunkeln da hinunter, um ihn zu holen?«, fragte mein Vater mich.

Ich nickte, hin- und hergerissen zwischen Stolz und schlechtem Gewissen. »Ich konnte nicht schlafen, und mir war klar, wie schlecht es für ihn stand. Der Trooper hätte Toby doch bestimmt mitgenommen, wenn ich es nicht getan hätte, meinst du nicht auch?«

Dem wagte niemand zu widersprechen. Wir alle wussten, wie die Leute über Toby dachten, darunter auch Tante Lily und die Glengarrys.

»Und dann?«, fragte meine Mutter.

»Dann habe ich ihn auf dem Heuboden versteckt und ihm Essen und Wasser gebracht. Auch ein Buch. Kleidung. Seife. Ich habe mir deine Schere geborgt, um ihm die Haare zu schneiden.«

»Und damit war Jordan geboren«, sagte sie nachdenklich.

»So war das nicht geplant«, sagte ich. »Wir hatten auch nicht geplant, wieder runter nach Cobb Hollow zu gehen. Aber dann habe ich mich an ein Geräusch erinnert, das ich in der Nacht bei der Hütte gehört hatte. In dem Moment selbst hatte ich an ein Stachelschwein gedacht. Aber später, als wir vom Trooper erfahren hatten, was Andy gesagt hatte, nämlich dass Betty da hinwollte, da habe ich mich auf einmal gefragt: Was, wenn sie wirklich da gewesen ist? Wenn sie noch immer da war? Da habe ich noch mal über das Stachelschweingeräusch nachgedacht. Und mich an den Brunnen erinnert.«

Eine Weile saßen wir schweigend da und sahen uns nur an.

Mein Vater verschränkte die Arme vor der Brust. »Und dass Toby bei der Rettung mitmachen sollte, wessen Entscheidung war das?«

»Meine«, sagte ich und hatte erneut Zweifel, ob die Idee wirklich so klug gewesen war. »Ich war mir ziemlich sicher, dass er unter den anderen Fremden nicht weiter auffallen würde. So konnte er zusehen, wie sich die Dinge entwickelten, und entscheiden, ob er lieber von hier weggehen sollte oder bleiben konnte.« Ich sah jeden der Reihe nach an. »Aber er kann nicht bleiben, oder?«

Mein Vater seufzte. »Ich weiß nicht, Annabelle. Die Geschichte ist völlig verkorkst, von vorn bis hinten. Und dann ist da noch was.« Dem düsteren Blick nach zu urteilen, mit dem er Toby ansah, konnte es nichts Gutes sein. »Wie ich eben vom Constable am Telefon erfahren habe, ist die Suche ausgeweitet worden.«

Toby sah ihn sichtbar verwirrt an. »Aber wir haben Betty doch gefunden!«

»Sie suchen nicht Betty«, sagte mein Vater. »Sondern Sie.«

Während der nächsten Stunde redeten wir darüber, was zu tun sei und wie wir dieses Geheimnis, das jetzt unser gemeinsames war, hüten könnten, bis uns eine Lösung eingefallen wäre, um das Ganze richtigzustellen.

Doch bald machte sich der lange Tag bemerkbar, vor allem bei mir. Seit den frühesten Morgenstunden war ich auf den Beinen, und jetzt war ich völlig erschöpft. Selbst Toby, der es gewohnt war, mit wenig Schlaf auszukommen und ständig auf Achse zu sein, wirkte todmüde.

»Ich denke, ich sollte jetzt gleich aufbrechen«, sagte Toby. »Bis morgen früh kann ich zwanzig Meilen von hier sein.«

»Und damit genau da, wo nach Ihnen gesucht wird«, sagte mein Vater. »Außerdem sehe ich nicht, wie Sie in diesem Zustand zwanzig Meilen laufen wollen.«

Meine Mutter hatte inzwischen zwei Decken und ein Kissen geholt, die sie Toby reichte. »Sehr warm wird es auf dem Heuboden nicht sein«, sagte sie. »Aber ich glaube, es ist derzeit der einzig sichere Ort für Sie.«

»Der Heuboden ist völlig in Ordnung«, sagte er. »Es riecht gut da oben, und ich mag die Tauben.«

»Und hier ist noch etwas Brot und Käse für morgen früh. Annabelle kann Ihnen Kaffee bringen, bevor sie zur Schule geht.«

Schule – in dem Moment fast eine absonderliche Vorstellung. Aber ich wusste, ich musste gehen. Nichts durfte irgendwie die Aufmerksamkeit auf uns oder unsere Farm lenken. Alles musste genauso sein wie immer.

»Gute Nacht«, sagte ich und reichte Toby den Mantel meines Großvaters.

»Sollte irgendwer Sie sehen, sagen Sie einfach, ich hätte Sie angeheuert, um in der Scheune ein paar Reparaturen für mich zu machen«, ergänzte mein Vater. Eine absolut glaubwürdige Erklärung.

Trotzdem: Alles schien mir ein bisschen zu einfach, als ich mich auf den Weg ins Bett machte.

Als ich aufwachte, war mir sofort klar, dass ich verschlafen hatte. Das Licht war hell wie am späten Vormittag, im Haus war es still. Schnell lief ich hinunter in die Küche, wo meine Großmutter saß und Butternusskürbisse halbierte, die sie mit der Schnittfläche nach unten auf ein Backblech legte.

»Was ist passiert?«, fragte ich.

»Nichts«, antwortete sie lächelnd. »Deine Mutter hat beschlossen, dass du es verdient hast, etwas länger zu schlafen.«

Mir war nicht klar, was Großmutter wusste und was nicht. Die Wahrheit war so eng verflochten mit Geheimnissen, dass es gar nicht so leicht war, irgendetwas zu sagen, ohne zu viel zu verraten.

Also setzte ich mich hin, aß meine Haferflocken und wartete ab, was der Tag weiter bringen würde.

»Na, wen haben wir denn da?«, sagte meine Mutter, als sie mit einem Korb Eier in der Hand hereinkam. Sie band sich eine Schürze um und fragte: »Rührei oder Spiegelei?«

»Ich hab schon Haferflocken gegessen.«

»Dann geh und zieh dich für die Schule an.« Doch während sie das sagte, zwinkerte sie mir zu. »Ich komme gleich hoch.«

Ich fragte mich noch immer, was dieses Zwinkern wohl zu bedeuten hatte, als meine Mutter auch schon hereinkam und die Tür hinter sich schloss. »Dein Vater hat heute Morgen bereits nach Toby gesehen«, sagte sie leise. »Er hat ihm Frühstück gebracht.« Sie setzte sich auf mein Bett, während ich mich weiter anzog. »Als er zurückkam, hat er mir ein paar Dinge erzählt.« Sie klopfte ein paarmal mit der flachen Hand aufs Bett. »Komm, Annabelle, komm kurz her.«

Als ich neben ihr saß, suchte sie eine Weile nach Worten. »Annabelle, dein Vater glaubt, dass Toby vielleicht ein bisschen … verwirrt ist.«

»Wie meinst du das … verwirrt?«

»Du weißt, dass wir ihn immer seltsam fanden. Du bestimmt auch. Ein Mensch, der den ganzen Tag lang ziellos herumläuft. Der nur spricht, wenn es sich gar nicht vermeiden lässt. Der in einer Räucherhütte lebt, obwohl es sicher bessere Möglichkeiten gegeben hätte.«

»Ich dachte, du magst ihn.«

»Das stimmt auch«, erwiderte meine Mutter. »Ich mochte ihn immer schon. Ich bin sicher, er ist so geworden, weil er schreckliche Dinge erlebt hat, und ich werde ihm auch immer helfen, wenn ich kann. Aber als er gestern Abend bei uns am Tisch saß, in sauberen

Sachen, Haare und Bart gestutzt, und in ganzen Sätzen redete, wirkte er nicht mehr seltsam. Und trotzdem, Annabelle: Er *ist* seltsam, und ich möchte, dass du das nicht vergisst.«

»Ist heute früh irgendwas vorgefallen in der Scheune?«

Sie schüttelte den Kopf. »Nein, aber dein Vater hat eine ganze Weile mit ihm verbracht und mich daran erinnert – und deshalb erinnere ich jetzt dich –, dass man ein Buch nie nach seinem Einband beurteilen soll. Toby ist verwirrt, und das solltest du nicht vergessen, egal, wie sehr du ihn magst.«

Dieses ganze Gerede über Verwirrtsein und Bucheinbände kam mir komisch vor. »Ich verstehe das nicht. Du hast doch immer gesagt, die Leute sollten keine Angst vor Toby haben, nur weil er zum Fürchten aussah. Und jetzt, obwohl Toby Betty aus dem Brunnen geholt hat, sagst du, *ich* soll Angst vor ihm haben, und zwar weil er jetzt *ordentlich* aussieht?«

Meine Mutter saß ganz still da und sah mich groß an. »Annabelle, ich habe nicht gesagt, du sollst Angst vor ihm haben.« Sie blickte auf ihre Hände hinunter und seufzte. »Aber es macht mir Sorgen, wenn ich dich allein weiß mit einem Mann, von dem wir im Grunde kaum etwas wissen und der allem Anschein nach eben seltsam ist. Annabelle, das ist er wirklich!«

»Aber …«

»Annabelle, du weißt doch, dass er immer diese Gewehre mit sich herumschleppt?«

»Ja und?«

»Dein Vater hat sie sich angeschaut. Annabelle – nur eins von ihnen funktioniert überhaupt. Die anderen beiden sind kaputt. Die taugen für gar nichts. Trotzdem trägt er sie seit Jahren immer mit sich herum, obwohl sie so schwer sind. Würdest du nicht sagen, dass das ein Zeichen von Verwirrtheit ist?«

Ich dachte an die schrecklichen Geschichten, die Toby mir erzählt hatte. Ich dachte an das Baby, das nur wenige Augenblicke gelebt hatte.

Ich sah meiner Mutter fest ins Gesicht. »Ich würde nicht sagen, dass es ein Zeichen von Verwirrtheit ist. Ich würde sagen, es ist ein Zeichen für etwas, was wir nicht verstehen. Toby hat seine Gründe, und deswegen ist er noch lange nicht seltsam. Oder falls doch, dann bin ich auch seltsam, und du genauso.« Ich stand auf und zog mich fertig an.

Meine Mutter saß weiter auf dem Bett und sah mir zu. Dann stand sie auf und ging ohne ein weiteres Wort hinaus.

In der Schule war an diesem Tag manches anders als sonst, und das hatte zwei Gründe.

Erstens: Als ich zur Tür hereinkam, standen alle auf und klatschten. Sogar meine Brüder machten mit, obwohl es ihnen ein bisschen peinlich zu sein schien. Noch nie hatte ich für irgendetwas Applaus bekommen, und ich fand es schade, dass ich ihn nun für etwas bekam, was ich eher und besser hätte tun können.

Zweitens: Es war so viel schöner in der Schule ohne Betty und auch ohne Andy, und es tat mir wirklich nicht leid, dass sie fehlten. Doch gleichzeitig war es auch traurig, weil Ruth nicht da war und etliche der jüngsten Schüler ebenfalls fehlten, da ihre Mütter – die Toby nicht so gut kannten wie ich – Angst hatten, er könnte irgendwo im Gebüsch lauern und nur darauf warten, ihre Kleinen in den nächsten Brunnen zu stoßen.

So waren wir gerade mal zwanzig Kinder an jenem Tag, und Mrs. Taylor konnte sich viel Zeit nehmen und uns in Grüppchen zur Tafel holen, wo wir rechneten und Grammatik lernten.

Während einer der Rechenübungen wurde mir langsam klar,

was ich als Nächstes tun sollte. Die Logik der Zahlen wirkte beruhigend auf mich und befeuerte die Windungen meines müden Gehirns.

Wenn unser Problem darin bestand, Tobys Unschuld zu beweisen, dann war Andy die Antwort.

Er wusste alles – wer den Stein geworfen hatte, wer den Stolperdraht gespannt hatte und warum Betty nach Cobb Hollow gegangen war. All das wusste er.

Wenn unser Problem darin bestand, Andy dazu zu kriegen, die Wahrheit zu sagen, dann hatte ich keine Lösung.

Doch ich wusste, um wie viel leichter es mir gefallen war, mit meinem eigenen Geheimnis herauszurücken, als ich begriffen hatte, dass meine Mutter einen Teil ohnehin schon kannte – nämlich dass Jordan in Wirklichkeit Toby war. Als der Korken erst einmal aus der Flasche war, floss der Inhalt einfach hinaus.

Wenn darin die Lösung bestand – den Korken herauszuziehen –, dann musste ich mir etwas einfallen lassen, wie ich Andy davon überzeugen konnte, dass wir die Wahrheit ohnehin schon kannten, auch wenn er sie noch nicht gestanden hatte.

Den Rest des Tages dachte ich darüber nach, und als die Schule aus war, zeigte sich der Keim einer Idee.

22

Doch bevor ich etwas unternahm, musste ich erst noch eine Weile über meine neue Idee nachdenken.

Seit Tagen sprang ich von einem Problem zum nächsten, so wie ein Kürbiskern in einer Pfanne herumhüpft.

Erst vor wenigen Wochen hatte ich angefangen, regelrecht zu hungern nach Veränderung, plötzlich war ich ungeduldig geworden, sosehr ich mein bisheriges Leben auch liebte. Irgendwo, so hatte ich es mir vorgestellt, warteten aufregende Dinge auf mich wie ein noch nicht angeschnittener Kuchen. Jetzt hingegen wünschte ich mir nichts sehnlicher als eine kleine Weile Ruhe und Stille zum Nachdenken.

Der Schildkrötenstein lag nicht weit vom Schulhaus entfernt. Schmale Wildpfade führten von der Wolfsschlucht herauf, denn dort wuchs reichlich Farn, den diese Tiere so schätzten.

Ich nahm gleich den ersten Pfad und war erleichtert, dass Betty nicht auf mich wartete. Ich überlegte, ob ich ein schlechtes Gewissen haben müsste, fand aber keinen Grund. Ich hätte mich mehr beeilen können, um sie zu finden, aber in den Brunnen geworfen hatte ich sie nicht. Darin zu landen, das hatte sie ganz allein geschafft.

Außer mir war niemand da. Meine Brüder waren längst weit voraus. Vögel und kleine Tiere versteckten sich in der Nähe und warteten ab, welche Pläne ich haben mochte.

Doch ich hatte keine.

Der Schildkrötenstein lag mitten auf der Lichtung wie ein großer Mond inmitten einer Galaxie sirupgelber Sterne. Er war so schön. Quarzadern durchzogen tief und klar die harte rötliche Oberfläche. Immer wieder hatten wir uns gefragt, wo dieser Stein wohl herkam, warum er der einzige seiner Art in unserer Gegend war.

Wie oft hatte ich mich schon über Bettys Boshaftigkeit geärgert, doch als ich die Narben sah, die sie dem Stein zugefügt hatte, und daran dachte, wozu sie das gemacht hatte, überkam mich eine gewaltige Wut.

Ich strich mit der Hand über den Stein und erwartete, dass er sich irgendwie zart und empfindlich anfühlen würde. Doch stattdessen erzählte er mir so einiges über Alter und Widerstandskraft, und die Bäume am Rand der Lichtung stimmten ihm stumm zu.

Welchen Grund gab es für ein Mädchen wie mich, sich Sorgen zu machen über einen Stein, der schon länger hier war als jeder von uns Menschen und der noch immer an diesem Ort stehen würde, wenn wir längst nicht mehr da wären?

Ich war hergekommen, um über ernste Dinge nachzudenken und über die Rolle, die ich in all dem spielte. Alles war mir so wichtig vorgekommen. Und nun hatte dieser Stein mir plötzlich vor Augen geführt, dass mein Leben am Ende nichts weiter war als ein Wimpernschlag. Nicht einmal das. Nicht einmal ein Seufzer.

Auf meinem Rückweg durch den Wald dachte ich an die Männer, die ganz in der Nähe Gruben ausgehoben hatten. Vielleicht hatten auch Jungen dazugehört, die damals kaum älter gewesen waren als ich jetzt. Ich stellte mir die Gruben vor, die Wölfe, die darin gefangen waren und knurrend und heulend um Freilassung bettelten. Die ungeborenen Welpen und ihre rosigen Öhrchen.

Ich dachte an Betty und ihren Vater, von dem es hieß, er sei »weg«. Daran, warum sie Toby Böses gewollt hatte.

Ich dachte an die schrecklichen Geschichten, die er mir erzählt hatte, und an die schrecklich weiche Haut seiner Narben.

Und ich kam zu dem Schluss, dass es offenbar Dinge gab, die ich nie verstehen würde, egal, wie sehr ich mich bemühte. Aber bemühen würde ich mich.

Manche Menschen, auch das wurde mir in dem Moment klar, würden meine einsame kleine Stimme niemals hören, egal, was ich zu sagen hatte.

Doch dann kam mir ein besserer Gedanke, und der begleitete mich von da an: Wenn mein Leben nicht mehr war als eine einzige Note in einer endlosen Sinfonie, musste ich dann nicht diesen einen Ton so lang und so laut spielen, wie ich konnte?

Als ich nach Hause kam, saßen meine Mutter und meine Großmutter im Wohnzimmer, vor sich einen Berg Flickwäsche.

»Wo sind die Jungs?«, fragte ich nach der Begrüßung.

»Im Heu, mit Jordan«, sagte meine Mutter und sah mich bedeutungsvoll an.

Ich musste aufpassen, dass mir der Mund nicht offen stehen blieb. »Mit ...«

»Jordan«, sagte meine Großmutter, ohne die Augen von ihrer Näharbeit zu heben. »Wirklich nett von dem Mann, dass er noch bleibt und deinem Vater hilft, die Scheune zu reparieren.«

»Kann ich auch gehen und mithelfen?«

»Ja, ein Weilchen«, sagte meine Mutter. »Und wenn du zurückkommst, bring deine Brüder mit.«

»Hast du Jordan etwas zum Mittagessen angeboten?«

Meine Mutter sah auf und schmunzelte. »Nein, Annabelle, er hat deinem Vater den ganzen Tag in der Scheune geholfen, aber wir haben ihn nicht eingeladen, mittags mit uns zu essen.«

Meine Großmutter kicherte leise.

»Ich frag ja nur«, sagte ich.

»Und ich antworte ja nur«, entgegnete meine Mutter. »Und jetzt lauf, damit du rechtzeitig wieder hier bist, um mir mit dem Abendessen zu helfen.«

Ich folgte dem Gejohle meiner Brüder und dem Hämmern, das aus der Scheune drang. Mein Vater und Toby standen am großen Tor und flickten Löcher in der Wand, während meine Brüder an einem Seil mit dicken Knoten hin und her schaukelten.

Ich glaube, ich war fast ein wenig eifersüchtig, als ich sah, wie gut sie ohne mich zurechtkamen.

»Was hat dich so lange aufgehalten?«, fragte mein Vater. »Die Jungs sind schon seit bestimmt einer halben Stunde zu Hause.«

»Ich war noch beim Schildkrötenstein.«

Mein Vater und Toby sahen mich an wie unsere Pferde, wenn ich sie beim Grasen störte.

»Es ist so schön still da oben«, sagte ich. Das schien ihnen als Antwort zu genügen.

Über meine Schulter blickte ich zu den Jungen, die mehr Lärm machten als Krähen, die einen Falken verscheuchen wollen. »Hast du die Sachen oben auf dem Heuboden versteckt?«

Mein Vater nickte. »Die Haare habe ich im Wald verbrannt, die Gewehre in Tobys Mantel gewickelt und unter einen Heuballen geschoben. Die Kamera liegt in seinem Hut, hinter dem Heu, und ich habe den Jungen gesagt, sie sollen auf keinen Fall hinaufgehen.«

Augenblicklich war ich alarmiert. Die Jungen zu ermahnen, irgendetwas nicht zu tun, war so, als würde man einem Hund einen Knochen geben und ihm verbieten, ihn anzurühren.

»Ich habe eine Idee«, sagte ich.

Es überraschte mich schon, als bei diesen vier kleinen Worten von mir zwei erwachsene Männer ihre Hämmer sinken ließen.

»Gehen wir kurz vor die Scheune«, sagte mein Vater. Toby und ich folgten ihm ins Freie. »Was ist das für eine Idee?«

Ich erinnerte mich kurz an den Gedankenfaden, den ich in der Schule gesponnen hatte, und an die Entscheidung, die ich beim Schildkrötenstein getroffen hatte: dass ich diesen Faden nutzen würde, um zu flicken, was ich konnte. »Ich glaube, ich weiß, wie wir Andy dazu kriegen zuzugeben, dass Sie unschuldig sind, Toby«, sagte ich.

Beide warteten ab.

»Andy und Betty haben Sie an dem Tag auf dem Hügel gesehen. Sie wissen, dass Sie eine Kamera dabeihatten.«

»Und?«

»Also sagen wir Andy einfach, dass Sie ein Foto von Betty gemacht hätten, auf dem zu sehen ist, wie sie den Stein wirft.«

Toby schüttelte den Kopf. »Das habe ich aber nicht. Es ging alles zu schnell. Danach haben sich die beiden sofort hinters Gebüsch geduckt. Alles, was ich aufnehmen konnte, war die Straße unten. Mit dir und Ruth, die verletzt am Boden lag.«

»Das wissen wir, Toby«, sagte mein Vater. »Wir haben das Bild gesehen, und danach sieht es so aus, als wären *Sie* der Schuldige. Aber Andy weiß das nicht. Er weiß nur, dass Sie da oben waren und eine Kamera dabeihatten. Wir werden ihm sagen, die Abzüge seien gekommen, und eines der Bilder zeige Betty, wie sie gerade den Stein wirft. Wenn er aber glaubt, er sei der schlimmsten Lüge überführt – welchen Grund hätte er dann noch, wegen der restlichen Dinge zu lügen?«

»Damit wäre bewiesen, dass Sie keinen Grund hatten, Betty in den Brunnen zu stoßen«, sagte ich zu Toby. Dann sah ich meinen Vater an. »Wir müssen so bald wie möglich zu Andy gehen und mit ihm reden. Am besten, wir nehmen den Constable mit, dann kann er selbst hören, wie es wirklich war.«

Schon im nächsten Moment zerstoben unsere sorgfältig ausgeklügelten Pläne wie eine Handvoll Vogelfutter im Wind. Dafür sorgten meine Brüder.

Wir drehten uns alle drei gleichzeitig um, als die Jungen aus der Scheune auf uns zurasten.

»Guckt mal, was wir gefunden haben!«, brüllten sie.

James reckte eine Hand mit dem schwarzen Hut hoch.

Henry hatte die Kamera.

Sprachlos starrten wir die beiden an.

»Toby war in unserer Scheune«, sagte Henry. »Vielleicht versteckt er sich hier noch irgendwo.« Auf einmal senkte er die Stimme. »Vielleicht ist er noch in der Scheune! Papa, glaubst du das?«

Was sollten wir darauf antworten?

Wir konnten ihnen unmöglich sagen, dass Toby direkt vor ihnen stand. Die beiden würden den Mund nicht halten können.

Wir konnten ihnen aber auch nicht sagen, sie dürften nicht über ihren Fund sprechen. Es würde ihnen überhaupt nicht einleuchten, wieso wir solche Informationen nicht an die Polizei weitergaben, wenn doch gleichzeitig überall nach Toby gesucht wurde. Dass sie ihn gern mochten, spielte dabei für sie keine Rolle.

»Wo habt ihr die Sachen her?«, fragte mein Vater.

»Vom Heuboden«, sagte James und hüpfte begeistert auf der Stelle.

»Warum sollte Toby seinen Hut und die Kamera bei uns auf dem Heuboden verstecken?«, fragte Henry. »Da wäre er doch schön blöd, außer, er ist noch immer hier irgendwo.«

»Ich schlage vor, darüber soll sich der Constable Gedanken machen«, sagte mein Vater und nahm Henry die Kamera aus der Hand. »Ihr geht jetzt ins Haus und wascht euch.«

»Aber …«

»Los jetzt!« Vater nahm James den Hut weg. »Wir kommen gleich nach.«

James verzog das Gesicht. »Wieso muss Annabelle nicht mit?«

»Sie kommt auch gleich. Jetzt ab mit euch!«

Wir sahen den Jungen nach, wie sie den Weg entlangstapften. Toby zog die Handschuhe aus und rieb sich die verletzte Hand.

»Das hätte jetzt nicht passieren dürfen«, sagte mein Vater.

»Ich sollte mich auf den Weg machen«, sagte Toby.

»Wir müssen so schnell wie möglich zu den Woodberrys«, drängte ich.

»Annabelle, das Ganze kommt mir langsam wie ein einziges Durcheinander vor«, sagte mein Vater. »Ich bin dafür, wir erzählen alles dem Constable. Soll er doch Andy befragen.«

»Und wenn das nicht funktioniert?«

Wir dachten eine Weile nach.

»Ich schlage vor, Toby, Sie verstecken sich erst einmal weiter hier, während wir es versuchen«, sagte mein Vater. »Wenn Andy nicht mit der Wahrheit herausrückt, können Sie immer noch aufbrechen.«

»Und den Suchmannschaften geradewegs in die Arme laufen«, sagte ich.

Toby zuckte mit den Schultern. »Ich bin ganz gut darin, mich unbemerkt zu bewegen.«

»Fürs Erste bewegen Sie sich jedenfalls nicht von hier weg«, sagte mein Vater.

»Aber es schadet doch nichts, wenn wir mit Andy reden«, gab ich zu bedenken. »Wir könnten jetzt sofort gehen. Wir sagen ihm, es gibt ein Foto von dem Tag, als Ruth verletzt wurde, auf dem er und Betty zu erkennen sind, und dann sehen wir ja, wie er reagiert.«

»Falls der Junge nicht gesteht, bekommt ihr nur Ärger«, sagte Toby. »Ihr lügt ihm etwas vor, um ihn dazu zu kriegen, die Wahrheit zu sagen. Da würden sich die Leute doch wundern.«

»Sollen sie ruhig«, antwortete mein Vater. »Wir haben Sie die ganze Zeit verteidigt. Da liegt es doch nahe, dass wir auch weiterhin versuchen, Ihnen zu helfen.«

»Warum eigentlich? Warum haben Sie mich immer verteidigt?«

Überrascht schob mein Vater seinen Hut ein Stück höher. »Weil Sie nichts Unrechtes getan haben.«

Darüber dachte Toby eine Weile nach, während er weiter über seine Narben strich. Ich hörte, wie in meinem Kopf Tobys Geschichten von unten an die Deckel schlugen.

Als Toby sich schließlich aufrichtete und meinem Vater den Hut aus der Hand nahm, war mir klar, was nun kommen würde.

»Danke für alles«, sagte er, und obwohl er meinem Blick auswich, wusste ich, dass er vor allem mich meinte. »Aber dieses Spiel möchte ich nicht spielen.« Er setzte den Hut auf.

Von einer Sekunde zur anderen war er nicht mehr Jordan.

»Was haben Sie vor?«, fragte ich und folgte ihm in die Scheune.

Er schwieg. Auch als mein Vater ihn bat zu bleiben, bis die Dinge aufgeklärt wären, antwortete er nicht. Es war, als hörte er uns gar nicht, während er die Leiter zum Heuboden hochstieg.

»Dieser Mann ist so stur, man könnte meinen, er sei mit uns verwandt«, sagte ich.

»Höchstens über die Familie deiner Mutter«, sagte mein Vater.

Wir sahen zu, wie Toby die Leiter wieder herunterkam, in seinem schwarzen Mantel, die Gewehre auf dem Rücken.

»Toby, so können Sie unmöglich losgehen«, sagte ich. »Die Lage ist wirklich ernst.«

Doch er blieb nur kurz unten stehen und reichte mir den Mantel meines Großvaters und meinem Vater die Handschuhe.

»Sie wollen wirklich weg?«, fragte ich. »Einfach so?«

Toby antwortete nicht.

Nach allem, was wir versucht hatten, war es schwer zu glauben, doch ich begriff, dass er wirklich entschlossen war zu gehen.

»Ihre Kamera«, sagte mein Vater und hielt sie ihm hin. Toby winkte ab. Sein Gesicht, soweit ich es unter dem Hut sehen konnte, war bleicher denn je.

Er drehte sich um, verließ die Scheune, überquerte die hintere Weide und verschwand im Wald.

23

An dieser Stelle hätte die Geschichte enden können.

Doch Tante Lily hatte auch ein Wörtchen mitzureden.

»Wieso hast du nicht die Staatspolizei gerufen, John?«, blaffte sie meinen Vater an, als sie von der Poststelle nach Hause kam und hörte, was die Jungen auf dem Heuboden gefunden hatten. »Oder wenigstens den Constable. Kann doch sein, dass dieser Irre sich noch immer hier irgendwo herumtreibt. Ich für meinen Teil werde kein Auge zumachen, bevor er nicht geschnappt ist.«

Mein Vater saß auf dem Stuhl beim Herd und schaute vor sich hin, während meine Großmutter und ich den Tisch deckten.

»Lily, er wollte nur die Kamera zurückbringen. Schließlich gehört sie uns. Er ist längst über alle Berge.«

»Und der Hut?«

Darauf wusste mein Vater keine Antwort.

»Hast du den Heuboden gründlich abgesucht?«

Mein Vater schüttelte den Kopf.

»John! Vielleicht versteckt er sich immer noch da oben. Oder er ist erst verschwunden, nachdem die Jungen heute oben waren.«

Meine Großmutter, die sich bis dahin aus der Sache herausgehalten hatte, sagte: »John, so sehr wir Toby auch immer gemocht haben – ich glaube, Lily hat nicht ganz unrecht.«

»Danke, Mutter«, sagte Tante Lily. »Ich bin sicher, Sarah sieht das genauso.«

Meine Mutter, die noch am Herd stand, äußerte sich nicht.

Tante Lily wartete, dabei beobachtete sie aufmerksam meinen Vater, der weiter auf seinem Stuhl saß und nachdachte.

»Also, wenn du's nicht tust, dann tu ich es«, sagte sie schließlich.

Ich protestierte sofort, doch mein Vater hob die Hand. »Lass sie, Annabelle.«

Wir alle hörten, wie sie vom Wohnzimmer aus Mrs. Gribble bat, die Verbindung zur Polizei in Pittsburgh herzustellen. Dann sprach sie mit jemandem auf der Wache. Man müsse sofort einige Beamte herschicken, drängte sie, und auch die Hunde würden wieder gebraucht.

Der Gedanke war mir noch gar nicht gekommen – dass die Hunde nicht nur nach Betty suchen könnten, sondern auch nach Toby.

Mein Vater und ich schauten uns an, und ich sah in seinem Blick, dass ihm gerade dasselbe klar geworden war wie mir: dass es ringsumher jede Menge frischer Spuren von Toby gab. Nicht nur beim Brunnen in Cobb Hollow. Nicht nur in unserer Scheune. Sondern auch in unserem Truck. Spuren, die direkt in unsere Küche führten, direkt zu jenem Stuhl dort.

Als Tante Lily ihr Telefonat beendet hatte, sagte sie: »Officer Coleman kommt noch heute Abend. Wenn nötig, folgen morgen früh weitere Männer.« Sie sah sehr zufrieden aus.

»Die darfst du dann aber auch verpflegen, Lily«, sagte meine Mutter spitz. »Und hinter ihnen sauber machen auch.«

»Mit dem größtem Vergnügen«, sagte Tante Lily und setzte sich auf ihren Platz. »Nur habe ich leider meine eigene Arbeit. Sarah, man sollte doch meinen, du wärst diejenige, die sich von uns allen die größten Sorgen macht. Allein schon wegen der Sicherheit deiner Kinder.«

Meine Mutter holte ein Blech aus dem Ofen und knallte es auf den Herd. »Ich mache mir durchaus Sorgen«, sagte sie. »Täusch dich nicht.«

Die Aussicht auf Abendessen und die baldige Ankunft der Polizei hatten die Jungen herbeigelockt.

»Werden sie Toby totschießen?«, fragte James. Er hörte sich erschrocken an, und ich war dankbar dafür.

»Ach, sei still«, sagte Tante Lily und wedelte ungeduldig mit der Hand. »Von Totschießen hat keiner was gesagt.«

»Gesagt vielleicht nicht«, warf meine Mutter ein. »Aber Männer mit Gewehren verfolgen einen Mann mit Gewehren. Was glaubst du, was da passiert?«

»Sie werden ihn stellen und festnehmen!«, rief Tante Lily, als hätte sie es mit lauter Idioten zu tun. »Du lieber Himmel, wir sind doch nicht bei den Nazis in Deutschland. Niemand erschießt hier jemanden, wenn es nicht sein muss.«

Mein Großvater kam von der Veranda vor dem Haus herein, wo er abends gerne saß und zusah, wie die Sonne unterging. »Deutsche? Erschießungen? Was ist denn hier los?«, fragte er, während er an seinem angestammten Platz an der Stirnseite des Tisches Platz nahm.

»Nichts, Vater«, sagte Tante Lily, »nur dummes Gerede. Officer Coleman kommt gleich noch mal, um sicherzugehen, dass dieser Toby sich nicht irgendwo hier versteckt. Das ist alles.«

»Nur weil die Jungs seinen Hut in der Scheune gefunden haben?«

Tante Lily nickte.

»Scheint mir ein bisschen übertrieben«, sagte mein Großvater. »Aber ich habe ja auch kein Auge verloren und nicht im Brunnen festgesteckt.«

»Das ist unfair!«, murmelte ich, doch ich wusste, ich hatte in der Sache nichts mehr zu sagen.

»Wie ich hörte, hat Jordan geholfen, die Scheune zu reparieren«, sagte Tante Lily, und auf einmal hatte ihre Stimme wieder diesen leicht melodiösen Klang. »Aber er wollte nicht zum Essen bleiben?«

Den Teil der Geschichte hatten wir völlig vergessen, was mich selbst überraschte. Dass es einen Jordan gegeben hatte, wenn auch nur für kurze Zeit.

»Er musste zurück«, antwortete mein Vater, »aber er hat mich gebeten, dir einen Gruß auszurichten.«

Tante Lily strahlte wie ein kleines Mädchen. »Ein sehr netter Mann, wie mir schien«, sagte sie.

»Das war er wirklich«, sagte ich etwas zu laut.

Alle sahen mich an.

»Was ist? Das war er doch.« Ich beschäftigte mich hingebungsvoll mit einem losen Knopf an meinem Blusenärmel.

»Wo ist der Hut jetzt?«, wollte Tante Lily wissen.

Schweigen.

»Welcher Hut?«, fragte mein Vater, doch ich sah, wie sein Adamsapfel sich auf und ab bewegte.

Tante Lily schaute erst meinen Vater an, dann mich, dann meine Brüder.

Henry zuckte mit den Schultern. »Wir haben ihn Papa gegeben.«

»Ach, den Hut meinst du«, sagte mein Vater. »Der liegt in der Scheune. Besonders sauber ist der nicht.«

»Das kann ich mir denken«, sagte Tante Lily.

»Genug jetzt«, sagte meine Mutter. »Jetzt wird gegessen. Und dabei möchte ich kein Wort mehr hören über Toby oder seinen Hut und auch nicht über Polizisten, Spürhunde oder was auch immer. Ist das klar?«

Das war es.

Wir drängten uns alle um den Tisch.

Tante Lily sprach das Tischgebet.

Das Essen war lecker, und ich langte zu, fühlte mich aber nicht weniger leer.

»Was hört man von Betty?«, fragte Tante Lily.

»Sie spricht noch immer sehr wenig«, sagte meine Mutter. »Die Blutvergiftung war nicht so schlimm, und sie mussten keinen Zeh amputieren, aber insgesamt geht es ihr sehr schlecht. Sie hat hohes Fieber, und die Entzündung in der Schulter wird einfach nicht besser, im Gegenteil. Deshalb muss Betty weiter im Krankenhaus bleiben.« Meine Mutter pflegte uns alle, wenn wir krank oder verletzt waren, und es gab in dieser Hinsicht nicht viel, was sie schockieren konnte, doch mir selbst war der Appetit vergangen.

»Ich wünschte, wir hätten sie früher gefunden«, sagte ich.

Meine Mutter wusste, wie es mir bei dem Gedanken an Betty ging. »Du bist ein liebes Mädchen, Annabelle.«

»Und was ist mit mir?«, fragte James.

»Du bist auch ein liebes Mädchen«, sagte mein Vater.

»Ach Mann, Papa!«, sagte James und zog eine Grimasse.

Ich hätte lachen sollen, so wie Henry. Doch ich konnte nicht.

Nach dem Essen und dem Abwasch ging ich auf die Veranda hinaus und setzte mich im Schein der Laterne auf die Stufen. In dieser Jahreszeit gab es keine Mücken, die Jagd auf mich machten, und keine Fledermäuse auf der Jagd nach Mücken. Ich hatte also keinen

Grund, so bald wieder ins Haus zurückzugehen, außer einem, dem Gedanken an Officer Coleman, der jederzeit eintreffen konnte.

Ich wollte ihn nicht sehen.

Ich wollte nicht mit ihm reden, weder über Toby noch über Betty noch über sonst irgendetwas.

Die Vorstellung, wie meine Eltern an unserem Küchentisch sitzen und gegenüber einem Polizisten lügen mussten, war schlimm.

Und schon gar nicht wollte ich dabei zusehen, wie er unsere Scheune durchsuchte.

Bei dem Gedanken daran fielen mir all die Dinge ein, die ich Toby in die Scheune gebracht hatte und die zum Teil noch dort oben sein mussten. Ich zählte sie an den Fingern auf.

Mein Vater hatte schon einiges geholt: die Einmachgläser, Decken und Kissen, die Schere meiner Mutter, Handtuch und Seife und dergleichen. Tobys alte Kleider hatte er in der Tonne, in der er immer Sachen verbrannte, unter einem Berg Asche versteckt.

Die Kamera hatte Toby uns zurückgegeben.

Ebenso den Mantel meines Großvaters und die Handschuhe.

Die Gewehre hatte er mitgenommen.

Aber irgendetwas war da noch in der Scheune. Ein einzelner Löffel? Ein Marmeladenglas?

Auf einmal fiel es mir ein. *Die Schatzinsel.*

Falls sie das Buch entdeckten, konnte ich immer noch sagen, ich selbst hätte auf dem Heuboden darin gelesen. Trotzdem wäre es wohl besser, sie würden es gar nicht erst finden.

Ich kannte den Weg gut genug, um ihn ohne Laterne oder Taschenlampe zu gehen, und langsam war ich ganz geübt darin, im Dunkeln herumzulaufen, also dachte ich nicht erst lange nach, sondern lief gleich los.

Die Hunde im Holzschuppen kläfften kurz, machten sich aber nicht die Mühe herauszukommen. Die Hühner schliefen schon tief und fest in ihrem Stall, als ich vorbeiflitzte. Hier und da fiel ein welkes Blatt von einem Baum, doch das machte mir keine Angst. Auch dass der Mond nicht am Himmel stand, brachte mich nicht dazu, langsamer zu gehen.

»Hallo, Bill«, sagte ich, als ich durch das Tor in die Scheune schlüpfte. »Hallo, Dinah.« Dann muhte ich leise den Kühen zu, damit sie wussten, dass ich es war, und lief schnell die Treppe zur Tenne hoch.

Plötzlich blieb ich stehen.

Öffnete den Mund, um besser hören zu können.

Irgendetwas war da.

Die Scheune knarrte, wie alte Scheunen das so machen.

Es war etwas anderes.

Ganz in der Nähe raschelte eine Maus im Heu.

»Hallo?«, rief ich leise.

Ein Grashalm schwebte von oben herab.

Dann zeigte sich eine Gestalt auf dem Heuboden.

»Toby? Sind Sie das?«

Ich hoffte, er war es. Ich hoffte, er war es nicht. Doch als er meinen Namen sagte, war ich vor allem erleichtert.

»Du liebe Güte, Toby – was machen Sie denn wieder hier?« Ich stolperte die Leiter hoch und drängte ihn von der Kante weg. »Ich bin fast zu Tode erschrocken. Bleiben Sie jetzt hier? Für immer?«

Mit seinem Mantel, dem Hut und dazu noch in der Dunkelheit kam er mir wieder wie jemand aus einer Gruselgeschichte vor.

»Nicht für immer«, sagte er. »Nur für einen Moment.«

»Einen Moment?« Ich war teils verdutzt, teils enttäuscht. Das schien langsam ein Dauerzustand bei mir zu werden. Warum wollte er wieder weg, wenn er doch eben erst zurückgekommen war? »Haben Sie etwas vergessen?«

Er nickte. »Stimmt.«

»Was? Ihr Messer?« Mir war wieder eingefallen, dass er es meinem Vater zur Aufbewahrung gegeben hatte, bevor er in den Brunnen hinabgelassen worden war.

»Nein, das habe ich schon zurück.«

»Wollen Sie vielleicht die Kamera? Die gehört Ihnen, Toby. Ich kann sie schnell holen, bevor der Trooper hier ist.«

Bei diesen Worten richtete er sich auf. »Du hast die Polizei gerufen?«

»Natürlich nicht«, sagte ich und hörte selbst, wie gekränkt ich klang. »Trauen Sie mir das zu?«

Er schüttelte den Kopf.

»Meine Tante Lily hat sie gerufen, als meine Brüder den Mund nicht halten konnten und herumerzählten, was sie gefunden hatten.«

Toby setzte sich auf einen Heuballen und nahm den Hut ab. »Das heißt, sie sind auf dem Weg.« Das war eine Feststellung, keine Frage.

»Nur der Trooper, der schon mal hier war. Aber, Toby, entweder Sie werden wieder Jordan, oder Sie müssen hier weg. Der Trooper will erst die Scheune absuchen, dann entscheidet er, ob er morgen mit seinen Leuten die Gegend durchkämmt. Auch mit Spürhunden.«

Toby rieb sich über die linke Hand. »Mit Spürhunden.« Dabei drehte er den Kopf, als hätte er sich den Hals verrenkt.

Ich seufzte. »Die würden Sie vermutlich so oder so erkennen, egal wie Sie sich nennen.«

»Auf jeden Fall. Spürhunde können eine Spur auch durch Wasser verfolgen. Sogar durch Hochwasser. Sogar, wenn jemand getragen wird.«

»Das wusste ich nicht. Ich wünschte, es wäre nicht so. Andererseits – tragen könnte ich Sie ohnehin nicht! Aber sie kommen keinesfalls vor morgen früh. Sie haben also immer noch Zeit, von hier zu verschwinden. Suchen Sie sich jemanden, der Sie im Auto mitnimmt, so weit wie möglich. Ich kann wieder den Mantel von meinem Großvater holen. Und die Handschuhe. Irgendwer nimmt Sie mit dem Auto mit, ganz sicher.«

Toby hob beide Hände. »Hör auf, Annabelle.«

Ich hörte auf.

Er ließ die Hände in den Schoß sinken.

Erst da wurde mir klar, dass er meine Frage nicht beantwortet hatte.

»Wenn es nicht um das Messer ging«, sagte ich, »weswegen sind Sie dann zurückgekommen?« Ich wünschte, ich könnte sein Gesicht im Dunkeln besser erkennen.

»Als ich von hier aufgebrochen bin, wollte ich auf direktem Weg nach Westen«, begann er. »Ein, zwei Meilen bin ich auch gelaufen, aber dann habe ich gemerkt, es ging mir alles viel zu schnell.« Er legte den Kopf in den Nacken und schluckte schwer. »Ich musste immer daran denken, was ich zurückließ. Also machte ich kehrt und ging zur Hütte, um mir ein paar von den Fotos zu holen. Es war schwer, eine Auswahl zu treffen, aber auch, sie von der Wand zu lösen.« Er brach ab und strich sich mit der Hand über die Stirn. »Dann bin ich hergekommen, um mich zu verabschieden, Annabelle. Es war unhöflich, einfach so fortzugehen.«

Ich fand es schön, dass er allein deswegen den ganzen Weg zurückgekommen war. Aber er sollte nicht glauben, er sei unhöflich gewesen.

»Sie hätten sich nicht verpflichtet fühlen müssen«, sagte ich und schaute dabei auf meine Füße.

Er hob eine Hand. »Nein, so war es auch nicht.« Er seufzte, stand auf, setzte den Hut wieder auf und rückte die Gewehre zurecht. »Annabelle«, sagte er, »ich hätte gern eine Tochter wie dich gehabt.« Er nahm meine Hand und schüttelte sie, als hätten wir gerade einen Pakt geschlossen.

Dann stieg er die Leiter hinunter und ging zur großen Tür auf der Dreschtenne hinaus.

Während ich noch auf dem Heuboden stand und mich zu erinnern versuchte, weswegen ich eigentlich hergekommen war, fielen mir zwei Dinge auf.

Zum einen, dass Toby am Ende doch nicht Auf Wiedersehen gesagt hatte, und ich auch nicht.

Zum anderen, dass er nur zwei seiner Gewehre mitgenommen hatte.

Noch nie hatte ich ihn mit weniger als drei Gewehren gesehen.

Ich erinnerte mich an das, was mein Vater festgestellt hatte: dass überhaupt nur eines der Gewehre noch funktionierte. Die beiden anderen seien völlig hinüber, hatte er gesagt.

Nie hatte Toby erwähnt, warum er all diese schweren Waffen ständig mit sich herumtrug, und das seit all den Jahren.

Aber jetzt wusste ich es: Er trug sie, gerade *weil* sie schwer waren.

Ich wusste nur nicht, warum er gerade jetzt beschlossen hatte, sich seine Last zu erleichtern.

Die Schatzinsel wartete auf mich hinter den Heuballen.

Ein Weilchen blieb ich da, weinte ein kleines bisschen, nur gerade so lange, bis ich wieder Luft bekam, dann öffnete ich die Holzläden der Luke, lehnte mich hinaus und ließ den Blick über die Weide schweifen.

Sehr weit reichte mein Blick nicht, aber Toby war dunkler als das Gras, und fast schien es mir, als könnte ich ihn sehen, als er eben den Wald betrat. Aber vielleicht täuschte ich mich auch.

Egal wie – Toby war fort, und ich machte mir keine Hoffnung, ihn je wiederzusehen.

Ich schloss die Läden und klemmte mir mein Buch unter den Arm, dann stieg ich vom Heuboden, verließ die Scheune und ging ins Haus.

24

»He«, sagte Henry, als ich von der Veranda in den Vorraum trat und er sah, was ich in der Hand hielt, »das ist meine *Schatzinsel.*«

»Stimmt«, sagte ich und gab ihm das Buch.

Er betrachtete es kritisch von beiden Seiten. »Was hast du damit gemacht? Draußen? Im Dunkeln?«

»Den Hunden vorgelesen«, sagte ich und zog meine Stiefel aus. »Besonders hat ihnen die Stelle gefallen, wo der Schwarze Hund nach Bones sucht.«

»Haha, sehr witzig.«

Inzwischen war auch James im Schmutzraum aufgetaucht, in der Hoffnung, dass es bei uns Interessanteres gab als die aktuelle Folge der Rundfunksendung *Cavalcade of America,* in der es um Ereignisse in der amerikanischen Geschichte ging und die meine Eltern in den kalten Monaten gerne hörten. Aus dem Radio im Wohnzimmer drangen die Stimmen bis zu uns herüber.

»He, das ist mein Buch«, sagte James, und sofort balgten sich die beiden darum.

»Ihr seid mir schon zwei«, sagte ich und wollte mich an ihnen vorbeidrücken, doch da flatterte auf einmal etwas zwischen den

Seiten des Buches heraus, was wie ein Foto aussah, und landete direkt vor meinen Füßen. Schnell hob ich es auf.

»Was ist das?«, fragte James.

»Ein Brief von den Hunden«, sagte ich und schob das Foto in meine Tasche. ›Sofort schlafen gehen!‹ steht darauf.«

»Witzbold!«, sagte Henry.

»Geh doch selber schlafen«, sagte James.

»Ich glaube, das tue ich jetzt auch«, sagte ich.

Nachdem ich mir die Zähne geputzt und das Gesicht gewaschen hatte, betrachtete ich mich kurz im Spiegel. Ich wunderte mich selbst darüber, aber ich sah aus wie immer.

»Gute Nacht«, sagte ich zu meinen Eltern, den Großeltern und sogar zu Tante Lily, die *Cavalcade of America* »eine ganz vorbildliche Sendung« nannte, im Unterschied zu einer Unterhaltungssendung mit dem Komiker Red Skelton oder der Krimi-Hörspielreihe *The Shadow.* Allerdings saß sie, wenn wir solchen »Mist« hörten, oft in der Küche, möglichst dicht bei der Wohnzimmertür.

Als ich endlich ungestört in meinem Zimmer war, zog ich das Bild aus der Tasche und betrachtete es im Schein meiner Nachttischlampe.

Das Foto war leicht zerknittert, außerdem lag ein Teil des Motivs im Schatten, trotzdem erkannte ich einen sonnenbeschienenen Fischteich, der aussah wie von einer Brücke aus aufgenommen.

Erst war mir nicht klar, wieso Toby so ein stehendes Gewässer überhaupt fotografiert hatte und wieso er ausgerechnet dieses Foto an einem Ort hinterlegt hatte, wo ich es finden musste.

Doch als ich es glatt strich und direkt unter die Lampe legte, entdeckte ich eine blasse Spiegelung im Wasser – die eines Mannes mit einer Kamera auf einer Brücke.

Ein Selbstporträt. Die einzige Art Selbstporträt, die ein Mensch wie Toby sich gestatten würde. Es zeigte ihn, wie er tatsächlich aussah, aber zugleich auch verändert, was am Umweg über sein Spiegelbild im Wasser lag.

Ich drehte das Bild um, doch da war nichts zu sehen, nur die raue Stelle, an der Toby das Bild von der Wand gelöst hatte. Hätte er einen Stift gehabt, vielleicht hätte er etwas daraufgeschrieben und mir eine Nachricht hinterlassen.

Gerade als ich das Foto unter meine Matratze schob, hörte ich, wie ein Auto vor unserem Haus vorfuhr. Reifen knirschten im Kies. Eine Tür schlug zu. Gleich darauf klopfte es an der Haustür.

Officer Coleman war gekommen.

Das Haus schien zu erbeben unter den vielen Schritten zum Vorraum hin, unter den Stiefeln des Troopers und der Aufgeregtheit meiner Brüder, die in dem ganzen Durcheinander offenbar völlig vergessen hatten, dass Toby ihnen nie etwas getan hatte.

Hoffentlich würde es ihnen bald wieder einfallen.

Mein Fenster ging zum Glück nicht zur Scheune hinaus, so war ich wenigstens nicht versucht zuzusehen, wie der Trooper mit einer starken Lampe in der Hand dorthin ging, sicherlich begleitet von meinem Vater.

Ich konnte lange nicht einschlafen, doch solange ich wach lag, hörte ich die beiden nicht zurückkommen.

Ich schlief so tief und fest, dass ich, als meine Mutter mich am nächsten Morgen weckte, kaum wusste, wo ich war. Was auch immer ich geträumt hatte, es hatte mich weit weg von meinem normalen Leben geführt, und ich brauchte lange, um zurückzukehren.

»Du musst wirklich sehr müde gewesen sein«, sagte meine Mutter, als mein Blick langsam klarer wurde.

»Scheint so.« Ich gähnte laut und reckte die Arme hoch über den Kopf. »Muss ich heute zur Schule gehen?«

Sie hob einen verirrten Strumpf auf und warf ihn in meinen Wäschekorb. »Ich glaube, du wirst noch froh sein, wenn du wieder zur Schule gehen darfst.«

»Das tue ich auch, sobald alles vorbei ist.«

»Es *ist* vorbei, Annabelle. Für dich ist es vorbei. Das, was jetzt kommt, möchtest du lieber nicht miterleben.«

Das hörte sich nicht gut an.

Meine Mutter setzte sich zu mir aufs Bett.

»Was ist los?«, fragte ich.

»Officer Coleman hat die ganze Scheune abgesucht, aber nichts gefunden.«

»Natürlich nicht. Toby ist ja schon lange weg.« Ich hatte ihr nichts von Tobys Rückkehr erzählt, und ich war mir auch nicht sicher, ob ich es je tun würde. Mit dem Bild unter der Matratze fühlte ich mich wie die Prinzessin auf der Erbse.

»Ja, aber dann war Officer Coleman noch einmal in Tobys Hütte, um sich genauer umzusehen. Und da hat er etwas gefunden.«

Mir fiel wieder ein, dass Toby dahin zurückgekehrt war, um seine Fotos zu holen.

»Er hat eins seiner Gewehre dort zurückgelassen. Die Waffe war aber ganz sicher nicht in der Hütte, als der Trooper das erste Mal nachgesehen hatte, gleich nachdem Betty vermisst worden war.«

Ich setzte mich auf.

»Aber jetzt kommt das wirklich Merkwürdige an der Sache: Das Gewehr, das er zurückgelassen hat, ist das, das funktioniert, und es war sogar geladen. Also das einzige intakte Gewehr, das Toby besaß. Die zwei kaputten hat er mitgenommen, das andere dagelassen. Warum macht er das?«

Ich fragte mich, ob er vielleicht Angst gehabt hatte, er könnte es benutzen, falls die Polizei ihn stellen sollte. Oder er wollte nur einen Teil seiner Last ablegen.

Keine der beiden Möglichkeiten überzeugte mich, doch eine dritte fiel mir nicht ein.

Meine Mutter sah mich fragend an.

Ich rieb mir den Schlaf aus den Augen. »Hat er sonst irgendwas dagelassen?«

»Nein, im Gegenteil. Er hat etwas mitgenommen. Fotos von der Wand.«

»Das kann man verstehen.«

Meine Mutter zupfte an meiner Bettdecke. »Inzwischen wissen sie also, dass er irgendwann in unserer Scheune war, nämlich als er die Kamera und den Hut dagelassen hat. Was wiederum ein Problem ist, weil der Hut nicht mehr da war, als der Officer gestern Abend die Scheune abgesucht hat.« Meine Mutter strich sich mit den Fingern durchs Haar. »Es ist alles so verrückt, Annabelle. Es wird immer schwieriger, sich zu erinnern, was wir eigentlich wissen können und was nicht.«

»Was glaubst du, wieso ich ins Bett gegangen bin, bevor Officer Coleman gestern Abend kam?«

Sie nickte. »Dein Vater tut mir leid. Er musste mit in die Scheune gehen und völlig überrascht tun, als der Hut nicht mehr da war, wo er ihn hingelegt hatte. Deswegen ist Officer Coleman jetzt überzeugt, dass Toby sich noch immer in der Nähe aufhält. Und dass er nicht nur gestört ist, sondern auch gefährlich.«

»Aber wir wissen, dass er keins von beidem ist«, sagte ich.

»Das stimmt. Deswegen hat dein Vater Officer Coleman auch gesagt, dass die anderen Gewehre kaputt sind. Damit die Polizei nicht glaubt, Toby sei bewaffnet.«

»Und ihn erschießt.« Ich ließ mich zurück aufs Bett sinken. »Hoffentlich ist er inzwischen meilenweit von hier.«

»Das hoffe ich auch. Aber sie haben Spürhunde.«

Mehr musste sie nicht sagen. Ich sah die Hunde vor mir, wie sie an ihren Leinen zerrten und aufgeregt bellten, während sie die Hundeführer durch den Wald zogen.

»Du hast recht«, sagte ich. »Ich gehe wirklich lieber wieder zur Schule.«

Meine Mutter seufzte. »Annabelle, ich würde es dir so wünschen. Aber Officer Coleman hat angeordnet, dass alle in ihren Häusern bleiben und die Türen verschlossen halten, bis Toby gefunden ist.«

Ich richtete mich wieder auf. »Was?«

»Sie wollen vermeiden, dass jemand zu Schaden kommt, entweder durch Toby oder versehentlich. Außerdem wollen sie nicht, dass er sich irgendwo verstecken kann.«

»Die können doch nicht jedes Hühnerhaus und jeden Ölschuppen verschließen, oder?«

»Nein, aber sie befürchten ja auch nicht, dass Toby einen Stall voller Hühner als Geiseln nimmt.«

»Geiseln?« Ich sprang auf. »Mama, wenn hier jemand verrückt ist, dann ja wohl die! Alles fing doch mit Bettys Lügen an. Erst hat sie behauptet, Toby hätte Ruth verletzt, und später, er hätte sie in den Brunnen gestoßen. Jetzt gehen alle davon aus, dass sie die Wahrheit sagt, und handeln danach. Das ist nicht in Ordnung. Das weißt du doch.«

»Annabelle, du kannst in deinem Nachthemd dastehen und deine Überzeugung verkünden, so lange du willst, aber ich wüsste nicht, was wir noch tun könnten. Es liegt nicht mehr in unserer Hand. Betty wird bei ihrer Geschichte bleiben, warum sollte sie auch nicht? Jeder hält sie für das Opfer. Und so, wie Betty aussieht, kann ich es den Leuten kaum verdenken. Toby hingegen sieht aus wie ein Bösewicht, ob er es ist oder nicht.«

»Das heißt, wir müssen hier im Haus ausharren, hinter verschlossenen Türen, und warten, bis sie ihn gefasst haben?«

»Ich fürchte, ja. Frauen und Kinder ins Haus, Männer auf die Jagd.«

Die nächste Schreckensnachricht – noch eine würde ich bestimmt nicht verkraften.

»Männer auf die Jagd? Du meinst, Papa musste los, um Toby zu jagen?«

»Er musste nicht«, antwortete meine Mutter. »Aber er ist derjenige, der allen einschärft, dass Toby nicht bewaffnet ist. Gefährlich vielleicht, aber nicht so gefährlich, wie er es mit einem funktionierenden Gewehr wäre. Die Polizei bittet einfach jeden erwachsenen Mann um Unterstützung. Wir kennen uns hier in den Wäldern besser aus als jeder von ihnen, und die Hunde müssen erst einmal auf die Fährte gesetzt werden. Bis dahin sollen ein paar Polizisten und eine Armee aus Freiwilligen losziehen, mit Trillerpfeifen statt Gewehren. Kein Mensch wünscht sich eine Schießerei. Und keiner will, dass Toby eine richtige Waffe in die Hände kriegt.«

»Wieso Trillerpfeifen?«

»Damit sie den anderen Bescheid geben können, wenn sie ihn sehen.«

Lauter Farmer mit Trillerpfeifen – ich sah sie direkt vor mir.

Wenigstens ein paar von ihnen, da war ich mir sicher, würden zu schärferen Waffen greifen, ganz gleich, was der Trooper angeordnet hatte.

Jedes Jahr kam es vor, dass ein Jäger auf der Jagd versehentlich einen Kameraden erschoss. Ich konnte mir lebhaft vorstellen, wie eine Jagd wie die auf Toby enden würde.

»Ich bin bloß froh, dass James und Henry noch zu jung sind, um dabei mitzumachen«, sagte ich. »Oder auch Jungen wie Andy, die auf alles schießen würden, was sich bewegt.«

»Und dass dein Großvater zu alt ist, um irgendetwas anderes zu tun, als mit einer Thermoskanne Kaffee in seinem Truck zu sitzen.«

Ich zog die erstbeste Hose und einen Pulli aus meinem Schrank. »Vielleicht sollten sie Tante Lily an die Leine legen und sie an einem von Tobys Handschuhen schnüffeln lassen.«

»Annabelle, still!«, sagte meine Mutter, konnte sich aber ein Schmunzeln nur mit Mühe verkneifen.

Ich schwieg zwar still, hauptsächlich jedoch, um dem Echo meiner eigenen Worte zu lauschen.

»Wir sollten Großvaters Mantel verstecken. Den, den Toby anhatte. Und auch die Handschuhe. Die riechen doch nach ihm.«

Jetzt schmunzelte meine Mutter wirklich. »Glaubst du, die Spürhunde kommen bis in unseren Vorraum?«

Ich zuckte mit den Schultern. »Wer weiß? Vielleicht. So ein Spürhund kann eine Spur auch durchs Wasser verfolgen«, sagte ich. »Sogar durch Hochwasser. Er kann sogar die Spur von jemandem verfolgen, der nicht einmal den Boden berührt, weil er von jemand anderem getragen wird.«

»Woher hast du das?«

»Von Toby.«

Meine Mutter machte ein nachdenkliches Gesicht. »Woher er das wohl weiß?«

»Keine Ahnung, aber er war erst gestern in unserer Küche, also führt eine Spur von seiner Hütte zur Scheune, ins Haus und zurück und am Ende in den Wald.«

Meine Mutter stand auf. »Du liebe Güte«, sagte sie. »Das wird ja immer schöner.«

Keine von uns sprach, während ich mich anzog, mir die Haare bürstete und dann anfing, mein Bett zu machen.

»Die finden es schon noch raus«, sagte ich schließlich. »Die finden schon noch raus, dass Toby Jordan war.«

»Glaubst du?« Meine Mutter strich die Bettdecke glatt. »Vermutlich hast du recht. Falls sie die Hunde hierherbringen. Aber die frischeste Spur führt von der Scheune weg in den Wald. Zum Haus dürften sie also nicht kommen.«

»Trotzdem verstecke ich Großvaters Mantel und Handschuhe lieber hier in meinem Schrank.«

»Ist gut«, antwortete meine Mutter. »Schaden kann es ja wohl nicht.«

Nach dieser Unterhaltung gingen wir beide nach unten, um einen der seltsamsten Tage unseres Lebens zu verbringen – eingesperrt in unser Haus, als wären wir selbst Gefangene.

25

Betty Glengarry starb an jenem Morgen um 10:18 Uhr.

Es dauerte eine Stunde, bis wir davon erfuhren.

Henry ging ans Telefon.

»Es ist Mrs. Gribble«, sagte er und hielt meiner Mutter den Hörer hin.

Meine Mutter nahm ihn entgegen, legte aber die Hand über die Muschel. »Was will sie?«

»Ich weiß nicht«, antwortete Henry. »Vielleicht will sie ein Gespräch durchstellen, aber vorher noch mit dir sprechen.«

Meine Mutter legte den Hörer ans Ohr und drehte ihn zum Mund. »Hallo, Annie?«

Ich hörte Mrs. Gribbles Stimme, verstand aber nicht, was sie sagte. Sie sprach lauter als üblich, drängender, aber nicht so aufgeregt wie sonst, wenn sie Neuigkeiten hatte.

Meine Mutter lauschte kurz, dann rang sie hörbar nach Luft und schlug sich mit der Hand an eine Wange. »O nein«, sagte sie. »Wie kann das sein? Ach, wie traurig. Wie ist das nur möglich?«

Meine Mutter weinte sehr selten, und sie weinte auch jetzt nicht, doch ihr Blick war schlimmer als Tränen.

Ich war mir sicher, dass Toby tot war. Mir wurde abwechselnd heiß und kalt.

Henry stand dicht neben mir. Er roch nach einer Mischung aus Ahornsirup und Hundefell. Wie gern hätte ich mit ihm getauscht.

»Ich richte es ihm aus«, sagte meine Mutter, und fast versagte ihr die Stimme. »Er und John sind mit den Spürhunden draußen, Annie, aber wenn ich ihn sehe, sage ich's ihm. Ganz sicher. Danke für den Anruf. Auf Wiederhören.«

Meine Mutter legte langsam den Hörer auf. »Ist er tot?«, fragte ich.

»Nein«, sagte sie und drehte sich zu mir um. »Er nicht, aber Betty. Sie ist an der Infektion gestorben. Die hat sich im ganzen Körper ausgebreitet, und die Ärzte konnten sie nicht stoppen.« Sie setzte sich auf den nächsten Stuhl.

Henry rückte näher an mich heran, so nah, dass ich seinen Atem hörte.

»Henry«, rief James, der aus dem Schmutzraum galoppiert kam, wo er sich einen Säbel aus Karton gemacht hatte. »Wollen wir Piraten spielen, Henry?«

»Ja, gleich« sagte Henry. »Aber erst gucken wir, wo Großmama ist, ich glaube, wir sollten ihr bei irgendwas helfen.« Er warf mir einen langen Blick zu, so als sähe er mich zum ersten Mal. Dann ging er aus dem Zimmer, gefolgt von James, der wie ein lärmender Schatten war.

»Wobei denn?«, wollte James wissen. »Sollen wir etwas für sie tragen? Sag schon, Henry, sollen wir was für Großmama tragen?«

Die Stimmen der Jungen entfernten sich langsam. Ich setzte mich zu Füßen meiner Mutter auf den Boden und bettete meinen Kopf in ihren Schoß. Sie strich mir über die Haare, als wäre ich ein Kätzchen. Eine von uns zitterte. Vielleicht waren wir es auch beide.

»Ich hätte sie schneller finden können«, sagte ich.

Die Hand meiner Mutter stockte. »Fang bloß nicht damit an!«, sagte sie streng. Sie hob meinen Kopf von ihrem Schoß und beugte sich zu mir herunter, damit sie mir ins Gesicht sehen konnte. »Hältst du dich etwa für Gott?«, fragte sie ungeduldig. »Glaubst du, du bestimmst den Gang der Dinge? So ist es nicht, und es wäre arrogant, so zu denken.«

Ich war so überrascht, dass mir keine Antwort einfiel.

»Betty ist tot, und das ist schrecklich. Wirklich schrecklich. Aber du bist nicht daran schuld, Annabelle.«

Sie lehnte sich zurück. »Wenn du die Männer nicht zu dem Brunnen geführt hättest, wäre sie da unten gestorben, allein und voller Angst. Vielleicht hätten wir sie nie gefunden.«

Ich stellte mir vor, wie Betty schwer verletzt in diesem dunklen, kalten, unheimlichen Brunnen feststeckte und irgendwann ganz alleine dort starb.

Und ich stellte mir vor, wie Jahre später jemand käme und den alten Brunnen mit Erde auffüllte und so, ohne es zu wollen, Bettys alte Knochen wie in einer Krypta begrub.

»Komm her«, sagte meine Mutter und breitete die Arme aus. Ich fühlte ihre Wärme. »Manche Dinge nehmen ein gutes Ende«, sagte sie, »andere nicht.«

In ihren Worten hörte ich das Echo von Tobys Stimme. Von einer Bemerkung, die er einmal gemacht hatte und die mit Schuld und Scham zu tun hatte.

Meine Großmutter weinte, als sie die Nachricht hörte. Dass sie Betty nicht gekannt hatte, spielte keine Rolle.

Ich weinte ebenfalls. Meine Großmutter weinen zu sehen und zu hören rief meine eigenen Tränen hervor.

James weinte nicht. Stattdessen lachte er, als er von Bettys Tod erfuhr. »Sagt nicht so was Dummes!« Dabei schwang er seinen Säbel über dem Kopf.

Es dauerte eine ganze Weile, bis meine Mutter ihm klarmachen konnte, dass es wirklich so war, aber dann wurde James sehr ernst und half Henry, eine Beileidskarte für die Glengarrys zu basteln.

Im Gehen drehte Henry sich noch einmal um. »Willst du mitkommen?«, fragte er mich.

Der Ton, in dem er das sagte, und der Blick, mit dem er mich ansah, überraschten mich. »Ich komme gleich nach«, sagte ich.

»Annie Gribble hat mich gebeten, es dem Constable mitzuteilen, falls ich ihn sehe«, sagte meine Mutter.

»Du kannst sicher sein, jeder im ganzen Bezirk wird es vor ihm wissen«, sagte meine Großmutter und trocknete sich die Augen. »Dafür wird Annie schon sorgen.«

»Sie hat von Mord gesprochen«, sagte meine Mutter leise.

Meine Großmutter räusperte sich, um ihre belegte Stimme wieder freizubekommen. »Genau das ist es«, sagte sie. »Wenn Toby das Mädchen in einen Brunnen gestoßen hat, dann war das eindeutig Mord.«

An dieses »Wenn« klammerte ich mich mit aller Macht, doch ich wusste, nur wenige Menschen waren so geduldig wie meine Großmutter.

Sie mochte bereit sein, auf Beweise zu warten, aber ob das auch für den Constable galt oder die Staatspolizei, da hatte ich meine Zweifel. Von den Glengarrys ganz zu schweigen.

Wenn es schon bisher wichtig gewesen war, Toby zu helfen, dann war es das jetzt umso mehr. Sie würden ihn erschießen. Und falls nicht, würden sie ihn auf dem elektrischen Stuhl festbinden und grillen.

Ich betete, dass er endlich seine alten Gewehre abgelegt, Hut und Mantel weggeworfen und sich aus einem unverschlossenen Haus neue Kleider geborgt hatte. Dass er irgendeinen freundlichen Autofahrer gefunden hatte, der ihn mitnahm bis Ohio oder noch weiter, wo er ein neues Leben beginnen könnte.

Allerdings glaubte ich selbst nicht daran.

Ich war mir nicht einmal sicher, ob er unsere Gegend überhaupt schon verlassen hatte. Anscheinend kannte er gar keine Angst. Es schien ihm nur leidzutun, dass man ihm etwas vorwarf, was er nicht getan hatte, während er selbst unter der Last seiner wirklichen Taten litt. Aber er schien auch nicht geneigt, etwas zu seiner Entlastung beizutragen. Vielleicht war er ja überzeugt, dass er selbst nichts dafür tun konnte.

Ich fühlte mich, als müsste ich ersticken.

Ich ging von einem Fenster zum anderen, ähnlich wie James am Weihnachtsabend, wenn er nichts sehen konnte außer seinem eigenen Spiegelbild und trotzdem fest davon überzeugt war, dass der Weihnachtsmann mit seinem Schlitten irgendwo da draußen war, auf dem Weg zu unserer Farm.

Ich selbst hingegen hielt Ausschau nach Farmern mit Trillerpfeifen oder Polizisten mit Gewehren, sah aber weder die einen noch die anderen.

Die Pferde auf der Weide waren immer die Ersten, die mitbekamen, wenn sich jemand näherte. Sie waren wie Wächter. Jetzt hoben beide Tiere gleichzeitig den Kopf und starrten zum Wald hinüber in Richtung Cobb Hollow.

Auch die Hunde hörten wir, trotz der verschlossenen Fenster und Türen, lange bevor wir sie sahen. Aber am lautesten bellten unsere eigenen.

Die Spürhunde – es waren nur zwei – machten sich gleich an die

Arbeit, sobald sie bei uns auftauchten. Mit ihren länglichen Gesichtern fegten sie über den Boden, der eine zwischen Küchengarten und Haus, der andere auf der Pferdeweide.

»Sie kommen zum Haus«, sagte meine Großmutter vom Fenster des Vorraums her. »John ist bei ihnen.«

Mantel und Handschuhe meines Großvaters waren bereits in meinem Schrank versteckt.

Ihr Geruch musste auch an mir haften. Für die Hunde würde ich nach Toby riechen. Das hoffte ich wenigstens. Fast musste ich bei dem Gedanken lächeln. Sollten sie doch hereinkommen. Wer würde schon einem Hund glauben, dass ich dieser Irre sei, dieser Einsiedler aus dem Wald?

Trotzdem war ich erleichtert, als die Hundeführer die Tiere an die Pfosten der Wäscheleine banden.

»Sarah, setz schon mal Kaffeewasser auf«, rief meine Großmutter meiner Mutter über die Schulter zu. »Wir bekommen Besuch.«

Die Hundeführer waren ebenso still wie ihre Tiere. Sie sprachen sehr wenig und wenn, dann sehr leise. Sie verhielten sich sogar ganz ähnlich, schauten sich neugierig in der Küche um, ließen den Blick vom Boden zur Decke schweifen und nahmen immer wieder irgendwelche Einzelheiten in Augenschein.

Als meine Brüder in die Küche kamen, musterten die Männer die beiden, als wären sie Kaninchen. James verzog sich gleich wieder unter den Tisch und zog Henry am Bein – »Komm mit!« –, doch Henry setzte sich neben mich.

Ich sah ihn fragend an, und er erwiderte meinen Blick ohne ein Lächeln.

Zusammen mit den Hundeführern waren mein Vater und Constable Oleska hereingekommen.

»Wir haben beschlossen, hier auf die anderen zu warten, bevor wir wieder rausgehen«, sagte der Constable. »Die Umgebung der Hütte haben wir schon gründlich abgesucht. Da sind so viele Spuren, dass wir erst immer im Kreis gegangen sind. Am Ende haben sich die Hunde für diese Richtung entschieden.«

Die Männer zogen sich gar nicht erst die Mäntel aus.

»Setzen Sie sich«, sagte meine Mutter. »Wir haben Neuigkeiten.«

Als der Constable von Bettys Tod erfuhr, legte er den Kopf in beide Hände. »Großer Gott«, sagte er.

Die Hundeführer zeigten kaum eine Reaktion. Bestimmt hatten sie ähnliche Situationen schon hundertmal erlebt. Verschwundene Kinder, flüchtige Straftäter. Inzwischen waren sie vermutlich genauso abgeklärt wie ihre Hunde, nur auf die Spurensuche konzentriert. Es war ihnen nicht vergönnt gewesen, ein verschwundenes Mädchen aufzuspüren. Jetzt würden sie alles daransetzen, den Mörder zu finden.

Mein Vater sah erst meine Mutter an, dann mich, und in seinem Blick standen lauter Fragen. *Was machen wir jetzt? Woher sollen wir wissen, was zu tun ist?*

So genau konnte ich das auch nicht sagen. Doch ich wusste, ich konnte keine weitere Minute tatenlos bleiben. Ich wusste, ich könnte unmöglich erwachsen werden und immer daran denken, dass ich nicht getan hatte, was ich konnte. Und zwar jetzt gleich. Bevor es wieder einmal zu spät war und es keinen Unterschied machte.

Ich ging unauffällig ins Wohnzimmer hinüber. Die anderen blieben alle in der Küche und berieten über die nächsten Schritte.

Meine eigenen weiteren Schritte waren mir klar, trotzdem setzte ich mich erst einmal hin, ging alles in Gedanken durch und beobachtete mich selbst dabei, wie ich die einzigen Dinge tat und sagte, die ich tun und sagen konnte.

Schlimmer, als es war, konnte ich es nicht machen, dachte ich.

Behutsam schloss ich die Tür zur Küche. Dann nahm ich den Hörer ab und drehte so geräuschlos ich konnte die Kurbel.

»Mrs. Gribble?«, sagte ich in die Sprechmuschel.

»Sarah?«

»Nein, ich bin's, Annabelle. Könnten Sie mich bitte mit den Woodberrys verbinden, Mrs. Gribble? Es ist sehr wichtig.« Ich wusste, bei diesem Satz würde sie große Ohren machen.

»Annabelle, weiß deine Mutter, dass du das Telefon benutzt?«

»Natürlich. Möchten Sie sie sprechen? Sie hilft gerade meiner Großmutter, aber ich kann sie gerne holen. Wir müssen nur schnell machen. Es ist wirklich wichtig.« Ich hielt die Luft an.

»Schon gut«, sagte sie, und ihrer Stimme war die Vorfreude deutlich anzuhören. »Welche Woodberrys meinst du denn?«

Auf die Frage war ich nicht gefasst. »Die, die einen Andy haben.«

»Alle Woodberrys haben einen Andy.« Sie wurde hörbar ungeduldig.

»Ich meine den, der mit mir zur Schule geht.«

Ausnahmsweise einmal war ich froh, dass Mrs. Gribble Wert darauf legte, alles über jeden in unserer Gegend zu wissen. Sie stellte mich durch.

Als Mrs. Woodberry sich meldete, hoffte ich inständig, dass Mrs. Gribble in der Leitung blieb.

»Mrs. Woodberry, hier ist Annabelle McBride«, sagte ich. »Könnte ich bitte ganz kurz mit Andy sprechen?«

»Wenn du anrufst, um ihm das mit Betty zu sagen – das weiß er schon«, sagte sie. »So ein liebes Mädchen, nicht wahr? Wirklich jammerschade.«

»Nein, darum geht's nicht«, antwortete ich. Dabei ging es um nichts anderes.

»Na gut, ich hole ihn.« Sie legte den Hörer heftig aus der Hand.

Ich war dankbar für die polizeiliche Anordnung, im Haus zu bleiben. Weit konnte Andy also nicht sein. Ich hörte, wie Mrs. Woodberry nach ihm rief. Einmal. Zweimal.

Kurz darauf war er am Apparat. »Hallo?«, sagte er mit matter, düsterer Stimme.

Eigentlich hatte ich geplant, sofort zur Sache zu kommen, doch beim Klang seiner Stimme gab etwas in mir nach. »Andy, hier ist Annabelle. Das mit Betty tut mir so leid.«

Erst blieb es still in der Leitung. Dann sagte Andy: »Mir auch«, was mich überraschte, auch wenn ich an seiner merkwürdigen Zuneigung zu Betty nie gezweifelt hatte. Sein unüberhörbarer Kummer warf mich fast aus dem Konzept.

»Ich wollte dich was fragen«, begann ich langsam. Ich musste mich erst wieder sammeln. »Wir haben gerade Abzüge bekommen von Fotos, die Toby gemacht hat, und auf einem ist Betty zu sehen.« Als ich ihren Namen aussprach, stockte ich kurz. Ich hatte nicht erwartet, dass es so schwer werden würde.

»Und was hat das mit mir zu tun?«, fragte Andy. Jetzt hörte er sich neugierig und besorgt zugleich an, und das überraschte mich nicht.

»Auf dem Bild sieht man dich und Betty, oben auf dem Hügel gegenüber vom Schulhaus. Betty wirft gerade einen Stein auf Mr. Anselm unten.«

Falls Mrs. Gribble mithörte, würde sie nicht gerade jetzt aus der Leitung gehen, egal, wie viele Lichter an ihrem Schaltbrett grell aufleuchteten.

Ich hörte Andy atmen, doch er sagte nichts.

»Die Wahrheit kann Betty nicht mehr schaden«, sagte ich.

»Was kümmert dich das?« Andy war immer noch besorgt, das hörte ich, aber auch ärgerlich. »Man kann sie nicht mehr dafür bestrafen, dass sie den Stein geschmissen hat. Sie ist tot. Was soll das jetzt noch?«

Da! Das war das Erste, was Mrs. Gribble mit anhören sollte. Ich erlaubte mir kurz auszuatmen.

»Alle glauben, Toby hätte sie umgebracht«, sagte ich. »Das ist der Grund. Aber du weißt sehr gut, dass er sie nicht in den Brunnen gestoßen hat.«

»Das hat sie aber gesagt«, antwortete Andy, und seine Stimme klang jetzt härter als zuvor. »Als sie ins Krankenhaus kam, hat sie das gesagt.«

»Sie hat auch behauptet, er hätte den Stein geworfen, und das war gelogen. Das hast du eben selbst zugegeben.«

»Doch nur, weil sie Angst hatte. Sie hatte Ruth ja nicht treffen wollen.«

Ich schloss die Augen. Bitte, dachte ich, *bitte* hör mit, Annie!

»Andy, ich weiß, du hattest Betty gern. Aber du hast doch auch erzählt, dass sie zur Räucherhütte gegangen ist, um dort etwas anzustellen, vielleicht Feuer zu legen. Warum kannst du nicht auch zugeben, dass sie in den Brunnen gefallen ist? Aus Versehen?«

»Wozu soll das noch gut sein?«, fragte Andy. »Und wenn schon? Sie ist tot, und er kommt davon.«

»Aber jetzt halten alle Toby für einen Mörder!«, sagte ich. Ich musste mich anstrengen, nicht laut zu werden. »Sie werden ihn töten.«

»Hoffentlich«, sagte er leise. »Hoffentlich tun sie das.«

»Andy, das kannst du nicht hoffen.«

Er legte auf. Das war seine einzige Antwort.

Gleich darauf hörte ich an einem leisen Klicken, dass auch Mrs. Gribble aus der Leitung ging.

Ich legte den Hörer auf und setzte mich auf den Boden. Vor Erschöpfung zitterte ich am ganzen Körper.

Nur wenige Augenblicke später kam meine Mutter auf der Suche nach mir ins Wohnzimmer. »Mit wem hast du geredet?«, fragte sie. »Annabelle, ist alles in Ordnung mit dir?«

»Ich fühle mich nicht gut«, sagte ich. »Kann ich mich hinlegen?«

Sie legte mir eine Hand auf die Stirn. »Fieber hast du jedenfalls nicht.«

»Ich bin auch nicht krank«, sagte ich. »Mir geht's nur nicht gut.«

»Dann leg dich ins Bett.« Sie hielt mir eine Hand hin, um mir aufzuhelfen. »Die Männer sind wieder mit den Hunden draußen.«

Als ich vor ihr stand, legte sie die Arme um mich und stützte das Kinn auf meinen Kopf. »Bald ist es vorbei«, sagte sie sanft. »So oder so.«

26

Mrs. Gribble brauchte nicht lange, um auch diese allerneueste Neuigkeit zu verbreiten.

Ständig beschwerten sich die Leute über das heimliche Mithören und schworen, sie selbst würden nichts auf solchen Klatsch geben, doch bisher hatten sich die Geschichten, die die Telefonistin verbreitete, am Ende immer als wahr erwiesen (bis auf einmal, als jemand sie in den April geschickt hatte mit einer erfundenen Nachricht über Zigeuner, die angeblich gerade in Bocktown eine Wagenburg aufbauten). Annie Gribble hatte allgemein den Ruf einer Stadt- oder besser gesagt Landschreierin.

Um die Abendessenszeit wusste jeder, dass Toby nicht dafür verantwortlich war, dass Ruth ein Auge verloren hatte. Und langsam begannen die Ersten zu zweifeln, ob er Betty tatsächlich in den Brunnen gestoßen hatte. Doch Zweifel allein reichten nicht.

»Die Geschworenen können vielleicht Zweifel haben«, sagte der Constable. »Die Polizei muss den Mann trotzdem finden.«

Er saß mit meinem Vater und meinem Großvater in unserer Küche, und sogar James hatte sich ausnahmsweise einmal am Tisch statt darunter einen Platz gesucht.

Die Hunde hatten die Suchmannschaft in die Scheune und wieder hinaus geführt, quer über die Weiden und einmal ganz ums Haus herum, den Weg zur Straße hinauf und wieder zurück, in den Wald und auf die Obstwiesen, bevor sie sich endlich für einen Weg entschieden, der nach Westen führte, fort aus unserer Gegend und ins recht nahe gelegene Ohio.

Nachdem sie der Fährte über mehrere Meilen gefolgt waren, hatte Officer Coleman erklärt, dass dies nun mit Sicherheit die richtige Spur sei, also keine, die irgendwann wieder zurückführte.

»Deshalb haben sie uns heimgeschickt«, sagte mein Vater. »Sie verfolgen die Spur weiter, so lange, bis sie von ausgeruhten Hunden und Männern abgelöst werden.«

Constable Oleska sah erschöpft aus und schien nichts dagegen zu haben, dass die Suche für ihn ein Ende hatte. »Falls Toby nicht von einem Auto mitgenommen wurde, finden sie ihn bestimmt in ein, zwei Tagen.«

»Glauben Sie, die Mannschaften werden ihn auch noch bis nach Ohio verfolgen?«, fragte mein Vater.

»Das glaube ich schon. Oder sie überlassen die weitere Suche der Polizei von Ohio. Aber wenn sie Annies Nachricht des Tages hören – und das werden sie, falls sie sie nicht ohnehin schon kennen –, dann wird die Suche wahrscheinlich ein Stück runtergefahren.« Der Constable drehte sich zu mir um und sah mich an. »In diesem Fall war's ja nur gut, dass Mrs. Gribble gelauscht hat, als du mit Andy telefoniert hast«, sagte er, ohne zu schmunzeln, aber auch nicht ärgerlich. »Wer hätte gedacht, dass sie so etwas macht!«

»Wer hätte gedacht, dass *du* so etwas machst«, sagte mein Vater zu mir.

»Bist du mir böse?«, fragte ich. Ich rechnete damit, dass alle es waren, aber es machte mir nicht mehr so viel aus wie früher.

»Böse nicht«, sagte mein Vater.

»Überhaupt nicht böse«, sagte mein Großvater und lächelte mich von seinem Platz am Tischende her an. »Entschlossenes Handeln ist etwas Gutes, wenn du mich fragst.«

»Fleiß aber auch«, sagte meine Mutter und schob ein Blech mit Schweinekoteletts in den Ofen. »Annabelle, die Möhren schälen sich nicht von selbst.«

»Ich mach das«, sagte Henry und stand auf. Ohne in meine Richtung zu schauen, nahm er meinen gewohnten Platz am Spülbecken ein, doch ich wusste, er hatte mich trotzdem im Blick, so wie ich ihn. Wir hatten die gleichen Hände, die gleichen langen Finger, die gleiche Art, das Messer zu halten.

»Wieso darf Henry helfen und ich nicht?«, beklagte sich James.

»Recht hast du«, sagte meine Mutter und gab ihm einen kleinen Topf in die Hand. »Als Erstes kannst du mal eine Tasse Milch hier hineingießen.«

Tante Lily kam gerade nach Hause, und als sie sah, dass Henry und James bei den Vorbereitungen fürs Abendessen halfen, während ich bei den Männern am Tisch saß, fragte sie: »Bin ich hier im richtigen Haus?« Sie zog ihren Mantel aus und hängte ihn in den Schrank im Vorraum. »Annabelle, gehorchen dir deine Beine plötzlich nicht mehr?«

»Gemach, Lily«, sagte mein Vater, als wäre Tante Lily ein rebellisches Pferd. »Es war ein langer Tag.«

»Mir musst du das nicht sagen. Hast du eine Ahnung, wie viele Briefe bei mir auf dem Postamt täglich ankommen und aufgegeben werden? Man fragt sich wirklich, wie die Leute noch zu irgendetwas anderem kommen, bei all den Briefen, die sie schreiben.« Sie schenkte sich Kaffee ein und setzte sich auf den Platz meiner Mutter.

Ich hatte den Eindruck, die Nachricht von Bettys Tod müsse irgendwie an ihr vorbeigegangen sein, und dachte, sie sollte davon wissen. »Betty Glengarry ist heute Morgen gestorben, Tante Lily.«

»Das habe ich heute schon von mindestens einem Dutzend Leuten gehört«, erwiderte sie. »Ich arbeite schließlich nicht auf der Post von Timbuktu, Annabelle. Falls es da überhaupt so etwas gibt.«

Am liebsten hätte ich ihr irgendetwas an den Kopf geknallt. »Es kam mir so vor, als wüsstest du es noch nicht.«

»Wieso? Weil ich nicht so ein Getue darum mache wie all diese Jammerlappen?« Sie schaute mich über den Rand ihrer Brille an. »Die Wege des Herrn sind unerforschlich, Annabelle. Er hat seine Gründe.«

Meine Großmutter bekam diesen Satz gerade noch mit, als sie die Küche betrat. »Gründe wofür?«, fragte sie.

»Betty heimzuholen.«

Meine Großmutter schüttelte den Kopf. »Ich weiß nicht, Lily, woher du so ein hartes Herz hast.«

»Hart nicht. Aber auch nicht weich. Von denen gibt's hier schon mehr als genug.«

Wenn ich auch nur eine einzige Minute länger Tante Lily zuhören müsste, fürchtete ich, würde ich mit Sicherheit zu Stein werden. »Da die Jungs beim Essenmachen helfen, dürfte ich dann vielleicht in mein Zimmer gehen?«

»Ein Weilchen«, sagte meine Mutter. »Ich rufe dich, wenn ich dich brauche.«

»Ich kann den Tisch decken«, sagte James.

»Natürlich kannst du das«, sagte meine Großmutter zärtlich und strich ihm durchs Haar. »Hat jemand das Gegenteil behauptet?«

Die Geräusche von unten drangen bis hinauf zu mir in mein Zimmer. Das Klappern von Töpfen und Pfannen, Geschirr und Besteck. Stimmen. Ein Stuhl, der über den Boden schrammte.

All das machte, dass ich mich noch einsamer fühlte.

Dass ich Andy mit einem Trick ein Geheimnis entlockt hatte oder dass die Polizei vielleicht weniger grob mit Toby verfahren würde, falls sie ihn fanden – nichts davon half mir in diesem Moment.

Ich nahm Großvaters Mantel aus meinem Schrank und zog ihn mir an. Er war groß genug für zwei von meiner Sorte. Dann legte ich mich aufs Bett, winkelte die Beine an, damit sie unter den Mantel zu liegen kamen, und schlief ein.

Ich hörte nicht, wie meine Mutter mich zum Abendessen rief.

Ich hörte nicht, wie sie zur Tür hereinkam und das Licht löschte.

Ich spürte nicht, wie sie meine Decke über mich breitete.

Ich wachte auch nicht auf, als später am Abend das Telefon läutete.

Da ich so früh eingeschlafen war, wachte ich am nächsten Morgen weit vor den anderen auf. Nur meine Mutter war schon in der Küche und kochte Kaffee. Die Welt hinter den Fenstern lag noch im Dunkeln.

Ich beobachtete meine Mutter ein Weilchen. Sie sah anders aus als sonst. Da sie sich allein glaubte, war ihre ganze Konzentration nach innen gerichtet. So wie sie jetzt hatte ich selbst ausgesehen auf dem Foto, das Toby von mir gemacht hatte.

Eine innere Stimme sagte mir leise, ich sollte in mein Bett zurückkehren, bevor sie mich entdeckte.

Vielleicht lag es daran, dass sie so traurig wirkte – dabei konnte ich ihr Gesicht nicht einmal sehen –, jedenfalls verspürte ich den

Drang, die Küche rasch wieder zu verlassen. So bliebe mir noch eine Stunde, vielleicht sogar zwei, bis ich den Grund für solche Traurigkeit erfuhr.

Ich hatte noch immer meine Kleider vom Vortag an und den Mantel meines Großvaters darüber.

Vermutlich bot ich einen ziemlich merkwürdigen Anblick, denn als meine Mutter sich auf einmal umdrehte, einen Kaffeebecher in der Hand, blieb sie so plötzlich stehen, dass der Kaffee über den Becherrand auf den Boden schwappte. »Hast du mich erschreckt, Annabelle«, sagte sie und griff nach einem Lappen. »Wieso bist du so früh auf?«

»Ich konnte nicht mehr schlafen.« Ich setzte mich an den Tisch. »Haben sie Toby schon gefunden?«

»Hast du das Telefon läuten gehört?«

Ich schüttelte den Kopf, während mein Herz sich zusammenkrampfte. »Wer hat angerufen?«

Meine Mutter spülte den Lappen aus, dann setzte sie sich mir gegenüber. Vorsichtig stellte sie den Kaffeebecher auf dem Tisch ab. »Der Constable«, antwortete sie. »Er hatte die Nachricht soeben von Officer Coleman erfahren und dachte, wir würden gern wissen, was passiert ist.«

Ich wusste nicht, wie schön meine Mutter war, bis ich ihr Gesicht in dem Moment sah, als sie sich sammelte, um mir zu sagen, dass Toby tot war.

Ich schob beide Hände in die Ärmel von Großvaters Mantel, während ich meiner Mutter zuhörte.

Kurz vor der Grenze nach Ohio hatten sie Toby entdeckt, der schlafend unter einer Brücke lag. Als die Hunde ihn aufspürten, legten sie sich am Flussufer hin, ohne jedes Interesse für den Mann, der aufstand, sobald die Polizei seinen Namen rief.

Vielleicht, meinte meine Mutter, wollte er bei dem, was dann kam, stehen, denn als sie ihn aufforderten, sich auf den Bauch zu legen, die Hände auf dem Rücken, weigerte er sich.

Als sie ihre Pistolen zogen und ihn ein zweites Mal aufforderten, nahm er eins seiner langen Gewehre von der Schulter. In dem Moment erschossen sie ihn.

»Sie wussten nicht, dass das Gewehr kaputt war«, sagte meine Mutter leise. »Sie hatten keine Ahnung von dem, was hier passiert war. Sie wussten nur, dass sie einen gefährlichen Mann fassen und festnehmen sollten.«

Ich schob die Mantelärmel hoch und wischte mir mit den Händen übers Gesicht. »Wieso hat er das gemacht?«, fragte ich. »Was wollte er mit dem Gewehr? Es funktionierte doch sowieso nicht. Außerdem hätte Toby nie auf die Männer geschossen. Niemals.«

Meine Mutter seufzte. »Das glaube ich auch nicht«, sagte sie. »Und ich habe auch keine Ahnung, warum er sich so verhalten hat. Vielleicht hatte er genug von der Welt, Annabelle.«

»Nach all der Zeit, in der er mit seiner Trauer gelebt hat? Auf einmal beschließt er, dass er nicht mehr hierbleiben kann? Obwohl er doch uns hatte?«

Meine Mutter schüttelte den Kopf. »Ich weiß es nicht, Annabelle. Aber denk mal daran, wie es sich anfuhlt, wenn deine Hände so kalt werden, dass sie völlig gefühllos sind. Wie sehr sie schmerzen, spürst du erst, wenn sie langsam auftauen.«

Eine Weile betrachtete ich meine Hände und dachte über die Worte meiner Mutter nach. »Er hat gesagt, er hätte gern eine Tochter wie mich gehabt.«

Meine Mutter lächelte. »So eine Tochter würde sich jeder wünschen.«

Ich musste an die Nacht denken, als ich Toby in unsere Scheune gebracht hatte, um ihn dort zu verstecken. »Wusstest du, dass er Höhenangst hatte?«

Sie schüttelte den Kopf.

»Ich habe mich ein bisschen über ihn lustig gemacht, weil er die Leiter zum Heuboden erst nicht hochsteigen wollte, und dann hat er es doch gemacht. Danach war es gar kein Problem mehr.«

Meine Mutter stand auf und schenkte mir eine kleine Tasse Kaffee ein, mit viel Sahne und Zucker. »Du hast ihn besser gekannt, als ich dachte.«

»Er kannte mich schon, bevor ich ihn kannte.«

Schweigend saßen wir da, tranken unseren Kaffee und sahen zu, wie die Sonne zum Fenster hereinschien und alle Farben zurückbrachte.

27

Ich blieb am Küchentisch sitzen, bis meine Familie aufwachte und nach und nach herunterkam. Alle, bis hin zu James, ganz besonders aber Henry, sagten mir, wie leid es ihnen tue, dass Toby tot sei.

Alle außer Tante Lily, die in ihrem rosa Flanellmorgenrock dasaß, Kaffee trank und uns beobachtete. »Ich verstehe dich wirklich nicht – ein Mädchen wie du kann vor einem solchen Mann doch nur Angst haben.«

Ich antwortete ihr nicht, doch Henry tat es.

»Sie waren Freunde«, sagte er. Tante Lily schnaubte verächtlich.

»Wieso hast du eigentlich diesen Mantel an?«, fragte sie dann. »Der sieht genauso aus wie der, den Jordan anhatte, als er hier war, um bei der Suche nach Betty zu helfen.«

Einen Moment lang schien es, als wollte meine Mutter etwas sagen, doch dann schaute sie meinen Vater an. Der schüttelte den Kopf, und beide nickten mir zu, als wollten sie sagen: Nur zu. Schon in Ordnung.

Mein Großvater beugte sich vor, dann lehnte er sich mit einem Kopfnicken zurück. »Das ist mein alter Mantel. Er steht dir sehr gut, Annabelle. Vielleicht eine Spur zu lang an den Ärmeln.«

Ich zog die Handschuhe aus der rechten Manteltasche und legte sie auf den Tisch.

»Und da sind ja auch meine Lieblingshandschuhe«, sagte mein Großvater. »Ich habe sie schon vermisst.«

»Jordan hatte auch solche Handschuhe«, sagte Tante Lily langsam. »Ich fand es so merkwürdig, dass er sie abends beim Essen anließ.«

Henry kam an den Tisch und sah die Handschuhe prüfend an. »Nicht einfach *solche*«, sagte er. »Es waren genau diese. Als er in der Scheune neue Bretter angenagelt hat, ist mir dieser Beerenfleck am Daumen aufgefallen. Die Umrisse sehen nämlich aus wie die von Afrika.«

James war der Einzige am Tisch, der sich mehr für sein Frühstück interessierte als für die Handschuhe, die neben meinem Teller lagen und darauf warteten, wieder getragen zu werden.

»Aber wie kommst du an Jordans Handschuhe?«, wollte Tante Lily wissen. »Hat er sie hier vergessen?«

»Lily, das sind meine Handschuhe«, sagte mein Großvater. »Und das ist mein Mantel. Wie Jordan darankam, weiß ich nicht, und es interessiert mich auch nicht. Und jetzt gib mir den Zucker, Lily, und du, Annabelle, gib mir die Sahne, sonst muss ich meinen Kaffee noch schwarz trinken.«

Henry starrte mich an. Meine Eltern sahen stumm zu. Meine Großmutter strich Marmelade auf ein Stück Toast. James klaute sich eine Scheibe Speck von Henrys Teller, ohne dass der etwas merkte.

»Aber wie …?«, fing Tante Lily wieder an.

»Das war nicht Jordan«, sagte Henry und machte Eulenaugen. »Das war Toby.«

Mein Großvater legte die Gabel beiseite. »Wer war Toby?«

»Jordan«, sagte Henry. »Deswegen hat er nur den einen Handschuh ausgezogen. Beim Essen. Wir sollten seine Narben nicht sehen.«

»Sei nicht albern«, sagte Tante Lily und starrte ärgerlich in ihren Kaffeebecher. »Jordan ist ein sehr netter Mann.«

»Der aus dem Nichts hier auftauchte«, bemerkte meine Großmutter nachdenklich. »Mit diesem Mantel und diesen Handschuhen.« Auf einmal betrachtete sie mich neugierig. »Annabelle, warum hast du Großvaters Mantel an?«

Wieder sah ich zu meinen Eltern hinüber, bevor ich auch noch den letzten Schritt tat. »Weil es in meinem Zimmer gestern Abend so kalt war. Den Mantel hatte ich oben versteckt, damit die Spürhunde ihn nicht im Schmutzraum finden würden.«

Jetzt wurde sogar James aufmerksam. »Warum sollten Spürhunde in unseren Schmutzraum kommen, Annabelle? Ganz schön blöd.«

»Weil sie Tobys Geruchsspur gefolgt sind, darum«, erklärte Henry.

»Also wirklich«, sagte Tante Lily. »Toby hat dieses Haus nie betreten. Kein einziges Mal. Und im Mantel eures Großvaters hat er übrigens auch nie gesteckt.«

»Jordan war Toby«, sagte Henry. »Stimmt's, Annabelle?«

Ich nickte. »Stimmt, Henry. Und du hast auch recht, Tante Lily – er war ein sehr netter Mensch.«

In dem nun folgenden Durcheinander überließ ich es meinem Vater, die Fragen zu beantworten, während Tante Lilys Gesicht sich abwechselnd weiß und rot und wieder weiß verfärbte.

Ich schob die Hände in die tiefen Manteltaschen und beobachtete, wie Tante Lily mit diesen Offenbarungen fertigwurde. Dabei machte ich eine ganz neue Entdeckung.

Toby, der so viel über Scham wusste, hatte uns etwas hinterlassen, das es schaffte, selbst Tante Lily zu beschämen.

Kalt und hart lag es da, ganz unten in der linken Manteltasche. Ich wollte es hervorholen, doch es war mit einem Seidenband am Innenfutter festgesteckt. Ich stand auf. »Da ist etwas hier in der Tasche«, sagte ich.

Alle verstummten.

Ich knöpfte den Mantel auf, damit ich mit beiden Händen in die Tasche greifen konnte.

Als ich die Nadel vom Stoff gelöst hatte, lag in meiner Hand ein goldener Stern, in dessen Mitte ein Kopf eingraviert war, umgeben von einem Lorbeerkranz. Ganz oben saß ein Adler auf einer Stange, auf der das Wort TAPFERKEIT zu lesen war.

Ich drehte den Stern um.

»Wie hast du Toby noch mal genannt?«, fragte ich Tante Lily langsam. »Ein Monster? Einen Verrückten?« Ich reichte den Stern meinem Vater, der ihn sich genau ansah und dann laut vorlas, was auf der Rückseite eingraviert war.

»Vom Kongress der Vereinigten Staaten von Amerika für Tobias Jordan.« Er blickte auf und sah mich an. Inzwischen war ich nicht weniger bleich als Tante Lily. »Annabelle, das ist eine Verdienstmedaille unseres Landes.«

»Zeig her!«, fuhr Tante Lily ihn an. Sie betrachtete die Medaille gründlich und suchte erkennbar nach einem Ausweg für sich, fand aber keinen. »Na ja, woher sollten wir auch wissen, dass der Mann ein Kriegsheld war?« Mit diesen Worten reichte sie die Auszeichnung an meinen Großvater weiter, der sie so vorsichtig entgegennahm, als wäre sie aus Glas.

»Das war er nicht«, sagte ich. »Und hätte ihn die Polizei nicht gestern Abend erschossen, dann hätte er es euch selbst gesagt.«

Ich bin an jenem Tag trotzdem zur Schule gegangen, aber ich habe nicht die blasseste Erinnerung an den Unterricht.

Ich bin sicher, dass viel über Bettys Tod geredet wurde, ich bin mir auch sicher, dass Benjamin wieder auf seinen früheren Platz zurückkehrte, den Andy fast einen Monat lang beansprucht hatte. Ich ging davon aus, dass Andy erst einmal nicht zur Schule kommen würde, und ich wusste: Nie wieder würde ich vor ihm Angst haben.

Allerdings erinnere ich mich, dass Henry nach der Schule im Hof auf mich wartete, statt wie sonst mit James loszurennen.

»Möchtest du mit uns laufen?«, fragte er.

Ich schüttelte den Kopf. »Geht ruhig vor, ich komme schon klar. Wir sehen uns zu Hause.«

Eigentlich hätte ich nichts gegen die Gesellschaft gehabt, schon gar nicht gegen die eines Bruders, der mich auf einmal als richtigen Menschen anzusehen schien. Doch ich wollte noch einen Umweg machen, und dabei musste ich allein sein.

Novembertage sind kurz, daher blieben mir nur noch wenige Stunden Licht, und ich hatte eine längere Strecke vor mir. Trotzdem legte ich eine kurze Pause dort ein, wo Betty mir das erste Mal aufgelauert hatte, denn ich hatte noch ein Wörtchen mit ihr zu reden. Ich sagte ihr, dass ich versuchen wolle zu vergeben, ihr und auch mir selbst, dass ich aber nicht wisse, ob ich es schaffen würde. Eine Antwort bekam ich natürlich nicht.

Anschließend ging ich zu der Stelle, wo früher einmal die Wolfsgruben gewesen waren, und auch da legte ich einige Gedenkminuten ein.

Doch die Wölfe, die dort gestorben waren, blieben ebenfalls stumm. Ich stand da und lauschte, und irgendwann begriff ich, dass ich ihre Stimmen und das, was sie mir zu sagen hatten, seit Wochen immer wieder gehört hatte.

Ich hoffte, sie würden mir eines Tages helfen, Tobys Geschichten zu verstehen, sollte ich je mutig genug sein, die Deckel von den Schachteln zu heben.

Tobys Hütte vermisste ihren Bewohner bereits. Eine Spinne hatte den Kokon mit ihren Eiern in ein Spinnennetz über Tobys Lager gelegt, und ich stellte mir vor, wie im nächsten Frühling, wenn es taute, massenhaft junge Spinnen in das Nest aus Kiefernzweigen hinunterkrabbeln würden. In einer Ecke, in der Nähe des Abzugslochs für das Feuer, hatte sich ein Waschbär zu schaffen gemacht.

Ich wusste, ich würde nie wieder herkommen können.

Ich brauchte lange, bis ich die übrigen Bilder von den Wänden abgelöst hatte.

Dass Toby zum Ankleben Baumharz benutzt hatte, konnte zwei Gründe haben: Entweder hatte er nichts anderes gehabt, oder er hatte geplant, für immer zu bleiben. Beide Möglichkeiten brachten mich zum Weinen.

Ich hatte ein Messer dabei, um die Fotos abzutrennen, doch zuerst wärmte ich das Harz gut an, indem ich beide Hände fest auf jedes Bild presste. Trotzdem machte ich in einige besonders hartnäckige ein Loch.

Die, die ich schließlich mitnahm, waren nach diesem mühsamen Vorgehen zerknittert und dort, wo ich das Papier beschädigt hatte, zumeist auch dünn. Wenn ich die Fotos ans Licht hielt, schien ein Teil des Motivs zu leuchten. Das gefiel mir.

Ein paar wenige ließ ich hängen, einerseits, damit ich vor Einbruch der Dunkelheit zu Hause war, andererseits, weil sie an diesen Ort gehörten. Das Bild des Rehs, das zwischen Berberitzen schlief. Ein Rotfuchs, dessen Schwanzende wie eine weiße Pfeilspitze emporragte, als er in einem Erdbeerfeld auf Mäusejagd war.

Das letzte Foto, das ich mitnahm, zeigte einen Falken auf dem Schildkrötenstein. Fast hätte ich es in der Hütte gelassen, weil es so schön war, doch dann nahm ich es mit, eben weil es so schön war.

Ich erwartete, ausgeschimpft zu werden, als ich am Abend nach Hause kam, doch meine Mutter begrüßte mich wie immer und reichte mir eine Schürze.

Als Henry in die Küche kam und erleichtert schien, mich zu sehen, gab ich ihm den kleinen Stapel Fotos.

»Die hat Toby zurückgelassen«, sagte ich. »Die Kamera liegt in meinem Zimmer. Ich habe einen neuen Film eingelegt. Wir können uns abwechseln, wenn du magst – du ein Röllchen, ich ein Röllchen.«

»Und ich?«, fragte James, der gerade mit einer Mütze aus Waschbärenfell in die Küche gehüpft kam. Offenbar hatte meine Großmutter angefangen, ihm ein neues Buch vorzulesen, vermutlich eins über Pioniere und den Wilden Westen.

»Du darfst auch ein paar Fotos machen«, sagte ich.

»Hat Daniel Boone fotografiert?«

»Das bezweifle ich, dass Pioniere fotografierten«, sagte Henry.

»Dann will ich's auch nicht«, antwortete James und galoppierte in seine eigene Wildnis davon.

»Das heißt, wir beide teilen uns die Kamera«, sagte Henry und sah mich an.

Die Art, wie er es sagte, machte mir Hoffnung, dass ich vielleicht schon bald wieder froh sein würde.

Bettys Beerdigung war merkwürdig. Die Kirche war bis auf den letzten Platz gefüllt, hauptsächlich mit Leuten, die Betty nie kennengelernt hatten, aber ihre Großeltern kannten oder ihren Vater noch erlebt hatten, als der hier aufgewachsen war. Andere hatten nur von Bettys furchtbarem Tod gehört und wollten ihr einen würdigen Abschied bereiten.

Bettys Vater, von dem es nur geheißen hatte, er sei »weg«, erkannte ich aufgrund der Fotografie in Bettys Zimmer. Er hielt sich abseits von Bettys Mutter, die in der ersten Bank saß und schluchzend den Kopf in die Hände legte.

Von meinem Platz aus sah ich keine Tränen im Gesicht des Vaters, doch als wir alle aufstanden, um *Näher, mein Gott, zu dir* zu singen, sank er mit bebenden Schultern in sich zusammen und rieb sich immer wieder die Augen.

Bettys Großvater hatte seiner Enkelin mit eigenen Händen einen Sarg gebaut, den er weiß gestrichen hatte. Ich fand es schade, dass der schöne Sarg in das lehmige Erdloch hinuntersollte, das man für Betty ausgehoben hatte. Und es schien mir schrecklich grausam, sie dort unten ganz allein zu lassen, mit nichts als den Blumen, die wir ihr auf den Sarg gelegt hatten, hauptsächlich Goldruten und die letzten wilden Astern, die wir auf den sterbenden Wiesen gepflückt hatten.

Doch natürlich nahmen alle Abschied von ihr auf dem Friedhof, jeder Einzelne von uns. Einige schwereren Herzens als andere. Und als wir am nächsten Tag am Friedhof vorüberkamen, war da, wo man Betty begraben hatte, nichts mehr zu sehen als ein Berg nackter Erde, darauf welkes Laub und ein paar zerrupfte Blumen.

Seit Bettys Tod musste ich oft an die Kälteeinbrüche im April denken, die meinen Vater oft den Schlaf kosteten. Dann sorgte er dafür, dass bei den Pfirsichbäumen die ganze Nacht über ein Feuer brannte, um die zarten Blüten vor dem Erfrieren zu bewahren. Einige von ihnen überlebten und trugen Frucht, Pfirsiche, die köstlicher waren als alles andere. Andere welkten am Zweig, vom Frost getötet, nutzlos.

Mir kam es so vor, als wäre Betty beides gewesen – Blüte und Frost zugleich.

Tobys Beerdigung war völlig anders.

Viel Geld hatten wir nicht, aber genug, um Toby zurückzuholen und beizusetzen, nicht auf dem Friedhof, sondern auf dem Hügel oberhalb der Wolfsschlucht, unter einem schlichten Kreuz mit seinem Namen und seinen Lebensdaten.

Sein Geburtsjahr herauszufinden war kein Problem gewesen. Die Armee hatte uns das Datum mitgeteilt, zusammen mit der Tatsache, dass er keine lebenden Angehörigen mehr hatte. Wir wiederum konnten der Armee sagen, wann er gestorben war.

Sie schickten uns ausführliche Informationen darüber, wofür er die Medaille erhalten hatte, doch ich selbst kannte ja schon seine eigene Version der Geschichte. Und ohnehin war das alles jetzt nicht mehr wichtig. Zumindest mir nicht.

Nachdem Toby in die Erde hinabgelassen worden war, blieben wir alle noch eine Weile dort oben auf dem Hügel. Die meiste Zeit schwiegen wir, und mir schien das eine passende Form des Abschieds.

Doch Tante Lily überraschte mich. »Es tut mir leid, dass ich diesen Menschen verurteilt habe«, sagte sie, und dabei schaute sie nicht auf Tobys Grab, sondern in die Ferne, als wäre er dort irgendwo. Was ja vielleicht auch so war, obwohl es sich für mich anders anfühlte.

Als meine Großeltern sich langsam auf den Weg zurück ins Haus aufmachten, folgte ihnen Tante Lily in einigem Abstand.

Meine Eltern küssten mich und gingen dann ebenfalls.

»Komm, Annabelle«, sagte Henry, als es zu dämmern begann. »Lass uns gehen.«

Aber ich war noch nicht so weit, und so blieb Henry bei mir. Selbst James, der schon ein Stück vorausgelaufen war, kam neugierig zurück, zusammen mit unseren Hunden. Er legte sich ins Gras und beschrieb ausführlich die Wolken am Himmel.

Doch schließlich machten auch wir uns auf den Weg nach Hause.

Noch Jahre später saß ich von Zeit zu Zeit an Tobys Grab oben auf dem Hügel, mit dem Blick über die Wolfsschlucht, und erzählte ihm von meinem Leben.

Sogar die Schlucht selbst schien zu lauschen, und ich fragte mich, was sie im Laufe der Jahrhunderte alles gehört haben mochte. Das Geräusch von Schaufeln, als die Gruben ausgehoben wurden. Das verzweifelte Aufbäumen der gefangenen Wölfe. Vielleicht war da manchmal auch einer gewesen, der dem Köder nicht auf den Leim gegangen und daher noch oben war, auf sicherem Grund, und hinunterschaute in die Tiefe, zu seinen Gefährten, deren Schicksal besiegelt war. Lange mochte er dort ausgeharrt haben, bis am nächsten Morgen die Männer mit ihren Gewehren kamen und er sich in den Wald zurückzog.

Hin- und hergerissen zwischen dem Willen zu kämpfen und dem Drang zu leben, hatte dieser Wolf sich vielleicht selbst gefühlt, als ob er innerlich blutete. So stellte ich es mir jedenfalls vor. Für mich blieb die Wolfsschlucht ein düsterer Ort, ganz gleich, wie hell das Blätterdach darüber war und wie schön die Blumen in dem flirrenden Licht blühten.

Doch die Wolfsschlucht war auch der Ort, an dem ich lernte, die Wahrheit zu sagen, in jenem Jahr, bevor ich zwölf wurde. Die Wahrheit über Dinge, vor denen man unmöglich die Augen verschließen darf. Wenn Schweigen, so verlockend es auch sein mochte, ein schlimmer Fehler wäre.

Das alles erzählte ich Toby, doch ich sagte ihm auch, dass ich ihm keine Vorwürfe machte, weil er geflohen war vor seinen eigenen, noch viel schlimmeren Erfahrungen. Ich dankte ihm dafür, dass ich durch die Begegnung mit ihm gelernt hatte, Dinge in Ordnung zu bringen oder es wenigstens zu versuchen. Auch wenn er selbst aufgegeben hatte.

Der Wind trieb meine Worte davon wie Wolkenschatten, so als wäre es wichtiger, dass ich sie ausgesprochen hatte, als dass jemand sie hörte.

Aber damit konnte ich gut leben.

Dank

Vielen Menschen schulde ich Dank für ihre Hilfe bei diesem Buch, insbesondere meiner Mutter, Mimi McConnell, deren wundervolle Geschichten über das Leben auf einer Farm im westlichen Pennsylvania mich dazu inspiriert haben, *Das Jahr, in dem ich lügen lernte* zu schreiben. Ihre ganze Familie, aber auch die Farm selbst, spielten jahrzehntelang eine große Rolle in meinem eigenen Leben und halfen mir, einen authentischen Rahmen für die Geschichte zu schaffen. Mein Vater, Ronald Wolk, und meine Schwester, Suzanne Wolk, gehörten zu meinen ersten und aufmerksamen Lesern. Ihre hellsichtige Lektüre und ihre Ermutigung waren mir eine unschätzbare Hilfe. Meine Schwester Cally hat immer zu mir gestanden, ebenso wie mein Mann Richard und unsere Söhne Ryland und Cameron. Sie haben mich zu einer besseren Schriftstellerin gemacht, nicht nur durch ihr Verständnis, sondern auch durch ihre konkrete Unterstützung, wenn die Anforderungen an meine Zeit und meine Kraft besonders groß waren.

Die Mitglieder meiner unglaublichen Schreibgruppe – die *Bass River Revisionists* – haben durch dick und dünn zu mir gehalten, und ich werde ihnen auf ewig dankbar sein für ihren Scharfsinn und ihre

Warmherzigkeit. Namentlich erwähnen möchte ich Julia Lariviere und Maureen Leveroni, durch die ich überhaupt erst zu dieser Gruppe gestoßen bin, sowie Deirdre Callanan, die ihrer eigenen und auch meiner Arbeit so viel Zeit und Sorgfalt gewidmet hat. Mein großartiger Kollege Robert Nash hatte stets Verständnis dafür, dass ich, bei aller Liebe zu unserer gemeinsamen Arbeit, auch für mein Schreiben Zeit und Konzentration brauchte. Er hat sich als treuer Freund erwiesen.

Mein Dank gebührt meinem großartigen früheren Agenten, Dan Green, der sich inzwischen ganz auf die Arbeit mit Sachbüchern verlegt und mir daher geraten hat, mich schriftstellerisch anderweitig vertreten zu lassen. Ich danke Jodi Reamer, meiner fantastischen Agentin von Writers House, sowie Julie Strauss-Gabel, meiner spitzenmäßigen Lektorin. Die ganze Verlagsfamilie von Penguin Young Readers hat sich in außergewöhnlichem Maße für dieses Buch eingesetzt, mit ebenso viel Leidenschaft wie Professionalität. Ein besseres Team hätte ich mir nicht wünschen können.

Mein abschließender Dank gilt Annabelle, die mich in die Wolfsschlucht hineingeführt und mir auch den Weg hinaus gezeigt hat. Ich wäre gern so mutig wie sie.